Chères lectrices,

Vous vous demandez ~~~~~~~~ j'en suis certaine, comment les auteurs de romans inventent les histoires originales qui sont la trame de leurs livres… Les histoires fusent-elles spontanément sous leur plume, les personnages sont-ils le pur produit de leur imagination ? Non, bien sûr ! Car la plupart des écrivains s'inspirent du spectacle du monde qui les entoure. Véritables capteurs d'intrigues, insatiables voleurs d'émotions, ils observent leurs proches, détaillent leurs habitudes et les transforment au gré de leur fantaisie. C'est ce qui donne cette crédibilité, cette justesse à leurs héroïnes, et vous permet de vous identifier à elles. Ainsi, dans vos romans d'octobre, vous allez vibrer avec Sarah, impatiente de découvrir les secrets de sa jeunesse (Emotions N° 889), trembler avec Gina qui craint de devoir renoncer très vite à son nouveau bonheur (N° 890), espérer avec Nora, partie à la rencontre de son amour perdu (N° 891), aimer avec Caroline, partagée entre passion et raison (N° 890)…

Grâce au talent des auteurs, capables de transformer la réalité en fiction, vous entrerez avec bonheur au cœur de vos romans et ressentirez les émotions de chaque personnage, car c'est la vie, la vraie, qui leur donne toute leur profondeur.

Bonne lecture à toutes !

La responsable de collection

Pour l'amour d'un enfant

ROXANNE RUSTAND

Pour l'amour d'un enfant

ÉMOTIONS

éditionsHarlequin

Cet ouvrage a été publié en langue anglaise
sous le titre :
OPERATION : MISTLETOE

Traduction française de
ISABEL WOLFF

HARLEQUIN®

est une marque déposée du Groupe Harlequin
et Émotions® est une marque déposée d'Harlequin S.A.

Photos de couverture
Enfant : © ROYALTY FREE / CORBIS
Maison : © PHOTODISC / GETTY IMAGES

Toute représentation ou reproduction, par quelque procédé que ce soit, constituerait une contrefaçon sanctionnée par les articles 425 et suivants du Code pénal.
© 2002, Roxanne Rustand. © 2004, Traduction française : Harlequin S.A.
83-85, boulevard Vincent-Auriol, 75013 PARIS — Tél. : 01 42 16 63 63
Service Lectrices — Tél. : 01 45 82 47 47
ISBN 2-280-07892-9 — ISSN 1264-0409

1.

Lorsqu'elle vit Yvonne Weatherfield hésiter un instant et la considérer d'un air dédaigneux, avant de poursuivre son chemin, Sara Hanrahan comprit qu'elle était bel et bien de retour dans sa ville natale.

Elle aurait donné n'importe quoi pour être ailleurs.

Si les deux mille kilomètres qu'elle avait parcourus depuis Dallas, dans sa Bronco toute rouillée, avec son arbre de transmission capricieux et son chauffage défectueux, n'avaient pas été trop pénibles, son séjour à Ryansville, lui, commençait sous des auspices beaucoup moins prometteurs.

Cette fois, elle était venue avec une approche toute différente et une tolérance nettement moindre. Elle aurait adoré remettre quelques personnes à leur place… Hélas, elle était censée se fondre dans la masse, et non se mettre ses concitoyens à dos. Elle connaissait trop bien son travail pour commettre une erreur aussi grossière.

— Alors, Harold, qu'en penses-tu ? N'est-ce pas le genre d'endroit dont tu as toujours rêvé ?

Il leva le museau vers elle, lui indiquant par son regard débonnaire, que, tant qu'il était auprès d'elle, n'importe quel endroit du globe lui convenait.

Elle lui caressa le dessous du menton et sourit : le vieux chien venait de s'appuyer contre sa jambe et remuait la queue.

— Toi, au moins, tu as bon goût !

Soudain, elle sentit, plus qu'elle n'entendit, une personne de haute taille s'approcher d'elle par-derrière. *L'individu était beaucoup trop près*. Avec l'instinct acquis au cours de ces trois dernières années à la DEA[1], et auparavant dans la police urbaine, elle virevolta et recula d'un pas, en s'accroupissant légèrement. Puis elle jaugea l'homme qui s'était avancé vers elle.

Il était grand, brun, et paraissait fort surpris. Il portait l'uniforme bleu marine de la police du comté et *il la jaugeait, elle*, comme si elle était une délinquante potentielle, venant de s'introduire sur son territoire.

Elle le regarda dans les yeux, un sourire contrit aux lèvres.

— Vous… Vous m'avez fait peur, officier ! Voyez-vous, on m'a volé mon sac, il y a quelques mois, et depuis, je me méfie quand je sens une présence derrière moi.

— Désolé, madame !

Son expression était en parfaite contradiction avec cette affirmation. En fait, il paraissait un tantinet suspicieux.

Elle déchiffra le nom, sur son badge, puis le dévisagea, remarquant subitement ses cheveux d'un noir de jais, son menton carré et ses pommettes hautes. Si Elvis Presley en personne avait émergé de la cabine téléphonique, au bout de la rue, elle n'aurait pas été plus surprise.

Le nom du responsable de la police du comté — un dénommé Roswell — avait certes émergé, au cours du briefing de la DEA, mais elle n'avait pas fait la relation avec la famille Roswell, qui régnait sur la ville depuis des générations.

— *Roswell ?* Vous êtes Nathan Roswell ?

En guise d'assentiment, il eut un rictus désabusé. Sara songea que son choix de carrière n'avait probablement pas eu l'aval de son opulente famille. Ses parents avaient dû être horrifiés à la pensée que leur fils chéri porterait le badge de la police.

— Et vous, vous êtes… une Hanrahan, c'est bien ça ?

1. *DEA. : Drug Enforcement Administration : Brigade des stupéfiants*

Il s'interrompit pour réfléchir. Le rictus avait disparu.

— La sœur de Kyle ?

Ce n'était pas bien difficile à deviner, vu le nombre de cheveux blond vénitien et de taches de rousseur chez les siens. Toutefois, à l'actif de son interlocuteur, il s'était souvenu de son patronyme et avait réussi à le prononcer sans se départir de son expression neutre. Adolescent, Kyle avait donné du fil à retordre aux autorités locales. Quant à leur père… Il était de triste mémoire, lui aussi !

— Oui… Sara Hanrahan.

— Vous êtes de passage ?

— Je ne le sais pas encore.

— Il n'y a pas beaucoup de travail, par ici, vous savez !

Elle perçut l'avertissement à peine dissimulé derrière ses paroles, et se demanda vaguement comment il réagirait si elle lui mettait son propre badge sous le nez. Néanmoins, elle se contenta de hausser nonchalamment les épaules.

— Ça ne devrait pas changer mes projets, je pense !

Debout devant elle, si grand, si mince et déterminé, son arme accrochée à la taille, il lui rappelait un shérif du Far West, au siècle dernier. Elle s'attendait presque à ce qu'il lui conseille amicalement de se tenir tranquille.

Au lieu de quoi, il se pencha pour caresser le pelage gris de Harold.

— Il est beau, votre berger allemand. Vous l'avez depuis longtemps ?

— Un an seulement.

— Vous l'avez trouvé dans un refuge ? demanda-t-il, avec un regard approbateur.

Sara hésita. La vérité risquait d'entraîner d'autres questions auxquelles elle ne pourrait pas répondre… Du moins pas avant d'être certaine que Roswell n'était pas mêlé au trafic de drogue local, dont la DEA soupçonnait l'existence.

Selon les rapports préliminaires, l'adjoint au shérif ne trempait pas dans les agissements sur lesquels elle était venue enquêter. Il n'en restait pas moins vrai que dans plusieurs des affaires dont elle s'était occupée, la police locale avait, moyennant finances, fermé les yeux sur des trafics similaires. Dès lors, mieux valait ne prendre aucun risque.

— Non… Son maître est mort.

— Vous m'en voyez navré.

« Pas tant que moi ! » ajouta-t-elle en son for intérieur.

Aujourd'hui encore, trois ans après, il arrivait que la scène lui revienne à la mémoire, au moment où elle s'y attendait le moins. Les coups de feu… Le sang… *Tout ce sang !* S'il avait attendu quelques minutes, le temps qu'elle le couvre, Tony serait probablement ressorti vivant de cet entrepôt. Ils se seraient mariés, et elle ferait toujours de l'îlotage à Dallas.

Tandis qu'elle se laissait aller à ses pensées, Roswell l'examinait toujours attentivement.

— Ça va ?

Refoulant ces souvenirs trop sombres, elle s'efforça de lui sourire avec une insouciance feinte.

— Oui… Je suis un peu fatiguée, rien de plus !

Elle fit claquer ses doigts contre sa hanche pour attirer l'attention d'Harold.

— Nous ferions bien de rentrer !

Après avoir salué l'officier d'un petit geste de la main, elle reprit son chemin. Ses pas la menèrent devant une galerie marchande dont la façade, en pierre de taille, avait été restaurée et qui n'existait pas dans sa jeunesse. Il s'agissait d'échoppes de potiers, de tailleurs de bois, de souffleurs de verre, de bijoutiers. Un adorable café proposait diverses boissons chaudes, dont les prix et les parfums étaient inscrits à la craie sur un tableau exposé en vitrine.

« On n'arrête pas le progrès ! » songea-t-elle avec amertume. Tout était destiné aux touristes qui, le week-end, traversaient la ville, pare-chocs contre pare-chocs, pour aller admirer les plus beaux des lacs du Minnesota. Si l'on en jugeait par l'apparition de ces boutiques de luxe, la migration estivale devait être fort importante.

Elle attendait que l'unique feu tricolore de la petite bourgade passe au vert, avant de s'engager sur la chaussée, lorsqu'un sentiment de malaise la parcourut.

Elle se retourna lentement, convaincue que l'adjoint au shérif la surveillait, pour s'assurer qu'elle n'avait pas les doigts aussi agiles que son frère. A sa grande surprise, cependant, il avait disparu. Elle inspecta les trottoirs, des deux côtés de la rue.

Quelques femmes faisaient du lèche-vitrines. Un fermier en salopette lisait une annonce de mise aux enchères affichée dans la vitrine d'un magasin. Tout semblait normal et calme, en cette fin de samedi après-midi.

… Excepté un vieil homme décharné qui hésitait devant la porte ouverte d'une camionnette délabrée, à quelques mètres de là. Recroquevillé sur lui-même, comme s'il essayait de résister à un vent fort, il portait un vieux jean usé aux genoux et une chemise maculée de taches de graisse. Bien que son visage fût partiellement dissimulé par un chapeau aux larges bords et orné d'appâts de pêche, il lui parut étrangement familier.

Leurs regards se rencontrèrent et, immédiatement, l'individu se figea.

Intriguée, elle continua à le dévisager. Quand elle rentrait chez elle, pendant ses vacances, ses séjours étaient généralement trop brefs pour qu'elle ait le temps de faire un tour en ville. Par ailleurs, cela faisait une bonne douzaine d'années qu'elle avait quitté la région pour entrer à l'université. Un homme pouvait changer, en douze ans, et certains vieillissaient plus rapidement que d'autres… Une connaissance remontant à son enfance ?

Elle n'avait pas fait trois pas que l'individu se retournait déjà pour grimper dans son engin. Il claqua la portière, fit craquer les vitesses. Laissant échapper une épaisse fumée noire, la camionnette recula vivement dans la rue. Son chargement — une pile de métal tordu et de gros bidons ébréchés — vacilla dangereusement lorsque le véhicule déboîta, avant de grimper péniblement la pente raide de la rue principale. Les mots Ferrailles Stark avaient été peints à la main, sur la portière arrière.

Sara devait séjourner plusieurs mois à Ryansville. Elle ne manquerait donc pas de se renseigner sur ce M. Stark. Toutefois, cela devrait attendre : dans l'immédiat, il lui fallait déballer ses affaires et relire le rapport préliminaire de l'agent spécial Allen Larson, avant d'aller faire un petit jogging anodin, dans les parages de l'usine Sanderson.

Ensuite, lorsqu'elle ne pourrait plus retarder le moment redouté plus longtemps, elle irait affronter son passé.

— Depuis combien de temps es-tu en ville ?

Bernice Hanrahan porta une main noueuse à ses cheveux gris et les lissa en arrière, puis laissa tomber un sachet de thé dans la tasse d'eau bouillante posée devant elle. Même à l'âge de soixante-huit ans, elle s'obstinait à confiner ses boucles naturelles dans le chignon strict qu'elle avait porté toute sa vie. Son ton réprobateur ne s'était pas radouci, au fil des ans.

— Je t'aurais préparé un bon souper, si j'avais su que tu étais déjà là ! reprit-elle.

— J'ai décidé de conduire toute la nuit, maman. Je ne suis arrivée qu'en fin de matinée. Entre-temps, j'ai emmené Harold faire un tour et j'ai défait mes valises.

Sachant que sa mère allait lui demander des précisions, elle ajouta :

— Par ailleurs, je ne voulais pas que tu te donnes du mal. J'ai pensé que je pourrais peut-être t'emmener dîner quelque part !

— Non… Je n'ai pas envie de sortir.

Rien d'étonnant, là non plus.

— Tu veux que j'aille nous chercher quelque chose ? J'ai vu qu'il y avait un nouveau restaurant chinois, à l'orée de la ville.

— C'est inutile.

Bernice fit la moue et changea habilement de sujet.

— Tu es sûre que tu veux t'installer dans ce… Cet endroit, au-dessus du garage Shueller ? Je peux facilement te faire de la place ici, tu sais !

Sara examina la cuisine spartiate. Aucun ustensile ne traînait sur le comptoir, il n'y avait pas une tasse ou une assiette sale dans l'évier. Sur la table de formica blanc trônaient le même porte-serviettes et les mêmes salerons que ceux posés sur la table familiale, dans la maison verte qu'ils habitaient quand Sara était enfant.

Le reste du mobilier était familier, lui aussi, vestige de jours meilleurs.

Le minuscule duplex, impeccablement tenu, suffisait sans doute à une personne seule, mais en aucun cas à deux, sans parler d'un chien de grosse taille. Même pelotonné près de la porte, Harold semblait remplir toute la pièce.

— Je te remercie de ta proposition, maman. Cependant, je crois que nous serions un peu trop encombrants, Harold et moi.

— Tu pourrais toujours attacher le chien dehors !

— Nuit et jour ?

— Ce ne serait pas mieux comme ça ? rétorqua Bernice.

Son intonation impliquait que Sara faisait passer le bien-être du chien avant celui de sa propre mère.

Tant pis…

— Il a effectué une longue carrière en tant que chien renifleur, maman. Il mérite mieux qu'une laisse et une niche.

Comme s'il avait compris ce qu'elle venait de dire, Harold leva la tête et la regarda en fouettant le sol de sa queue, pour marquer son assentiment. Il ne s'était jamais complètement remis de la blessure qui lui avait été infligée au cours de sa dernière mission. Et, depuis qu'il dormait chaque soir sur une couverture douillette, au pied du lit de Sara, il détestait la fraîcheur matinale et l'humidité.

— Comment vas-tu, en ce moment ? Tu sors un peu ?

Une fois de plus, une distance s'était installée entre les deux femmes. C'était hélas, tellement habituel !

— Je sors quand j'en ai besoin.

— Et l'église ? Millie vient te chercher pour t'y emmener ? Elle ne demanderait pas mieux, tu sais !

Bernice se concentra silencieusement sur son sachet de thé. Après l'avoir repêché avec sa cuillère, elle enroula la ficelle autour du sachet pour l'essorer dans sa tasse.

Sara changea de tactique.

— Comment va Kyle ? Je lui envoie des e-mails, de temps à autre, et il ne répond jamais !

— Tu sais bien que ton frère n'aime pas beaucoup écrire !

— Mais il va bien ?

— Pour autant que je sache !

Sara laissa échapper un petit soupir de soulagement. Tout comme Zach Forrester, son supérieur à la DEA, elle avait un proche toxicomane. Les rapports de la sœur de Forrester avec ce milieu avaient contribué à sa mort. Depuis lors, Sara priait, chaque jour pour que son frère ne replonge pas.

— J'espère que je le verrai, pendant mon séjour. Il rentre souvent de l'université ?

Une expression peinée traversa le visage de Bernice.

— Rarement… Il faut au moins quatre heures pour venir de Minneapolis, tu sais !

Ce n'était pas si loin que ça et ce n'était pas une raison pour éviter de rentrer à la maison. Sara consulta sa montre.

— Alors, maman ? Tu veux que j'aille chercher à manger chez les Chinois, ou bien tu décides de prendre un peu de bon temps, pour une fois, et de m'accompagner dans ce petit restaurant, sur

14

le lac Ryan ? Si je me souviens bien, le brochet de Josie est absolument délicieux !

— Je... Non. J'ai mal à la tête, répondit Bernice en agitant une main. Je crois que je vais aller m'allonger un peu. Je me ferai peut-être une soupe, un peu plus tard. Vas-y, toi !

— S'il te plaît, maman !

« Ça fait vingt-cinq ans, à présent. Tu ne peux pas oublier ? »

La vieille femme se leva avec raideur pour aller poser sa tasse dans l'évier. Celle-ci lui échappa des mains et se brisa sur le lino.

Ignorant la porcelaine brisée, à ses pieds, elle s'appuya des deux mains sur le comptoir.

— Tu ne comprends pas. Tu n'as jamais compris... Je crois que tu ferais mieux d'y aller, maintenant, ajouta-t-elle d'une voix rauque. Je... Je ne me sens pas bien du tout.

Sara était revenue à Ryansville sous prétexte de se rapprocher de sa famille et de refaire sa vie dans sa ville natale. Or, depuis le début, elle savait qu'il s'agissait de la couverture la plus invraisemblable de sa carrière.

Et cette mission était la plus difficile que la DEA lui ait jamais assignée.

Nathan regarda Clay Benson, par-dessus l'échiquier, avec un sourire moqueur.

— Je te tiens !

Clay soupira longuement et se renversa dans son fauteuil, les mains croisées sur l'estomac. Ses sourcils blancs se rapprochèrent tandis qu'il examinait la situation.

— Pas encore, mon vieux ! Comme on dit, « tant que la mule n'est pas rentrée dans l'étable »...

Nathan s'esclaffa. Maintenant qu'il était retraité, l'ancien shérif avait des allures de grand-père bienveillant, qu'il n'avait pas décelées lorsque ce dernier était son patron. Au cours des années, les deux hommes étaient devenus amis.

— C'est ça que j'aime, chez toi. Tu ne désespères jamais. Ça montre ta force de caractère !

— Exact ! Tout dans l'intelligence et le talent !

Clay jeta un coup d'œil à l'horloge murale accrochée au-dessus du bureau de Nathan.

— Il n'est pas loin d'une heure. Je ferais bien de filer, sans quoi le coiffeur va me tondre le crâne pour me punir de mon retard.

— Demain, même heure ?

— Y'a intérêt ! répliqua Clay en s'extirpant du fauteuil. Midi précis. Et prépare-toi à y laisser ta chemise !

Nathan souleva l'échiquier, en prenant soin de ne pas renverser les pièces, et le posa sur la desserte, derrière lui.

— Je voulais te parler de quelque chose.

Clay s'immobilisa sur le seuil et se retourna.

— J'espère que tu ne vas pas recommencer à me harceler avec mes cigarettes ! J'ai la ferme intention d'enterrer tous les non-fumeurs de la ville !

C'était peu vraisemblable. Nathan avait vu Clay souffrir de ce qu'il avait appelé « un pincement de rien du tout » à la poitrine et il savait que Dora, l'épouse du vieux shérif, et leur médecin de famille, le suppliaient d'arrêter de fumer depuis des années. A l'idée de ce qui attendait son ami, Nathan éprouvait déjà un sentiment de perte.

— Tu te souviens des Hanrahan ?

— J'aurais du mal à les oublier ! Pourquoi ? Kyle est revenu semer la zizanie en ville ?

— Non. Toutefois, l'un d'entre eux est de retour, expliqua Nathan en s'asseyant sur le rebord de son bureau. J'ai rencontré la sœur de Kyle, dans la Grand-rue, samedi dernier.

— Je n'ai jamais eu affaire à elle, dit Clay en se frottant le menton. Tu redoutes des problèmes ?

— Ça n'a pas l'air d'être son genre… Cependant, elle a réagi avec une certaine nervosité quand je me suis approché d'elle.

— Tu as pris des renseignements ?

— Je n'ai aucune raison de le faire. En tout cas, pas encore.

— J'ai été shérif pendant trente-six ans, avant de prendre ma retraite. Crois-moi, Nathan, ne la quitte pas des yeux. Les chiens ne font pas des chats… Surtout lorsqu'ils sont aussi tordus que son père.

— Je me rappelle avoir entendu parler de l'arrestation pour meurtre d'un certain Daniel Hanrahan. C'était lui ?

— Ouais ! Frank Grover était un type formidable. Il aurait fait n'importe quoi pour ses concitoyens. Sans compter que c'était un très bon ami à moi. Alors savoir qu'il est mort comme ça, d'une balle dans le ventre, sur un chemin de traverse… Ça me rend toujours malade, quand j'y pense !

— Il n'y a jamais eu de doute quant à l'identité du meurtrier ?

— Oh, que non !

— Quelles preuves avait-on contre lui ?

— Daniel Hanrahan se trouvait sur le lieu du crime. Ses empreintes digitales étaient sur l'arme et il avait du sang sur ses vêtements.

— Ça faisait longtemps qu'on m'avait envoyé en pension, à l'époque. Comment ont réagi les gens ?

— A mon avis, personne n'a jamais pu pardonner à ce fumier d'avoir tué Frank… Ni de s'être suicidé avant le procès. Si sa veuve avait été futée, elle serait partie loin d'ici ! Enfin… Bon, à demain ! dit-il en consultant sa montre.

Nathan lui fit un signe de tête puis s'avança vers les dossiers alignés à l'autre bout de la pièce.

Jusqu'à une époque récente, la municipalité avait eu son propre shérif, ainsi qu'un adjoint. Après que les électeurs avaient choisi de faire respecter la loi par le bureau du shérif du comté, Nathan avait été nommé dans sa ville natale.

Dorénavant, la plupart des dossiers étaient enregistrés sur les ordinateurs du comté. Toutefois, les affaires locales remontant à plus de vingt ans continuaient d'être archivées, et formaient une masse de documents jaunis, de rapports cornés, de vieilles photos serrés dans des classeurs.

En prenant ses fonctions, Nathan avait eu l'intention de passer tous ces dossiers en revue, les uns après les autres. Malheureusement, sa juridiction s'étendait sur cent cinquante kilomètres, aussi n'avait-il achevé qu'une partie infime de sa tâche.

Il entreprit de rechercher les documents concernant l'affaire Hanrahan.

Ollie Nielsen, sa secrétaire à mi-temps, frappa discrètement à la porte, avant d'entrer, avec une poignée de lettres et un paquet. Nathan l'avait toujours considérée comme une parfaite mamie, avec ses cheveux blancs et son apparence de grand-mère, mais il se gardait bien de le lui dire : Ollie continuait à faire ses deux kilomètres de jogging chaque jour, portait des caleçons en latex et des chaussures argentées, et avait récemment obtenu sa ceinture marron de taekwondo.

— Il est 13 heures ! annonça-t-elle en brandissant une boîte de matériel pédagogique contre la toxicomanie. Nous venons de recevoir ces nouvelles brochures et vous êtes attendu au collège dans quinze minutes !

— Merci !

Il continua de fouiller dans les dossiers de l'année 1977, trouva celui qu'il cherchait et le lança sur son bureau.

— Je serai de retour vers 14 h 30.

Au cours des trois années qu'il avait passées dans la police de Minneapolis, il avait reçu une formation spéciale, avant d'être affecté à la prévention des comportements à risque. De toutes les tâches lui incombant, tout au long de la semaine, à Ryansville, celle du mercredi après-midi était l'une de ses préférées.

— Méfiez-vous de ces jeunes profs, compris ? lança Ollie avec un clin d'œil. Je suis allée à l'institut de beauté, l'autre jour, et j'ai entendu dire que certaines d'entre elles avaient des vues sur vous !

— Merci du conseil ! répliqua-t-il sèchement. Toutefois, je doute fort que ça pose un problème pendant mon cours !

Ou à n'importe quel autre moment, d'ailleurs !

Ces adorables jeunes filles, tout juste sorties de l'université, étaient tout bonnement trop… *jeunes*. Quant aux autres femmes lui ayant fait des avances, elles étaient soit aigries par leur dernier divorce, soit un peu trop hardies. Or, en temps qu'adjoint au shérif, il ne pouvait pas se permettre d'avoir des aventures sans alimenter aussitôt la rumeur.

Ollie lui tendit la boîte et se pencha sur son bureau pour déposer le courrier.

Brusquement, elle prit une profonde inspiration et se tourna vers lui.

— Je… Désolée, Nathan. Vous savez bien que je n'aime pas me mêler des affaires des autres.

Il ne put s'empêcher de sourire.

— Vous êtes la discrétion même, Ollie ! Je dis toujours que vous devriez devenir détective privé. Vous avez un meilleur sens du détail et davantage de patience que ceux que je connais. Sans compter que vous pourriez sans doute mettre K.O. quiconque oserait vous regarder de travers !

En temps normal, elle lui aurait répondu par une boutade, mais cette fois, elle hésita, se mordant les lèvres, les yeux soudain empreints de tristesse, semblant tergiverser sur ce qu'elle allait dire.

— Je n'ai pas pu faire autrement que remarquer le dossier que vous venez de sortir, avoua-t-elle enfin.

— Je revois ces affaires classées dès que j'ai une minute de répit. Vous vous souvenez bien de l'assassinat de Grover ?

— Franklin était un cousin à moi, au deuxième degré, répondit-elle, en soupirant. C'était l'homme le plus adorable de la terre. Il a fait tant de choses pour rendre cette ville plus agréable… Tout le monde, sans exception, se souvient de lui !

— D'après Clay, c'était une affaire très simple !

— Je ne vois pas quelles preuves supplémentaires on aurait pu trouver ! Daniel avait le motif, l'occasion, et, lorsqu'on l'a arrêté, il tenait l'arme du crime entre ses mains !

— Le motif ?

— Je suppose qu'il voulait dérober le portefeuille de Franklin. A moins qu'il ait eu des problèmes à l'usine. Il venait d'y être embauché. Certes, on n'a retrouvé aucun avertissement sur sa fiche… Toutefois, Franklin n'était pas très vindicatif. Il avait l'habitude de prendre ses employés à part et leur donnait toutes leurs chances, avant de les renvoyer.

— Et l'occasion ?

— Hanrahan est sorti à 23 heures. Franklin avait eu une réunion tardive, à l'usine et il est le dernier à en être parti, vers minuit. Il est sorti par-derrière, et sa voiture est tombée en panne, sur la route de Dry Creek. Nous en avons déduit qu'il était en train de revenir en ville, à pied.

La voix d'Ollie se brisa.

— Pour trente misérables dollars, Daniel a mis fin à un avenir radieux pour cette ville, et il a anéanti notre famille.

— Je suis désolé ! murmura Nathan, en lui posant une main sur l'épaule.

Elle leva les yeux et lui adressa un sourire larmoyant.

— Vingt-cinq ans ont passé, et pourtant j'ai l'impression que c'était hier…

— La fille de Hanrahan est arrivée à Ryansville, le week-end dernier.

Ollie se raidit et recula d'un pas.

— Son frère était infernal. Vol de voiture, vol tout court, alcool, drogue… Tout ! Il a évité la prison de justesse. Il ne nous manquait plus qu'une autre Hanrahan en ville pour semer la pagaille !

— J'ai du mal à croire que cette fille appartienne à une famille à problèmes… Elle ne m'a vraiment pas l'air d'une perturbatrice !

— J'espère que vous n'êtes pas en train de vous imaginer qu'on s'est trompé de coupable ! lança Ollie d'une voix plus dure. Rouvrir de vieilles blessures ne changera rien et ne fera que raviver la colère générale. Laissez tomber, Nathan. Nous ne nous en porterons que mieux !

2.

— Vous le sortez souvent, votre chien ! Vous n'avez pas besoin d'aide ?

Josh Shueller, le fils des propriétaires de Sara, se tenait devant la porte de son appartement, les yeux si remplis d'espoir que la jeune femme ne put réprimer un sourire.

— Je ne peux pas t'autoriser à le promener tout seul, mais si ta mère est d'accord, tu peux m'accompagner.

— Je reviens tout de suite !

Peut-être était-ce une bonne chose que de l'emmener avec elle. Du moins c'est ce qu'elle pensa, en s'asseyant pour lacer ses baskets. La présence de l'enfant rendrait d'autant plus anodines ses allées et venues en ville.

Non qu'elles aient été très voyantes, jusque-là. Toute la semaine précédente, elle avait commencé son jogging quotidien en ville, avant d'aller courir autour de l'usine Sanderson, en lisière des habitations. Si on lui demandait ce qu'elle faisait, elle pourrait toujours répondre qu'elle s'entraînait pour un marathon.

Désormais, elle connaissait mieux la configuration des lieux. Par ailleurs, elle s'était fait une idée de la manière dont le trafic s'opérait. Le bâtiment original, tout en brique et haut de deux étages, abritait les bureaux. Un passage fermé le reliait à l'usine, elle-même juxtaposée à un entrepôt encore plus récent.

D'après les rapports de la DEA, l'entrepôt n'avait été bâti que deux ans auparavant, quand l'entreprise avait commencé à fabriquer des savons et senteurs baptisés Tante Emma. Ce qui avait alors constitué un pari faisait déjà de l'ombre à la gamme de nettoyants ménagers, produits par l'usine Sanderson depuis quarante ans.

Aujourd'hui, elle allait grimper sur les collines avoisinantes, afin d'examiner de plus près un petit affleurement de pierres d'où l'on pouvait observer l'entrée et le parking de l'usine. L'endroit lui paraissait idéal pour entamer une surveillance de nuit. Une personne seule aurait pu éveiller les soupçons. Mais une femme allant admirer les étoiles en compagnie de son vieux chien semblerait bien inoffensive.

Elle avait à peine fini de lacer sa deuxième chaussure que Josh remonta les escaliers en courant et frappa à la porte grillagée.

— Entre ! cria-t-elle.

Il s'exécuta. Ses joues parsemées de taches de rousseur étaient toutes rouges, et sa tignasse poil-de-carotte en bataille.

— Maman est d'accord. Enfin, elle veut d'abord vous parler… Ensuite, on pourra y aller. Où on va, exactement ? Est-ce que je pourrai tenir la laisse ?

— Il vaut mieux que ce soit moi qui la tienne… Du moins pour l'instant !

Devant l'expression déçue de l'enfant, elle tendit la main pour lui caresser les cheveux.

— Il est un peu agité, par moments, tu sais ! ajouta-t-elle.

— Je pourrai le faire, la prochaine fois ?

— Nous verrons, répondit Sara en riant. Viens, Harold ! On sort ! dit-elle en tapant sur sa cuisse de la main.

Harold quitta sa place douillette, devant le réfrigérateur, et il s'approcha d'elle, s'asseyant docilement pendant qu'elle attachait une laisse à son collier.

— Il est génial ! dit Josh, extatique. Le chien du voisin ne vient jamais, quand on l'appelle. Il serait plutôt du genre à partir dans la direction opposée… C'est à cause de mon papa qu'on ne peut pas avoir de chien, vous savez ! Il est allergique.

Surprise, Sara examina l'enfant. Bob Shueller n'avait pas hésité une seconde, néanmoins, à lui donner les clés de l'appartement.

— Ah bon ? Et malgré cela, il a accepté de me louer ce studio ?

— Maman lui a dit qu'il fallait bien que vous habitiez quelque part, rétorqua Josh en haussant les épaules. Parce qu'autrement, personne n'accepterait…

Il s'interrompit en rougissant.

« … D'avoir pour locataire la fille du meurtrier le plus détesté de la ville ? »

Sara avait connu la mère de Josh, autrefois. Zoé avait quelques années de plus qu'elle. C'était une fille tranquille, qui avait été la proie des sarcasmes, à cause d'une tache de vin sombre sur son visage. Aujourd'hui, elle souffrait d'une hémiplégie partielle, du côté gauche, ce qui intriguait Sara : Zoé était si jeune ! Quoi qu'il en soit, et bien que la vie n'ait pas été clémente avec elle, elle semblait être devenue plus courageuse et plus courtoise que certains de ses concitoyens.

— J'imagine que la plupart des gens hésiteraient à prendre un locataire ayant un chien, reprit Sara en souriant. Ils ne savent pas à quel point mon vieil Harold est bien élevé !

— Eh bien…, bredouilla Josh, mal à l'aise.

— Allons-y, d'accord ? J'ai envie de suivre le chemin qui s'enfonce dans la forêt, à l'est de la ville. Tu y es déjà allé ?

— Une fois ! Avec mon papa.

— Parfait ! Tu seras mon guide !

Zoé les accueillit, un bébé sur la hanche et un téléphone portable à la main.

— Tu es sûre que ça ne t'ennuie pas d'emmener Josh avec toi ? demanda-t-elle avec affabilité.

— Pas du tout ! C'est un week-end rêvé pour les sorties, tu ne trouves pas ? Tu veux peut-être venir avec nous… Nous ne marcherons pas très vite.

— Impossible, avec ce petit machin-là ! répliqua Zoé en soufflant sur sa frange. Il faut qu'il aille faire sa sieste et il est trop grognon, aujourd'hui, pour s'accommoder de la poussette. Sans quoi, je vous aurais volontiers accompagnés. Dieu sait que j'ai besoin d'exercice ! ajouta-t-elle en considérant d'un air contrit ses amples vêtements. Où allez-vous, au juste ?

— Nous allons descendre l'avenue des Chênes et suivre le chemin qui traverse la forêt, murmura Sara. Nous serons de retour dans une heure, si ça te convient.

Le bébé qui, pour un temps, avait été fasciné par le balancement de la queue de Harold, se cabra soudain, et se mit à hurler.

— Je sais, Timmy ! Tu fais tes dents et tu es fatigué… Il est temps que je te mette dans ton berceau !

Zoé posa une main sur l'épaule de Josh.

— Sois sage, hein ! Ne t'éloigne pas de Sara et essaye de ne pas trop lui casser les oreilles, promis ?

— Promis !

Josh partit comme une flèche et s'arrêta devant la porte, dansant d'un pied sur l'autre.

— C'est gentil de ta part, dit Zoé, d'un ton assez bas pour que seule Sara puisse l'entendre. Depuis qu'il a appris que tu allais habiter ici, il est complètement excité par ce chien !

— Ça me fait plaisir !

Après lui avoir fait un petit signe, Sara alla rejoindre Josh.

Ils s'engagèrent dans l'avenue des Chênes. Quelques minutes plus tard, ils étaient sortis de la zone habitée.

— J'adore les samedis, déclara Josh. Pas vous ? Les dimanches aussi, sauf que le samedi, on a toute la journée devant nous, et on a l'impression qu'elle durera toujours.

Avant que Sara ait pu répondre, Josh se lança dans un long monologue, parlant d'un exposé qu'il projetait de faire, à l'école, sur la vie des crapauds. Il se tut pendant une petite minute, au moment où ils quittaient la route pour escalader la colline surplombant l'usine Sanderson, puis, s'arrêtant subitement, il se tourna vers elle et lui sourit de toutes ses dents.

— Vous vous plaisez, à Ryansville ? Vous allez chercher du travail et rester ici ? Parce que vous pourriez m'embaucher pour promener Harold, chaque jour ! Ça serait génial !

Prise de court, Sara l'étudia attentivement. Ces dernières années, elle avait rarement été en contact avec des enfants. Toutefois, celui-ci lui paraissait... hors du commun. Tous les gamins de huit ans étaient-ils aussi bavards que lui ?

— Mmm... Je ne sais pas encore combien de temps je vais rester ici !

Le chemin, assez large, les mena jusqu'à une prairie verdoyante, baignée par le soleil. Ils traversèrent ensuite une forêt de sapins, avant de se frayer un passage à travers un amas de rochers et d'affleurements pierreux. Harold trottinait joyeusement aux côtés de sa maîtresse, le museau levé pour s'imprégner d'odeurs que lui seul pouvait détecter.

Ils poursuivirent leur ascension, humant la fragrance des aiguilles de pins et de la poussière qu'ils soulevaient en marchant.

Un layon presque invisible tournait sur la droite, près d'un pin abattu, à huit cents mètres environ du bas de la côte.

— A ton avis, où cela mène-t-il ? Prenons-le ! dit Sara.

Comme elle l'avait espéré, le sentier conduisait à l'affleurement rocailleux qu'elle avait repéré d'en bas.

Elle arpenta l'endroit pour le mesurer. Il faisait environ trente mètres sur cinq. Elle estima ensuite la hauteur de l'abîme, puis compta les pas jusqu'au chemin principal.

Elle reviendrait à la tombée du jour. Un seul faux pas pouvait causer une chute d'environ trois cents mètres jusqu'à une crique asséchée, au-dessous. Néanmoins, c'était un bon endroit pour se poster. De nuit, il n'y aurait probablement personne d'autre dans les parages, et peu de gens avaient dû remarquer le layon y menant.

Ils gravirent les quelques mètres les séparant du faîte de la colline. Traversant le long plateau, au sommet, ils s'assirent sous un énorme chêne centenaire pour partager un paquet de biscuits et une bouteille d'eau.

Josh parla sans discontinuer, de ses parents, de l'école, de ses amis et de Timmy, ponctuant son discours de questions sur Sara et Harold, et cela jusqu'à leur retour chez les Shueller. Sara en était tout étourdie.

Dans les escaliers, il se tourna vers elle, rayonnant.

— Je pourrai venir la prochaine fois aussi ?

— Mmm… On verra, d'accord ?

Entendant le rire de gorge de Zoé, Sara leva les yeux. La mère du gamin se tenait sur le seuil de son appartement, dont elle ouvrit la porte grillagée.

— Josh, Timmy dort, alors ne fais pas de bruit ! Et puis, je voudrais que tu ailles ramasser ton Scrabble, dans le salon. Les pièces traînent partout !

Josh étreignit longuement Harold, puis rentra en traînant des pieds et disparut.

— C'est un enfant charmant ! dit Sara. Il est rare qu'un enfant parle autant de ses parents que lui ! Surtout d'une manière aussi positive !

Les yeux de Zoé se remplirent de larmes.

— C'est vrai ? Même s'il ne se plaint jamais, je sais que les autres enfants se moquent de lui, à cause de mon état de santé.

— Ce n'est pas juste !

Zoé se glissa sur la terrasse, referma la porte derrière elle et s'appuya sur la rambarde.

— Il n'est pas très grand, pour son âge, et il a vraiment bon cœur. Trop, parfois ! ajouta Zoé, d'une voix chagrine. Il voudrait me défendre contre le monde entier, et quand les autres l'accablent de sarcasmes au sujet de son « monstre de mère », il se sent terriblement impuissant.

— Je suis vraiment désolée, répondit Sara, le cœur serré. On dirait que nos chers bambins n'ont pas beaucoup changé, depuis notre enfance !

— Ça me paraît pire, parce qu'il s'agit de mon fils et non de moi… Et je ne peux pas toujours être là pour désamorcer la situation, soupira Zoé.

Sara hésitait à lui demander si elle avait essayé les nouveaux traitements.

Zoé avait lu dans ses pensées.

— Les techniques au laser n'étaient pas encore parvenues jusqu'ici, quand j'étais petite. Et, de l'avis de mon médecin, il est trop tard pour que j'obtienne de très bons résultats. Il y a bien longtemps que je me suis résignée à vivre avec mon physique… Malheureusement, j'ignorais que la pilule était plus dangereuse pour les femmes affligées de taches de vin.

— Que s'est-il passé ?

— Le sang a coagulé et j'ai fini par avoir une attaque.

Elle eut un petit sourire de guingois.

— C'est un lourd fardeau, pour un petit garçon, que d'avoir une mère défigurée.

— Tu as fait de la rééducation ?

— Dans la mesure de mes moyens, oui. Les thérapeutes font des miracles, je t'assure ! Je suis vraiment heureuse de ne plus avoir besoin de canne, même si je boite toujours beaucoup !

En remontant chez elle, Sara songea que certains avaient tout, dans la vie, et n'appréciaient pas leur bonheur. Zoé, qui avait souffert plus que sa part, voyait l'aspect positif de sa situation. Si seulement elle avait pu l'aider !

*
* *

28

Des nuages dentelés, apportés par un vent d'octobre plutôt frisquet, défilaient devant la lune, agitant les ombres du paysage, au-dessous d'elle.

Sara s'installa à côté de Harold, sur une couverture, coiffa une casquette de base-ball bleu marine, afin de dissimuler ses cheveux clairs, et dressa un petit télescope à sa gauche. Avec un peu de chance, personne ne la remarquerait. Dans le cas contraire, un éventuel agresseur trouverait à qui parler.

Elle avait pratiqué l'autodéfense pendant des années, et un Beretta semi-automatique était retenu par un holster au creux de ses reins. Et puis, elle était accompagnée par un chien policier.

En plus d'avoir été entraîné à renifler la drogue, Harold savait fouiller des immeubles, suivre une piste, appréhender les criminels et protéger le personnel. En cas d'affrontement, ce serait un allié formidable.

Sara sortit ses jumelles à infrarouge pour examiner les parkings est et sud des bâtiments. Il restait quelques voitures, groupées autour d'une des portes latérales de la plus grande bâtisse, tels des chiots autour d'une gamelle. Ces véhicules ne pouvaient pas appartenir à des employés faisant des heures supplémentaires : ceux-ci se seraient garés en ordre, sur les emplacements peints en jaune.

De la lumière brillait aux fenêtres du troisième étage. Toutefois, malgré ses puissantes jumelles, la jeune femme ne parvenait pas à distinguer ce qui se passait derrière les stores.

Une Lexus noire, ou bleu marine, s'arrêta en pleine lumière, devant l'entrée ouest. Le conducteur tapa un numéro sur le digicode et le portail s'ouvrit. L'homme se dirigea sans hésiter vers l'endroit où les autres véhicules étaient garés. Il descendit de voiture, inspecta le parking, puis se hâta vers la porte et s'engouffra à l'intérieur du bâtiment.

Intéressant… Certes, une réunion de travail pouvait s'éterniser, mais il était peu vraisemblable qu'elle attire un retardataire à minuit passé. Sara fouilla dans son sac pour en tirer un minuscule magnétophone et entreprit de décrire ce qu'elle voyait. S'emparant ensuite de son vieux Minolta, elle le chargea avec un film 1 000 ASA, pour avoir autant de lumière que possible, vissa un objectif 300 mm, et prit plusieurs photos.

Il y avait fort à parier qu'elle était trop éloignée pour obtenir des clichés significatifs de ces plaques d'immatriculation, même après agrandissement. Cependant, l'endroit restait le meilleur pour la surveillance.

D'en bas, elle aurait été obligée de traverser un vaste terrain à découvert et, là encore, elle aurait été trop loin pour photographier les plaques. Sans compter qu'un agent de sécurité, jetant un coup d'œil par la fenêtre, l'aurait immédiatement repérée.

Elle avait déjà pris note des heures d'arrivée et de départ des camions de livraison, pendant la journée, et appris les horaires des cols blancs, tirés à quatre épingles, et des employés des entrepôts et de l'usine, habillés de manière plus ordinaire.

Elle devrait revenir souvent ici, la nuit, pour s'efforcer de consigner les activités qui succédaient au départ des employés. Elle désirait savoir si les livraisons ou les expéditions nocturnes étaient fréquentes. Par ailleurs, il lui faudrait trouver un moyen de pénétrer dans l'usine sans éveiller les soupçons.

Malgré ce que lui avait dit l'adjoint au shérif à propos du marché de l'emploi, cela ne devrait pas être bien difficile. Grâce au rapport d'Allen Larson et à ses joggings quotidiens, elle était parvenue à identifier certains des employés et, même si elle avait quitté la ville quelque douze années auparavant, elle avait pu mettre un nom sur certains visages.

« C'est l'avantage des petites villes ! » songea-t-elle, en caressant le pelage doux d'Harold. Pour le meilleur et pour le pire, tout le monde se connaissait. Elle parviendrait bien à tirer quelques ficelles pour se faire embaucher à l'usine !

Il était plus de 2 heures du matin quand les véhicules quittèrent les lieux. Frigorifiée, courbatue et épuisée, Sara retira le film de son appareil photo et le rangea dans une poche latérale, avant d'insérer une nouvelle pellicule et de prendre quelques photos des arbres et des rochers alentour.

Elle rassembla ensuite ses affaires et inspecta son repaire. Ce terrain rocailleux était idéal : sa présence ne pourrait être révélée par de l'herbe couchée. Cela ne l'empêcha pas de s'assurer qu'elle n'avait laissé aucun indice derrière elle.

Son sac sur l'épaule, elle ramassa la laisse d'Harold et redescendit vers la ville.

Elle avait parcouru quelques centaines de mètres lorsqu'elle entendit des branches bruisser derrière elle. Le cœur battant contre sa poitrine, elle enjoignit à son chien de rester calme, se saisit de son arme et fit volte-face.

Une fraction de seconde plus tard, deux biches et un énorme cerf traversèrent le chemin. Ils se figèrent de l'autre côté, comme s'ils avaient senti sa présence, et disparurent en un clin d'œil.

Harold poussa un grognement enthousiaste en remuant la queue, un reste d'instinct primal le poussant à la chasse, malgré sa vie de chien des villes.

— Désolée, mon vieux ! chuchota-t-elle. Ce n'est pas une bonne idée…

Elle descendit le reste de la pente encore plus furtivement, tous ses sens concentrés sur la broussaille sombre, de part et d'autre du sentier. Il y avait des loups, dans cette partie du pays, et des ours bruns rôdaient près des plus grands arbres, évitant toutefois les humains, envers qui ils ne se montraient que très rarement agressifs.

Les autres prédateurs, eux, étaient beaucoup plus imprévisibles : il s'agissait de l'espèce à deux pattes. Or, le cerf lui avait rappelé sa vulnérabilité.

Vulnérabilité dont elle était d'autant plus consciente que, plus elle avançait, plus elle avait le sentiment de ne pas être seule.

Il y avait quelqu'un — ou quelque chose — dans les parages. Elle le sentait au picotement de malaise qui lui parcourait la nuque.

Lorsque Harold se mit à marcher plus près d'elle, se serrant contre sa jambe droite, les poils dressés sur son échine, la jeune femme en eut la certitude.

Les arbres se raréfiaient, devant elle, remplacés par la broussaille donnant sur la grande clairière qu'elle avait traversée en montant. Et si l'endroit, à ciel ouvert, ne pouvait dissimuler un éventuel poursuivant, il ne la protégeait pas davantage. Elle piqua un sprint, Harold bondissant à ses côtés, et ne ralentit que lorsqu'elle eut atteint l'épaisse plantation de bouleaux, à l'autre extrémité de la clairière.

Là, elle se retourna. Il n'y avait personne derrière elle. Pour la suivre sans se faire voir, il aurait fallu que son poursuivant contournât la clairière. S'était-il agi d'un effet de son imagination ?

Les battements de son cœur reprenant un rythme normal, elle continua son chemin jusqu'à la route de Dry Creek, qui longeait l'usine Sanderson. Bientôt, elle aperçut les premières habitations de Ryansville. Dans dix minutes, elle serait à l'abri, avec Harold, dans leur petit logement feutré.

Ils n'étaient plus qu'à un pâté de maisons lorsqu'elle entendit une voiture remonter la rue, derrière elle… Tous phares éteints, ce qui était mauvais signe.

Regardant autour d'elle, elle évalua la distance qui la séparait du garage des Shueller. Dans cette partie de la ville, les maisons étaient, pour la plupart, hautes d'un étage et montées sur bardeaux, avec de grands jardins à l'arrière, où étaient tendus des fils à linge. Il était rare qu'elles soient clôturées. Si besoin était, Sara pourrait toujours couper par ces habitations.

Elle tourna la tête et s'apprêtait à courir, quand la voiture ralentit derrière elle. En voyant la galerie de lumières sur son toit et l'inscription, « Adjoint au shérif du comté de Jefferson » sur son flanc, elle sentit son cœur se serrer.

S'il s'agissait de Nathan Roswell, qui s'était déjà montré soup-çonneux le jour de son arrivée en ville, qu'allait-il penser d'elle, à cette heure tardive de la nuit ? Pire encore : elle était certes autorisée à porter une arme, mais comment lui expliquerait-elle la présence du Beretta, s'il lui prenait la fantaisie de la fouiller ?

Le véhicule passa lentement devant elle et s'arrêta. La portière s'ouvrit et, bien entendu, Nathan lui apparut. Son air renfrogné ne présageait rien de bon.

— Il est un peu tard pour se promener, vous ne trouvez pas ?

Il la toisa de la tête au pied, son regard s'attardant sur son sac à dos, plein à craquer.

Elle eut un petit sourire contrit et haussa les épaules.

— Je fais de l'insomnie… J'ai travaillé en équipe de nuit, quand j'étais à l'université, et je n'ai jamais réussi à reprendre le rythme.

Habituée qu'elle était à enregistrer les moindres détails de son environnement et des gens qu'elle rencontrait, Sara se rappelait que ses yeux lui avaient semblé verts, quand elle l'avait croisé en ville. A présent, dans l'obscurité, ils lui paraissaient brun foncé, et d'une telle intensité qu'elle eut l'impression qu'il pouvait lire dans ses pensées les plus intimes.

Confrontés à un homme aussi imposant que lui, la plupart des suspects devaient avouer leurs crimes sur-le-champ.

— Où travailliez-vous ? s'enquit-il d'un ton anodin, même si elle savait pertinemment que la première chose qu'il ferait, le lendemain matin, serait de vérifier ses références.

Elle cita la société que ses collègues et elle-même utilisaient généralement comme couverture.

— Chez Allied Computer System, à Dallas.

— Même dans une petite bourgade comme Ryansville, il n'est pas prudent, pour une femme, de sortir à cette heure tardive, vous savez !

— Il faut croire que les choses ont changé, depuis mon enfance, alors !

— Certains de mes concitoyens vont jusqu'à fermer leurs portes à clé, de nos jours ! confirma-t-il, avec un rictus.

Sara se souvint qu'il avait été envoyé en pension, étant enfant. Avant cela, il lui était arrivé de l'apercevoir, à l'école primaire, mais sans plus : il était son aîné de deux ans, et une telle différence d'âge revenait alors à vivre sur des planètes différentes.

Toutefois, elle n'avait pas oublié Nathan, avec ses fossettes et ses cheveux bouclés et noirs comme le charbon, qui lui tombaient sur les yeux. Il était plutôt calme et bien plus gentil que les affreux jojos qui faisaient des boulettes de papier et racontaient des blagues salaces pendant la récréation.

Les fées qui lui avaient octroyé ces fossettes angéliques, à la naissance, avaient continué à le gâter, à l'âge adulte. A la lueur d'un réverbère, au-dessus d'eux, ses pommettes taillées au couteau donnaient un aspect dur à son visage. Et, là où s'étaient tenues ces adorables petites fossettes, se trouvaient à présent deux longues rides qui s'approfondissaient quand il souriait.

Il fallait reconnaître, cependant, qu'il ne souriait pas beaucoup. Pour l'heure, ses sourcils sombres étaient froncés, et il semblait prodigieusement intéressé par son sac à dos.

— Je vous ai vue descendre la rue des Chênes. Vous avez fait une longue promenade ?

Il voulait plus qu'une simple réponse : il attendait qu'elle lui dise avec exactitude où elle avait été.

— Nous avons pas mal vadrouillé dans les rues transversales, expliqua-t-elle, en faisant un geste vague de la main. Ça doit bien faire deux heures que nous sommes partis.

— Vous ne vous êtes pas approchée du caravaning ?

— Non !

— Même pas un petit peu ?

— Non. Nous ne sommes pas allés si loin ! Pourquoi ?

34

— Vous n'avez vu personne traîner dans le coin ?

— Je n'ai pas croisé âme qui vive depuis une heure !

Il attendit tranquillement, utilisant une tactique vieille comme le monde pour amener les gens à dire n'importe quoi, afin d'en finir avec le silence. Voyant qu'elle ne réagissait pas, il soupira.

— Ça vous arrive souvent de vous promener en ville avec un sac à dos aussi gros ?

— Je fais des photos de nuit. Enfin… Quand la lumière s'y prête, bien entendu.

Il la considéra d'un air interrogateur.

— Je photographie la nature ! Pas les gens par leur fenêtre ouverte ! Je peux vous donner ma pellicule, si vous voulez. Il m'arrive aussi d'observer les étoiles, quand je parviens à m'éloigner des lumières de la ville… J'ai un petit télescope et une couverture, ainsi qu'un appareil photo.

— Ainsi, vous vous intéressez aux constellations ?

— En amateur, et encore, pas très éclairé. Toutefois, je m'y efforce.

Harold lui donna un coup de museau sur la cuisse.

— Bien… S'il n'y a rien d'autre…

Nathan marqua son assentiment par un petit coup de tête et se détourna pour regagner son véhicule. Il s'arrêta soudain, devant la portière.

— Soyez prudente. Il y a eu un cambriolage, au camping, ce soir, et on ne sait jamais sur qui vous pourriez tomber. Je ne suis pas toujours là, vous savez !

Sara laissa échapper un petit soupir de soulagement et le regarda s'éloigner en direction de la colline.

Elle ne pouvait pas se permettre d'attirer l'attention des autorités…

Ni de qui que ce soit d'autre, d'ailleurs.

3.

Nathan redescendit de l'échelle et porta une main au-dessus de ses yeux, pour se protéger du soleil couchant.

— Alors, qu'en penses-tu ?

Son parrain, Ian Flynn, contempla un instant la maison victorienne, haute de deux étages, puis hocha la tête d'un air approbateur. Très élégant dans son impeccable costume anthracite et ses mocassins de marque, il était prudemment resté sur l'allée pavée, menant à la double porte d'entrée.

— Tu as bien avancé. Ça fait combien de temps que tu as cette maison, à présent ? Six mois ?

— Sept. Et je pensais que ça irait plus vite !

Ian fit une petite moue, tout en étudiant les volutes des pignons, et le découpage dentelé surplombant le balcon.

— J'espère que tu n'essayes pas de tout faire tout seul !

— J'ai employé quelqu'un pour remplacer la toiture et les moulures les plus élevées, répondit Nathan en détachant sa ceinture à outils, qu'il déposa sur un chevalet.

— Eh bien… A ce rythme-là, tu auras fini en…

— 2010 !

— Crois-moi, fiston, déclara Ian en lui tapotant le dos, on n'en a jamais vraiment terminé avec ce genre de projet. A propos, j'aime bien la couleur de la façade !

La demeure était d'un jaune pâle, rehaussé par des moulures blanc cassé et quelques touches de jaune vif et de bleu faïence.

Nathan n'était cependant pas allé jusqu'à repeindre la porte en rouge, comme à l'origine. Cela avait été un petit caprice, caractéristique de sa grand-tante qui, à l'âge de quatre-vingt-treize ans, était partie en voyage en Europe et s'était fait percer un deuxième trou dans les oreilles pour célébrer son centième anniversaire.

Ian parcourut le jardin du regard.

— Quel dommage que cette propriété soit sortie de la famille ! Tes parents sont venus la voir ?

— Je les y ai invités, mais ils ne sont pas encore passés…

— Ta mère a toujours été têtue. Par contre, ça m'étonne de Patrick !

— Nous avons des relations très courtoises… Je fais une apparition, pendant les fêtes et aux anniversaires… Tu sais, ils continuent de considérer mon choix de carrière comme un affront personnel, expliqua-t-il en désignant sa voiture de patrouille, garée dans l'allée. Surtout depuis que je suis revenu dans la région !

— Ça a mis de l'huile sur le feu, c'est cela ? ricana Ian.

— A leurs yeux, je devrais devenir homme d'affaires, et il n'y a pas de danger que cela se produise… De toute manière, ma sœur Meredith est bien plus apte que moi à reprendre les entreprises de la famille Roswell ! acheva-t-il en haussant les épaules.

Il n'avait encore jamais rencontré personne d'aussi ambitieux qu'elle, et c'était l'une des raisons pour lesquelles ils n'avaient jamais été très proches.

— Nul doute que tes parents abandonneront la partie, un de ces jours…, répondit Ian en consultant sa montre. Je ferais bien d'y aller, moi ! On est lundi et j'ai une réunion du conseil d'administration !

— Je croyais que tu avais pris ta retraite ! ironisa Nathan. En tant que directeur de la société, tu devrais être en train de te dorer la pilule à Cancun !

— Je n'arrive pas à m'arrêter, expliqua Ian avec un sourire contrit. Enfin ! En réalité, je ne fais que superviser les opérations !

— Ça se passe bien ?

— Même si Robert peut se montrer arrogant, je dois bien reconnaître que Sanderson n'a pas été obligé de licencier, cette année. Bien des entreprises ne peuvent pas en dire autant, en ce moment ! Les ventes de notre gamme de produits Tante Emma semblent importantes.

Ian fit sonner la monnaie qu'il portait dans la poche de son pantalon.

— Je suis prêt à tout pour sauver mon entreprise et maintenir l'économie de cette ville… J'ai été heureux de te voir, Nathan. Nous devrions dîner ensemble, un de ces soirs !

— Quand tu veux !

Ian monta dans sa voiture. Nathan lui fit un petit signe d'adieu et se tourna vers la façade de sa maison, afin de contempler le fruit de son travail.

Ici, au moins, il en voyait les résultats immédiats.

Il n'avait trouvé aucun indice incriminant pour les cambriolages au caravaning, pendant le week-end. Et, si Sara Hanrahan s'était trouvée dans les parages, c'était sans la moindre nervosité et avec précision qu'elle avait répondu à ses questions. Soit elle était innocente, soit il s'agissait de la meilleure comédienne qu'il lui ait été donné de rencontrer depuis longtemps.

Certains aspects de son travail étaient frustrants. Il se sentait limité par les fausses pistes, les alibis et le poids de la paperasserie juridique, qui pouvaient faire libérer un coupable au moindre vice de forme.

A l'inverse, cette maison, et même toute la propriété, lui apportait un sentiment de sérénité et de plénitude qu'il n'avait pas éprouvé depuis une éternité.

En deux heures, il pourrait réparer une partie de la clôture. Trois ou quatre heures de travail supplémentaires lui suffiraient pour débroussailler le jardin floral ou passer la dernière couche de peinture sur la façade.

C'est à juste titre que Ian avait parlé du potentiel de l'endroit. Nathan le percevait lui-même, chaque fois qu'il descendait l'allée en courbe et se garait devant la vieille bâtisse. Il se construisait un foyer, une existence agréable, en plus du métier qu'il adorait.

Il se surprit soudain à s'interroger sur la jolie rouquine, si sûre d'elle-même, dont l'aura mystérieuse l'intriguait depuis leur rencontre, le samedi précédent.

Quel genre de femme pouvait-elle être, pour faire son jogging en pleine nuit et avoir le courage de revenir dans une ville où son nom était associé au pire fait divers des cinquante dernières années ?

Le lendemain matin, Sara se leva à 7 heures, revêtit une jupe noire toute simple, un chemisier pêche et enfila des chaussures plates. Lorsqu'elle s'empara de ses clés de voiture et se dirigea vers la porte, Harold, qui n'avait eu droit qu'à une courte promenade autour du pâté de maisons, agita la queue, d'un air piteux.

— Je ne peux pas t'emmener, mon vieux ! Je ne serai pas longue… Souhaite-moi bonne chance ! ajouta-t-elle en lui caressant les oreilles.

Quelques minutes plus tard, après s'être garée sur le parking visiteurs de l'usine Sanderson, elle examina les locaux de plus près.

Elle se souvenait vaguement du bâtiment le plus ancien de l'usine. L'éclairage de sécurité et la clôture, très élevée, étaient neufs. En revanche, la vieille façade de briques rouges et l'allée en ciment qui menait à la porte d'entrée n'avaient pas changé.

Avant de mourir, son père avait travaillé ici. Elle se revit, avec sa mère et Kyle, attendant sous le vieil érable, près de la porte latérale. Lorsque la sirène retentissait, à midi, Daniel Hanrahan s'avançait vers eux, à grandes enjambées, une lueur joyeuse dans les yeux, un large sourire aux lèvres.

— Comment va ma fille préférée ? demandait-il d'un ton taquin, avant de la soulever dans les airs.

Il lui arrivait souvent d'oublier sa gamelle et, après coup, elle avait fini par comprendre qu'il désirait au moins autant la compagnie de sa famille, à l'heure du déjeuner, que les sandwichs à la bolonaise et au fromage, ainsi que les cookies au chocolat préparés par sa femme.

Quand les choses avaient-elles commencé à mal tourner ? Elle ne se rappelait aucun incident notable. Pourtant, quelques mois plus tard, juste avant Noël, on avait trouvé Daniel Hanrahan penché sur le corps sans vie de Frank Grover, une arme entre les mains.

Sara n'avait que sept ans le jour où son père avait tué un homme, avant de se pendre dans la minuscule prison de Ryansville.

Balayant ces souvenirs, elle s'enfonça dans la fraîcheur sombre des bureaux de l'usine Sanderson, s'immobilisant un instant pour laisser ses yeux s'adapter à l'éclairage insuffisant.

Le couloir central était flanqué de portes en chêne, avec de petites vitres de verre dépoli portant d'anciennes inscriptions en lettres dorées. *Bureau Principal. Comptabilité. Direction. Courrier.* Elle les longea jusqu'au bureau des Ressources humaines.

Une femme brune d'environ trente-cinq ans, plutôt robuste, et répondant, à en croire la plaque posée sur son bureau, au nom de Webster, leva le nez des documents qu'elle tenait en main, une expression navrée sur le visage.

— Désolée. Nous n'embauchons pas, en ce m…

Elle s'interrompit, les yeux écarquillés.

— Sara ? Sara Hanrahan ?

Sara se rendit compte que la jeune femme lui rappelait vaguement quelqu'un. Elle lui enleva mentalement une vingtaine de kilos, changea sa coiffure et…

— C'est moi, Jane Kinney… Webster, à présent. Beaucoup plus âgée, plus grosse et, je l'espère, un peu plus sage, dit-elle en mettant ses papiers de côté. J'étais dans la même école que toi, deux classes plus haut, tu te souviens ? Et quand tu travaillais chez Dairy Queen, je travaillais chez le teinturier d'à côté. J'ai quitté la ville pendant quelques années… Par la suite, je suis revenue m'installer définitivement ici.

Bien que le rapport préliminaire d'Allen n'ait pas fait état de la présence de Jane, celle-ci pouvait se révéler plus utile que les autres personnes sur sa liste.

— Alors comme ça, tu travailles ici ? s'enquit Sara. Bien joué, Jane. Tu as réussi, de toute évidence !

— Pas en tout, cependant !

Son sourire s'évanouit et c'est avec un air d'acceptation résignée qu'elle leva la main gauche et agita son annulaire nu.

— J'ai divorcé, comme tu le vois.

— Tu m'en vois navrée ! Tu as des enfants ?

— Pas encore, non. Et toi ?

— Je suis toujours célibataire. J'ai été sur le point me marier, mais ça ne s'est pas fait.

— Eh bien, si tu penses trouver l'âme sœur à Ryansville, je te souhaite bien du plaisir ! déclara Jane en levant les yeux au ciel. A moins que tu n'aimes passer tes week-ends à pêcher le brochet, à chasser le canard ou à te geler les fesses sur une barque, au beau milieu d'un lac glacial. Pour ma part, je préfère les soirées au cinéma aux engelures et aux piqûres de moustiques !

Comme Sara n'envisageait de rester dans la région que quelques mois, il était peu probable qu'elle se lance dans une aventure sentimentale. Cela lui apporterait sans doute plus d'ennuis que de satisfactions.

Subitement, l'image de Nathan s'imposa à elle. Hélas, il n'y avait aucune possibilité de ce côté-là. En dépit de son métier, il restait un Roswell. Il était peu vraisemblable qu'il se risque à présenter aux siens la fille d'une couturière et d'un ouvrier qui avait assassiné son patron. Et si elle ne se voyait pas passer une après-midi en compagnie de sa famille riche à millions et snobinarde, elle savait que les Roswell apprécieraient encore moins la situation.

— Ce n'est pas un homme que je cherche, répondit-elle en souriant, mais un travail. Il n'y a rien, en comptabilité ?

Jane se rembrunit.

— Je suis vraiment désolée, Sara. Ça fait des mois que nous n'avons embauché personne.

— Pas même une aide-comptable ? Une secrétaire ? Je ne suis pas difficile, tu sais !

Jane secoua la tête, jeta un coup d'œil vers la porte et reprit, d'un ton plus bas :

— Nous avons déjà eu la chance de ne pas être obligés de licencier. Nous avons perdu quelques marchés et les affaires sont mauvaises.

— C'est plutôt une mauvaise nouvelle pour la ville, non ?

— On n'en est pas encore là ! assura promptement Jane, en agitant les mains.

Elle les joignit et les laissa retomber sur son sous-main.

— Je n'aurais pas dû dire cela… Encore une fois, nous n'avons procédé à aucun licenciement. J'ai une amie, dans les bureaux de la direction. Elle m'a assuré que nous toucherons notre prime de Noël, cette année encore.

— Je te promets que ça restera entre nous. Est-ce que je peux poser ma candidature quand même ?

— Bien sûr !

Jane se leva et se dirigea vers un sas menant à une petite réserve, dont elle revint avec un formulaire de candidature, un conférencier et un stylo.

— Assieds-toi et remplis ceci. Je ne manquerai pas de te prévenir, s'il y a du changement.

Cinq minutes plus tard, Sara avait rempli le document, se servant des références tronquées habituelles.

— Tu crois que je peux visiter les locaux, pour voir à quoi ils ressemblent ?

— Non. Ça ne se fait pas, ici. Le propriétaire prétend que cela dérange les employés et que ce n'est pas hygiénique d'avoir des visiteurs. Quant à Robert Kelstrom — c'est le gérant, et c'est lui qui dirige vraiment l'usine — il pense que cela pourrait mettre en danger nos secrets industriels.

— Des secrets industriels ? En matière de lotions et de produits ménagers ?

— Il y a une concurrence énorme, tu sais ! répliqua Jane. On pourrait nous espionner !

— C'est vrai… Je n'avais pas pensé à cela !

Sara se leva pour partir.

— Merci d'avoir pris ma candidature.

Arrivée à la porte, elle s'arrêta et se retourna.

— Ça fait longtemps que je n'ai pas vécu ici. Tu veux qu'on déjeune ensemble, un de ces jours ? Je pourrais venir te chercher !

Voyant le visage de Jane s'éclairer, Sara devina que celle-ci se sentait très seule.

— J'en serais ravie !

La jeune femme tira une carte de visite du tiroir supérieur de son bureau, griffonna quelques mots au verso et la lui tendit.

— Tu as ma ligne directe, ainsi que les horaires de l'entreprise, et j'ai ajouté mon adresse et mon numéro de téléphone personnel. Appelle-moi quand tu voudras !

En regagnant sa voiture, Sara éprouva un pincement de culpabilité à l'idée de se servir de Jane pour lui soutirer des renseignements.

Avec un peu de chance, l'enquête ne serait pas concluante, et Jane n'en saurait jamais rien.

*
* *

Sara dévisagea la vieille bibliothécaire, espérant qu'elle avait mal entendu.

— Vous n'avez pas de microfiches ? Vous savez, ce qu'on utilise pour archiver les documents et les articles de journaux ?

— Je sais très bien ce que c'est ! rétorqua Mlle Perkins. Nous n'en avons pas, un point c'est tout !

Levant un bras décharné, elle désigna une énorme porte de bois, à l'extrémité du couloir.

— Les journaux sont là-bas, au premier étage. Première porte à gauche. Remettez tous les documents où vous les avez trouvés. Et n'oubliez pas d'éteindre les lumières !

— Vous êtes encore ouverts pendant deux heures, c'est bien ça ?

— Nous ouvrons jusqu'à 21 heures, le mardi, et cela depuis soixante-quinze ans !

« C'est-à-dire, probablement, depuis son arrivée ! » songea Saran se souvenant que lorsqu'elle était enfant, Mlle Perkins exerçait déjà son autorité sur les lieux, surveillant les rayons de son bureau, avec un regard d'aigle. Elle ne s'était pas beaucoup radoucie avec l'âge.

— Merci, mademoiselle Perkins !

— Pas de chewing-gum dans la bibliothèque ! Et je ne tolérerai plus que vous rapportiez vos livres de la Bibliothèque Verte en retard, c'est compris ?

Sara tourna la tête juste à temps pour surprendre une lueur malicieuse dans les yeux de la vieille dame.

— Vous vous souvenez de moi ?

— Je n'oublie jamais les enfants prometteurs, mademoiselle Hanrahan !

Avant que Sara ait pu répondre, la bibliothécaire lui tourna le dos et entreprit de trier le courrier empilé sur son bureau.

Sara longea le couloir en souriant et grimpa l'étroite cage d'escaliers. Qui aurait cru que celle que les élèves surnommaient « la sorcière de la bibliothèque », au lycée, avait le sens de l'humour ?

Une forte odeur de moisi l'attendait derrière la porte. Elle alluma et pénétra dans la pièce contenant les journaux.

L'éclairage, une simple suspension à deux ampoules, illuminait un bureau de chêne, au centre de la pièce. Les rayonnages se dessinaient vaguement dans l'ombre.

Sara parcourut les allées, plissant les yeux pour déchiffrer les étiquettes recouvertes de toiles d'araignées, sur les petites cartes punaisées au bout de chaque rayon. 1895-1905, 1906-1915, 1916-1925…

Au fil des ans, la *Gazette de Ryansville* avait évolué, passant d'une simple lettre d'informations à un véritable journal, au format standard et d'un volume substantiel.

Sara était venue chercher les articles concernant l'entreprise Sanderson, au cours des cinq dernières années. Néanmoins, lorsqu'elle atteignit la période recouvrant les années 1976 à 1985, elle retint son souffle. Tout y serait : les détails sur l'arrestation de son père, ainsi que les rapports sur la mort de Franklin. Elle avait été bien trop jeune, à l'époque, pour comprendre clairement ce qui s'était passé.

Elle longea le rayonnage, s'arrêta devant l'année 1977 et consulta les numéros de juin, de juillet, d'août… Son cœur fit un bond dans sa poitrine. Septembre… Octobre…

Elle tenait entre ses mains le compte rendu d'un événement qui avait changé à jamais le cours de sa vie. Un fait divers qui avait fait de Bernice, alors une femme active, mère de deux enfants, paroissienne dévouée et membre de l'association de parents d'élèves, cette créature amère et murée dans son silence, vivant chichement de petits travaux de couture et ne sortant jamais de chez elle.

Tremblante, Sara emporta les numéros de septembre et octobre jusqu'à la table. Elle resta debout un moment, redoutant ce qu'elle allait trouver et incapable de faire le premier geste.

Du coin de l'œil, elle vit une personne de grande taille entrer dans la pièce. Surprise, elle recula et se trouva nez à nez avec Nathan Roswell qui, de toute évidence, ne s'était pas attendu à rencontrer quelqu'un dans cette salle.

Embarrassée, elle s'esclaffa.

— Je suis désolée. Vous… Vous m'avez fait peur !

— Vous aussi !

Un sourire indulgent creusa ses rides. Lorsqu'il n'essayait pas de l'intimider, il avait un visage plutôt affable.

— Je me demandais même si quelqu'un était déjà monté jusqu'ici ! reprit-il

— C'est… Euh… C'est la première fois que je viens.

Elle jeta un coup d'œil rapide aux journaux amassés sur la table et se pencha pour les ramasser. Il fit de même et leurs doigts se rencontrèrent.

Il dut éprouver la même sensation, la même surprise qu'elle, car il se figea et, levant la tête, la regarda dans les yeux.

— Je… Je vais les ranger et vous laisser travailler ! balbutiat-elle, après un silence gêné.

Il examina les journaux et, de toute évidence, comprit ce que signifiait pour elle l'année 1977, car il fronça les sourcils. Ainsi, il était au courant, pour son père… Etait-ce la raison pour laquelle il l'avait considérée avec une telle suspicion, les deux fois où ils s'étaient croisés ? La croyait-il uniquement capable d'actes répréhensibles ?

— Mauvaise année ! Je suis désolé pour votre père, dit-il placidement.

— Je vous remercie.

Elle alla remettre les journaux en place et se dirigea vers la porte, afin d'éviter les questions auxquelles elle ne pourrait répondre.

— Je ne vivais pas ici, quand ça s'est passé, poursuivit-il. Néanmoins, je me souviens avoir entendu des rumeurs. Clay Benson m'a fourni tous les détails de l'histoire. J'imagine facilement à quel point ça a été dur pour vous et pour votre famille !

« Ça m'étonnerait ! » songea-t-elle. Le jeune homme de bonne famille qu'il était à l'époque n'en avait probablement eu aucune idée, et l'homme qu'il était devenu pas davantage. Qu'est-ce qui pouvait constituer une tragédie, pour quelqu'un d'aussi riche ? Un jour où la Rolls-Royce refusait de démarrer ? Un krach boursier à Wall Street ?

Elle le considéra d'un air sombre.

— Nous avons surmonté cette épreuve... A une prochaine fois !

C'était exactement ce qu'il fallait dire : cela ne laissait aucune place à une conversation plus approfondie et ne lui donnait aucun signe d'encouragement. Tout intérêt pour cet homme ne ferait que semer le trouble en elle, à la fois sur un plan personnel et sur un plan professionnel.

Pourtant, quelque chose dans son regard l'empêcha de sortir. Quelque chose de sombre, d'attrayant et de terriblement masculin, en appelant à une partie de son être qui était endormie depuis bien longtemps. L'espace d'une seconde, elle se laissa aller à un fantasme totalement ridicule.

Puis elle tourna les talons et s'éloigna.

4.

Nathan remonta lentement l'avenue des Peupliers, passa devant la foule bruyante qui s'était formée devant l'école primaire, et s'arrêta devant son bureau, à une cinquantaine de mètres de là. En sortant de son véhicule, il regarda derrière lui.

« Les joies de Noël… » songea-t-il sombrement.

En cette mi-octobre, les couleurs de l'automne éclataient comme si le Créateur s'était amusé avec l'enthousiasme d'un enfant devant sa nouvelle boîte de peinture. En chemin, il s'était émerveillé devant la magnificence des nuances rouge sang, orange vif et jaune, contrastant avec le vert profond des pins qui bordaient le lac Ryan. L'air, vif et frais, exhalait le sapin et les feuilles brûlées. Et voilà qu'au lieu d'apprécier ce magnifique samedi d'automne, la moitié de la population de Ryansville se tenait dans la cour de l'école pour discuter de la manière la plus commerciale de célébrer Noël.

Il claqua sa portière et, se tournant vers l'entrée de son bureau, faillit trébucher sur le petit Shueller, qui était, lui aussi, plutôt haut en couleurs, avec ses cheveux poil-de-carotte, ses taches de rousseur et ses baskets constellées de tâches de peinture.

— Bonjour ! Vous venez à la réunion pour Noël ?

En dépit de ses épaisses lunettes, ses yeux brillaient d'excitation.

— Non.

Devant l'expression déçue du gamin, il ajouta :

— Ils ont suffisamment d'aide, tu ne crois pas ?

Le visage de Josh s'éclaira.

— Si, sûrement ! Vous savez, ça va être le plus beau Noël de tous les temps ! Il y aura une parade et un spectacle, et un concours de la maison la mieux décorée. Et puis, ils veulent de vrais animaux et de vraies personnes pour la scène de la Na… de la Na…

— De la Nativité ?

Josh le gratifia d'un large sourire édenté.

— C'est ça. C'est génial, non ?

Pour un enfant de huit ans, peut-être. Nathan, lui, préférait rester en dehors de toute cette agitation. Yvonne Weatherfield avait tenté de l'attirer à une réunion, mais il avait décliné l'invitation. S'il était parvenu à résister aux exigences à peine masquées de la mondaine la plus en vue de Ryansville, il devait être facile de contourner celles d'un petit garçon.

— J'espère que tu décrocheras un rôle important, Josh ! Bonne chance !

— Bon. Eh bien, je crois que je vais y aller !

Nathan regarda l'enfant traverser la rue, l'air légèrement dépité. Arrivé de l'autre côté, toutefois, ce dernier se mit à courir pour rejoindre les autres.

Chaque année, un nouveau président de comité promettait de faire mieux que l'année précédente, et immanquablement, les commerçants et des associations de femmes le rejoignaient avec une ferveur renouvelée, tout cela dans le but d'attirer davantage de chalands pendant les premières semaines de décembre.

Si Noël avait une véritable signification, elle n'était certainement pas dans les illuminations exubérantes et les queues interminables aux caisses des grands magasins.

Nathan fut assailli par des souvenirs d'enfance. Du plus loin qu'il se rappelait, sa mère avait toujours transformé la maison familiale en un monde féerique. Et comme on lui interdisait de toucher à quoi que ce soit, il s'était toujours demandé si cette splendeur n'était pas simplement destinée à impressionner les invités.

Une fois à l'intérieur du petit commissariat en briques, il se massa les épaules pour en chasser la tension, prit le courrier éparpillé derrière la porte et gagna son bureau, au fond du couloir. Fort heureusement, les locaux étaient calmes, Ollie ne travaillant que les lundis, mercredis et vendredis matin. Toutefois, le répondeur téléphonique clignotait à un rythme régulier et une pile de fax récents l'attendaient, dans le bac de la machine.

Il savait que rien ne pressait, néanmoins. Les appels en urgence du comté de Jefferson parvenaient au bureau du shérif, à Hawthorne, et la radio, ainsi que le biper attaché en permanence à la ceinture de Nathan, avaient été relativement silencieux au cours de la matinée.

Il s'empara des fax et les feuilleta, à la recherche de nouveaux avis en provenance du réseau de surveillance des délits. Deux magasins de spiritueux braqués, dans le comté voisin, un adolescent en fugue, une camionnette Ford volée à Fergus Falls et quelques cabines de plage pillées, sur les lacs environnants...

Tout en continuant de lire les avis, il s'installa dans son fauteuil et appuya sur le bouton du répondeur.

La voix d'Yvonne Weatherfield vint rompre le silence.

— Je voulais vous dire que nous espérons toujours que vous présiderez le...

Il effaça le message.

— Bonjour, mon grand ! C'est maman. Nous partons pour la Floride, demain, et nous te rappelons que nous t'attendons pour dîner, ce soir. A 18 heures !

Il effaça ce message-là aussi, en soupirant. Elle l'avait déjà invité et il avait accepté, sous réserve d'un impératif de dernière minute. Cependant, il ne comprenait pas bien pourquoi elle l'invitait si souvent. Ni elle ni son père ne paraissaient particulièrement ravis de sa présence.

Ces dîners se déroulaient communément dans un silence gêné, son père, mal à l'aise, s'agitant sur sa chaise, et sa mère s'efforçant maladroitement d'alimenter la conversation.

Ni Patrick ni Elena Roswell n'avaient pardonné à leur fils d'avoir refusé un poste clé dans l'une des sociétés familiales, et ils n'avaient pas abandonné l'espoir de le faire changer d'avis.

Par ailleurs, quand sa sœur Meredith était là, elle craignait de toute évidence qu'en se pliant à leurs désirs, il ne menace un jour la position de force qui était la sienne.

Ce qui ne risquait guère de se produire…

Seule Ruth, la gouvernante, semblait sincèrement heureuse de le voir. Nathan aurait traversé le Dakota rien que pour sa délicieuse cuisine et ses étreintes chaleureuses.

Il écouta les autres messages, prenant quelques notes, rappela plusieurs correspondants puis entreprit de rédiger ses rapports de plaintes de la veille.

Entendant la porte s'ouvrir, il leva les yeux. Yvonne Weatherfield s'avança vers lui, en se déhanchant, une lueur aguichante dans les yeux. Son chandail ivoire collait à ses formes, sa jupe assortie lui descendait à mi-cuisses. C'était la femme la plus entreprenante de tout Ryansville.

— Je suis ravie de vous trouver ici, Nathan, susurra-t-elle, ses lèvres charnues esquissant une moue coquette. Nous espérions tellement que vous assisteriez à notre réunion, pour nous aider à décider des actions à lancer !

— Désolé, Yvonne. Je travaillais, ce matin !

— Il n'est pas trop tard, vous savez ! s'exclama-t-elle avec un sourire enjôleur. Je dois participer à la réunion pour les spectacles. Vous ne voulez pas venir me donner un tout petit coup de main ?

A l'idée de ces réunions interminables et des coups de fils sans fin qui ne manqueraient pas de suivre, il eut l'impression que les murs de son bureau se refermaient sur lui.

— Non, désolé. Une autre fois, peut-être, mais pas cette année. Je dois sortir, maintenant, dit-il en attrapant ses clés sur son bureau. Bonne chance, quand vous formerez les équipes. Je sais que vous ferez du bon travail, comme d'habitude !

Il l'escorta jusqu'à la porte, qu'il verrouilla derrière eux.

— Nathan…

— Je dois vraiment y aller, Yvonne, répéta-t-il en s'avançant vers son véhicule.

De l'autre côté de la rue, Sara Hanrahan, flanquée de son chien, remontait la pente en courant. Dans son caleçon noir et son vieux sweat-shirt à l'insigne des Cow-boys de Dallas, les cheveux dissimulés par une casquette de base-ball, elle n'aurait pu paraître plus différente d'Yvonne. Pourtant, quelque chose en elle le poussa à l'observer un instant… Sa grâce naturelle, peut-être, à moins que ce ne soit le mépris évident de ce que pouvaient penser ses concitoyens.

C'était vraiment triste, cette histoire avec son père. Par curiosité, il avait consulté les archives, et l'affaire semblait aussi claire que le lui avait relaté Clay : il s'agissait bien d'un meurtre, suivi d'un suicide en prison.

Elle jeta un bref coup d'œil en direction de sa voiture, regarda brièvement Yvonne et continua son chemin, sans changer de rythme. Pourtant, Nathan aurait pu jurer qu'elle avait esquissé un sourire furtif.

Josh remontait péniblement la côte menant à la rue des Peupliers, les yeux rivés sur le trottoir craquelé, le cœur lourd. Les paroles de Thad et de Ricky Weatherfield résonnaient toujours à ses oreilles. *Hé, Shueller ! Tu penses vraiment qu'on va te sélectionner pour jouer dans la Nativité ? Tu ne crois pas que tu aurais plus de chances avec* La planète des Singes *ou* La Nuit des morts-vivants *?*

Les fillettes les plus âgées avaient éclaté de rire et, bien que certains adultes se soient retournés pour signifier leur réprobation, les frères Weatherfield n'en avaient pas démordu. D'habitude, ils veillaient à ce que personne n'entende leurs propos… qui n'étaient pas moins blessants pour autant.

A croire qu'ils avaient fait de Josh leur cible préférée et qu'ils guettaient la moindre occasion de se montrer horribles avec lui. Du moins, cette fois, ils ne lui avaient pas parlé de sa mère. S'ils l'avaient fait, il leur aurait foncé dedans, une bonne fois pour toutes. Seulement, bien sûr, il aurait récolté une heure de retenue, perdant ainsi toute chance de jouer le rôle de Joseph dans la pièce.

Car, dans toutes les situations, les frères Weatherfield se serraient les coudes.

— Salut, Josh ! Qu'est-ce qui t'arrive ?

Surpris, il leva le nez et vit Sara, qui se tenait à quelques mètres de lui, la tête penchée, une expression intriguée sur le visage. Harold l'accompagnait.

— Tu fais une tête d'enterrement !

Il s'arrêta et donna un petit coup de pied dans une craquelure du trottoir.

— Non !

— Ça va ?

— Ouais !

Devant le sourire bienveillant qui se dessina sur les lèvres de la jeune femme et la lueur de sympathie qui brilla dans ses yeux, il se sentit soudain un peu mieux.

— Comment va Harold ?

— Pas mal, merci ! dit-elle en tapotant la tête du chien. Tu veux venir te promener avec nous ? Je vais au Dairy Queen, à la sortie de la ville. Je t'invite, si ça te fait plaisir !

— Super !

De sa main libre, elle sortit son téléphone portable de sa poche arrière et le lui tendit.

— Appelle ta mère, pour lui demander si elle est d'accord.

— Je suis en CM1 ! protesta-t-il, sentant ses joues s'enflammer. Je ne suis pas obligé de demander l'autorisation pour tout !

Les Weatherfield venaient de l'accuser d'être dans les jupons de sa mère, et leurs insultes résonnaient toujours à ses oreilles.

— Pas d'appel, pas de glace ! rétorqua Sara, en lui faisant un petit clin d'œil. Je ne veux pas m'attirer les foudres de ta mère ! Elle risquerait d'augmenter mon loyer !

Après avoir regardé autour de lui, Josh s'empara de l'appareil et composa son numéro. Zoé répondit dès la deuxième sonnerie.

— Salut, mon grand ! Comment ça s'est passé ? Tu as décroché le rôle ?

Son cœur se serra devant tant d'enthousiasme. Sa mère était tellement certaine de son talent et de sa popularité… Or, que savait-elle de sa situation ? Rien. En tout cas, rien sur la manière dont les choses se passaient.

— Le comité dira ce qu'il a décidé dans quinze jours, répondit-il.

— Ils ne peuvent pas trouver mieux que toi, p'tit Jo, tu sais !

Il grimaça en entendant son surnom de bébé, constata avec soulagement que personne ne l'avait entendu, puis, après lui avoir brièvement parlé du Dairy Queen, rendit le téléphone à Sara.

— C'est d'accord !

Ils se mirent en route. Ils avaient fait la moitié du chemin quand la jeune femme, toujours souriante, lui tapota l'épaule.

— Tu m'as vraiment l'air déprimé. Qu'est-ce que c'est, cette histoire de comité ? Tu poses ta candidature à la mairie ou quoi ?

— Joseph.

— Qui ?

— Vous savez… Pour la crèche, à Noël.

Pendant quelques secondes, il se laissa aller à imaginer la fierté sur le visage de sa mère. La vision s'effaça presque aussi vite qu'elle était venue.

— Ils y mettront des animaux vivants, pendant plusieurs jours, et, la veille de Noël, il y aura des acteurs, qui devront jouer les rôles des personnages de la Nativité.

— Je vois… Alors dis-moi, quelles sont tes chances de jouer celui de Joseph ?

— Nulles.

— Et pourquoi donc ? A mon avis, tu serais parfait, dans ce rôle. Comment décide-t-on de ce genre de choses ? Il y a un vote ?

— Non. C'est le comité qui décide. Seulement c'est Mme Weatherfield…

Le nom lui écorchait la bouche.

— … qui dirige le comité, et bien sûr, elle va choisir un de ses fils, poursuivit-il.

— Ça ne me paraît pas très juste ! remarqua Sara, un sourcil levé.

Il s'apprêtait à répliquer que c'était toujours comme ça, mais ravala ses mots et haussa les épaules. Il était totalement inutile de se lamenter : ça ne changerait rien. Quand les Weatherfield voulaient quelque chose, ils l'obtenaient.

Sara acheta un petit cône pour Harold et deux liégeois pour Josh et elle-même, au Dairy Queen. Traversant ensuite la rue, ils foulèrent les feuilles mortes jonchant le sol du petit parc, et allèrent s'installer à une table de pique-nique.

— Alors comme ça, tu penses déjà à Noël ? reprit Sara, au bout de quelques minutes. Vous faites quelque chose de spécial, ta famille et toi ?

— Bien sûr que oui ! répondit Josh en léchant sa cuiller.

— Vous mettez des guirlandes et des figurines ?

— Pas seulement ! On fait un arbre, et tout ça… Ma mère prépare des gâteaux pendant des semaines et, le dimanche, après la messe, on les décore pour les amener aux personnes âgées qui vivent seules ou à l'hospice.

— Ça doit être sympa !

— Ensuite, on fabrique la plupart de nos cadeaux, et puis on fait des cartes et…

Il s'interrompit, soudain gêné.

— Continue !

— Ma mère chante. Elle a une très belle voix et elle connaît tous les chants de Noël. Mon père et moi, on essaie de l'accompagner, mais on n'est pas très doués !

Cette évocation lui réchauffait le cœur.

— La veille de Noël, on mange des plats suédois… Mon père est suédois, et on va toujours à la messe avant d'ouvrir nos cadeaux. Enfin… Comme tout le monde, quoi !

— Non. Pas comme tout le monde ! répliqua Sara, un peu abattue.

— Et vous ? Qu'est-ce que vous faites ?

— Pas grand-chose !

— Vous faites un arbre de Noël, quand même !

— Euh… Ça m'arrive.

— Et vous mettez du gui dans votre maison ?

— Non !

— Vous revenez à Ryansville, alors !

— Pas forcément. Parfois, j'ai trop de travail.

Les Noëls de Sara paraissaient bien lugubres à l'enfant.

— Je peux vous donner du gui magique, si vous voulez. On en a plein, et c'est le meilleur de tous ! Mon oncle Pete le chasse avec son fusil.

— Avec quoi ? demanda Sara en s'esclaffant.

— Avec un fusil, répéta l'enfant, patiemment. Là où il vit, en Virginie occidentale, le gui pousse au sommet des arbres. C'est beaucoup trop haut pour aller le chercher. Et le gui est très mauvais pour les arbres. Alors il tire dessus.

— Vraiment ?

— Oui ! Ensuite, ça le fait tomber !

A en juger par le regard de son amie, il comprit qu'elle ne le croyait pas. Ce n'était pas bien grave. Dès ce soir, il écrirait un e-mail à Pete pour lui demander d'en envoyer davantage. Si quelqu'un avait besoin du gui magique d'oncle Pete, c'était bien ceux qui passaient Noël tout seuls et ne faisaient même pas de sapin !

— C'est chouette que cette année vous soyez ici, pour Noël, non ? Comme ça, vous pourrez le passer avec votre mère !

Elle mit un temps infini à répondre.

— Remercie le ciel, Josh ! dit-elle enfin, en lui ébouriffant les cheveux. Tu as vraiment beaucoup de chance dans la vie.

Tous les ans, du plus loin qu'il se souvienne, Josh attendait Noël avec une excitation croissante, jusqu'à ce qu'il ne puisse supporter davantage le décompte des jours. Et ce n'était pas une question de cadeaux : il avait compris depuis longtemps que ses parents n'étaient pas très riches.

Toutefois, il y avait bien d'autres sources de joie. Les guirlandes électriques, sur l'arbre, à minuit, quand on avait éteint toutes les autres lumières et que seules restaient les braises, dans la cheminée. L'odeur de la pâtisserie et la musique, et le sentiment que tous les hommes étaient heureux, sur la planète, en ce jour béni.

Pourtant, ni Sara ni l'adjoint au shérif ne semblaient partager cette impression. Comment des adultes aussi sympathiques qu'eux pouvaient-ils être aussi désabusés ?

Etudiant la jeune femme à la dérobée, il songea qu'il aurait bien voulu l'aider.

Le lundi suivant, de bon matin, Sara frappa chez sa mère et attendit patiemment. Elle essaya de nouveau.

— C'est moi, maman ! Tu es là ?

Au bout d'un moment, elle entendit des bruits de pas, perçut une hésitation lui indiquant que Bernice l'observait à travers le rideau, puis les deux verrous glissèrent et la chaîne de sécurité cogna contre le chambranle de la porte, qui s'ouvrit enfin. Sa mère se tenait devant elle, tout en gris, de ses cheveux noués en chignon à ses strictes bottines à lacets, en passant par la robe d'intérieur. Par temps brumeux, elle se serait confondue avec le brouillard.

— A ce que je vois, tu n'as pas amené ton cerbère ! lança-t-elle d'un ton dédaigneux.

— Il s'appelle Harold, maman. Et c'est un chien très bien élevé.

— Tu es bien élégante !

Sara jeta un petit coup d'œil à son chemisier bleu marine et à son pantalon beige.

— Oui… En fait… J'ai décidé d'aller à l'usine pour les relancer. Je voudrais un emploi dans les bureaux.

Une lueur furtive — de contentement ? — brilla dans les yeux de Bernice. L'instant d'après, elle avait disparu.

— Peuh ! Ça ne servira pas à grand-chose ! Ils n'ont pas embauché depuis la nuit des temps.

Elles restèrent debout, à se regarder, jusqu'à ce que Sara prenne la parole.

— Tu me fais un thé, maman ? Nous pourrions peut-être passer un moment ensemble, avant que j'y aille.

— Oui, bien sûr.

Bernice agita la main pour lui faire signe d'entrer, avant de refermer méthodiquement verrous et chaîne.

Sara se dirigea vers la cuisine et posa la bouilloire sur la gazinière, avant de s'appuyer sur le rebord de l'évier. Cela faisait déjà plus de deux semaines qu'elle était en ville et elle avait rendu visite à sa mère plusieurs fois. Hélas, Bernice n'avait toujours pas accepté de sortir, ni pour déjeuner ni même pour aller faire un tour en voiture, afin d'admirer les couleurs de l'automne. Peut-être le moment était-il venu d'affronter le passé.

— Je suis allée à la bibliothèque, la semaine dernière, murmura-t-elle, en épiant les gestes nerveux de sa mère, occupée à préparer les sachets de thé, les cuillers et les tasses. Je n'étais jamais montée aux archives. Et toi ?

— Non plus.

Bernice disposa les tasses sur la table, les poignées tournées selon un angle précis.

— Mlle Perkins s'est souvenue de moi. Je n'en revenais pas, après tout ce temps ! dit Sara en pouffant. Elle n'a pas changé sa manière de régner sur les lieux !

— Elle a toujours été très méticuleuse, même quand elle était jeune.

— Elle est bien plus âgée que toi !

— En fait, oui. Seulement, à l'époque, la ville était plus petite. Tout le monde se connaissait !

Et la plupart de ses concitoyens auraient été prêts à accueillir chaleureusement Bernice, aujourd'hui encore, si elle avait voulu leur donner une chance. Malheureusement, depuis la mort de son mari, elle s'était coupée de tous : de ses voisins, de ses frères et sœurs, de ses enfants.

Surtout de ses enfants.

La bouilloire se mit à siffler. Sara l'apporta à table, remplit les deux tasses d'eau bouillante et alla la reposer sur un des brûleurs.

— Viens t'asseoir, maman !

Bernice s'exécuta et commença à jouer avec son sachet de thé, comme à son habitude, avec une concentration intense.

Incapable d'attendre davantage, Sara agrippa la poignée de sa tasse et prit une longue inspiration.

— Je suis allée chercher un renseignement aux archives. En passant devant les allées, je suis tombée sur les journaux de 1977.

Bernice se figea.

— J'ai retrouvé les numéros de décembre, maman.

Le visage de la vieille femme pâlit, ses yeux rivés à la tasse qu'elle tenait entre ses mains.

— Je n'étais qu'une enfant, encore au cours élémentaire ! lui rappela doucement Sara. J'ai entendu des rumeurs, mais tu ne m'as jamais donné ta version de l'affaire. C'est difficile de tout garder à l'intérieur, depuis si longtemps. Tu ne trouves pas ?

Bernice laissa échapper sa petite cuiller qui heurta la table avec fracas.

— Non !

— Je n'ai pas encore lu ces articles. Quelqu'un est entré, alors je suis partie.

Elle s'empressa de refouler l'image de Nathan qui venait de s'imposer à elle. Elle avait fui sa compagnie, tel un chat échaudé.

— Néanmoins, j'ai besoin de parler de cette histoire, maman. La mort de papa nous a tous changés, tu le sais bien : toi, Kyle, moi… Rien n'a plus jamais été pareil. Regarde-toi ! Tu ne sors plus. Tu n'essayes même pas de t'accorder un peu de bon temps !

Les lèvres de Bernice s'étirèrent en une ligne dure et pincée.

— Tu connais les faits.

— Peut-être. Ce que j'ignore, toutefois, c'est la *raison* pour laquelle c'est arrivé ! Depuis vingt-cinq ans, le sujet est tabou. Peux-tu m'expliquer pourquoi un bon père de famille a tué l'une des figures les plus vénérées de la ville, avant de se suicider ?

— Quelle importance, à présent ?

La voix tremblante de rage, Bernice ramassa sa tasse, se leva et traversa la cuisine. La porcelaine tomba dans l'évier.

— Il avait un foyer agréable. Deux enfants à élever. Il nous a tous trahis… Pourquoi ? Tout ce que je sais, c'est qu'il nous a laissés complètement démunis ! lança-t-elle en embrassant la pièce d'un geste vif.

Elle s'en fut dans sa chambre, dont elle referma la porte. Sara savait pertinemment qu'elle y resterait pendant des heures.

Les années avaient passé et l'amertume de sa mère était aussi vive que le jour de la mort de Daniel Hanrahan. Qu'à cela ne tienne ! Sara était à Ryansville pour trois mois au moins. Aussi allait-elle explorer le passé, de manière à découvrir ce qui était arrivé à son père, en cette froide journée de décembre.

5.

En sortant de chez sa mère, Sara s'arrêta à la poste. Même si elle communiquait quotidiennement, par fax ou par e-mail, avec l'agent spécial Allen Larson, à Minneapolis, elle continuait d'aller chercher son courrier à la poste.

Elle avait fait suivre des abonnements à des magazines divers, et puis il y avait ces factures de carte de crédit, dont elle ne voyait pas le bout. Pas étonnant, quand on possédait une vieille Bronco Ford, qui faisait la joie des mécaniciens ! Quand elle en aurait terminé avec cette affaire, elle rentrerait à Dallas et se mettrait sérieusement en quête d'un nouveau véhicule.

Perdue dans ses pensées, elle ouvrit la porte de la poste et, à son grand désarroi, faillit se heurter à un large torse, serré dans une chemise bleu marine.

Elle leva les yeux et vit l'expression amusée de Nathan Roswell.

— Des soucis ?

— Hmm… Non ! En fait, si ! Je pensais au moment où mon vieux tas de tôles et moi devrions nous séparer ! répliqua-t-elle, en désignant sa Bronco du menton.

— D'ordinaire, je vous vois à pied !

Il examina en souriant son chemisier de soie et son pantalon de lin.

— Vous devez avoir un rendez-vous important !

Une jeune mère, escortée par deux petits garçons monta l'escalier derrière Sara, qui dut s'avancer dans le bâtiment pour les laisser passer.

— Pas vraiment ! Si vous voulez bien m'excuser…

Elle se dirigea d'un pas ferme vers les boîtes aux lettres alignées au fond de la salle. Nathan lui emboîta le pas et attendit, appuyé contre le mur, qu'elle ait récupéré son courrier. Comme prévu, il s'agissait de factures de cartes et d'électricité pour son appartement de Dallas. Il y en avait une autre concernant ses frais de déplacement. Fort heureusement, la note était payée par la DEA.

— Vous avez réussi à trouver du travail, par ici ?

— Pas encore ! Bon… A la prochaine ! lança-t-elle en faisant mine de s'éloigner.

— Oh ! Attendez ! Vous êtes si pressée que ça ?

— J'ai été ravie de vous revoir ! Ça vous va ? A présent, je dois vraiment y aller et…

— Café ? On pourrait aller chez Bill ! C'est juste à côté !

D'autres usagers commençaient à s'intéresser à leur conversation. L'un d'entre eux lui fit un clin d'œil.

Il ne lui manquait plus que ça ! Des rumeurs sur Nathan essayant de draguer la nouvelle arrivée en ville… Si jamais elle parvenait à se faire embaucher chez Sanderson, qui l'initierait à une quelconque activité délictueuse, sachant que son nom était associé à celui de l'adjoint au shérif ?

— Ça me ferait tellement plaisir ! insista-t-il.

La lueur de sincérité qu'elle lut dans ses yeux la fit hésiter. Par ailleurs, sa demande était si courtoise qu'il lui était quasiment impossible de refuser.

— Je ne demanderais pas mieux…, répondit-elle. Malheureusement, je dois retourner à l'usine Sanderson.

— Vous avez une entrevue ?

— Non. Je…

Il secoua la tête.

— Est-ce qu'ils ont votre nom et votre numéro de téléphone ?

— Oui. Mais ça ne peut pas nuire…

— Croyez-moi, ils n'ont pas embauché depuis bien longtemps, dit-il avec un rictus. S'il y avait du travail à l'usine, ça ferait les gros titres des journaux !

Tout comme le fait de se rendre chez Bill, en compagnie de Nathan Roswell, d'ailleurs. Cette perspective lui donna la force de refuser une invitation qu'elle aurait pourtant aimé accepter.

— Je suis désolée ! dit-elle avec assurance. Une autre fois, peut-être ?

Elle pivota sur ses talons, sortit de la poste à grands pas et regagna son véhicule, dont elle ouvrit la portière, et dans lequel elle monta sans se retourner. Cependant, même après avoir démarré, elle sentit le regard troublé de Nathan dans son dos.

Elle n'était pas naïve au point d'imaginer une seconde qu'il s'intéressait particulièrement à elle. Non ! Simplement, elle se trouvait là, et une petite conversation avec une personne étrangère à la ville était toujours bonne à prendre.

Enfin… Le choc d'avoir été rejeté lui ferait peut-être du bien, qui sait ?

Après être repassée chez elle pour faire faire un petit tour à Harold, elle reprit sa voiture pour se rendre à l'usine. L'heure devait être propice : la sirène de midi retentirait dans moins de quinze minutes et, avec un peu de chance, Jane Webster serait ravie d'avoir de la compagnie.

La secrétaire aux Ressources humaines avait déjà sorti le sac plastique contenant son repas lorsque Sara entra.

— Salut, Jane ! Je suppose que tu n'as pas envie d'aller manger dehors ?

Surprise, la jeune femme leva le nez du sandwich qu'elle était occupée à déballer.

— Sara ! Quelle bonne surprise ! s'exclama-t-elle spontanément, avant de prendre une mine désolée. Je suis vraiment navrée de ne pas t'avoir appelée. Il n'y a eu aucune ouverture, côté emploi, je t'assure !

— Ce n'est pas ta faute ! Je suis simplement passée te dire bonjour. Tu peux sortir ?

— Si seulement ! reprit-elle en faisant un signe en direction du téléphone. Malheureusement, la secrétaire de M. Flynn est partie, et je dois rester pour prendre les appels…

— Il n'y a personne d'autre ? Même à la comptabilité ?

— Et non ! Cette semaine, c'est soit Marcy, soit moi.

Brandissant un sac plein à craquer de nourriture, elle considéra Sara d'un air contrit.

— J'ai vu large, aujourd'hui. Tu veux m'accompagner ?

— Volontiers !

Sara tira une chaise jusqu'au bureau et prit un sandwich et un petit sachet de chips.

— Tu es certaine que ça ne te privera pas ?

Jane se leva.

— Absolument ! En fait, tu me rends service ! répondit-elle, en tapotant ses hanches généreuses. Tu veux un café ?

A première vue, il n'y avait pas de distributeur dans la pièce.

— Je veux bien, si ça ne te dérange pas !

Une fois Jane sortie du bureau, Sara l'écouta s'éloigner dans le couloir et, se glissant hors de son siège, inspecta rapidement la pièce. Un classeur à dossiers était fixé à un mur. Un modèle ancien de fichier électronique était posé près de l'ordinateur, sur le bureau, et quelques disquettes étaient éparpillées sur la desserte, derrière le fauteuil.

Elle se pencha en avant pour atteindre le fichier. Il contenait sans doute un grand nombre d'informations. Si elle pouvait les obtenir en une seule fois, c'était sans doute son jour de chance !

— Je peux vous aider ?

La voix masculine, glaciale, déchira le silence comme un scalpel. Sara eut l'impression que son cœur s'arrêtait de battre.

Se saisissant d'une pomme, dans le sac ouvert sur la table, elle se retourna lentement, et la brandit devant elle.

— Je suis une vieille amie de Jane. Nous déjeunions toutes les deux, en nous racontant nos vies. Et vous êtes… ?

L'homme était mince, avec des cheveux argentés coupés court, et portait un costume élégant. Il émanait de lui une autorité naturelle. Derrière ses lunettes de marque, ses yeux étaient durs et soupçonneux.

— Où est Jane ?

Les pas de la jeune femme retentirent dans le corridor. Quelques secondes plus tard, elle apparut sur le seuil, son visage rond visiblement perturbé et inquiet.

— Mon Dieu ! J'espère que cela ne vous dérange pas, monsieur Flynn ! Mon amie passait par là et j'ai pensé que nous pouvions déjeuner ensemble. Ça ne m'empêche pas de répondre au téléphone, vous savez. Je… C'est la première fois que ça m'arrive !

— Vous passerez me voir dans mon bureau, plus tard, madame Webster.

— Je… Je ne me suis pas rendu compte…, balbutia Jane, en pâlissant. Je suis navrée. Je peux lui demander de partir, si vous voulez !

Il balaya ses explications d'un geste brusque de la main.

— Terminez votre repas, madame Webster. Et n'oubliez pas de venir me voir, dès que Marcy sera rentrée.

Il examina longuement Sara, d'un air inquisiteur, comme s'il essayait de mémoriser ses traits, puis disparut dans le couloir, aussi silencieusement qu'il était venu.

C'est d'une main tremblante que Jane tendit son café à Sara.

— Je suis désolée. Pourvu qu'il n'ait pas été trop contrarié de te trouver ici ! Je ne pensais vraiment pas que cela poserait un problème !

— Je crois qu'il a été plus surpris qu'autre chose, répondit Sara, d'un ton léger. N'importe quel chef d'entreprise trouvant une parfaite étrangère, seule dans un bureau, se montrerait soupçonneux. Je le comprends parfaitement.

Elle désigna l'ordinateur et le classeur mural.

— Tu dois avoir des tonnes de dossiers sensibles, ici, non ? Un gros plan sur tout ce qui se passe dans l'usine ?

Jane se laissa tomber sur sa chaise en laissant échapper un gros soupir.

— Seulement les données des Ressources humaines. Tu sais, des dossiers sur les problèmes avec le personnel, les renvois, tout ça… Le reste est à la comptabilité. Je ne vois vraiment pas qui ça pourrait intéresser…

— Alors, c'était le grand chef ?

— Oui. Ian Flynn est le propriétaire de l'usine. Quand il a pris sa retraite, il a nommé Robert Kelstrom à sa suite… Cependant, il vient ici presque tous les jours.

— Et Kelstrom ? Tu aimes travailler pour lui ?

Jane s'efforça de réprimer un petit rire.

— Disons qu'il connaît son travail sur le bout des doigts et mène son monde à la baguette. Sans lui, qui sait ? Certains en sont venus à penser que l'entreprise aurait fait faillite depuis longtemps !

— Tu t'entends bien avec lui ?

— Il est très efficace. Un peu spécial, toutefois.

Elle esquissa un sourire timide.

— Pour ma part, ajouta-t-elle, je le trouve plutôt élégant. Et il est libre !

— Eh bien, bonne chance, alors !

Elles achevèrent leurs sandwichs, avant de grignoter leurs chips et leurs fruits, tout en papotant. A midi et demi, Jane poussa un petit soupir de contentement.

— C'était sympa ! dit-elle d'un ton nostalgique. On pourrait peut-être se voir, un soir, pour dîner ou bien déjeuner ensemble, pendant mon jour de congé ? Je n'ai pas souvent l'occasion de me divertir, depuis que je suis revenue dans la région.

— J'en serais ravie !

Sara soulagea sa conscience en songeant qu'elle serait sans doute devenue l'amie de cette femme esseulée, de toute manière.

Une fois dehors, elle se dirigea d'un pas léger vers sa Bronco. Elle voulait donner une impression de sérénité. En fait, elle sentait sa nuque la picoter et elle savait que quelqu'un l'épiait. *Jane ?* En ouvrant la portière, elle se retourna négligemment, prête à agiter la main pour dire au revoir à sa vieille copine.

Il y avait effectivement quelqu'un, debout, derrière une fenêtre, à l'étage. Toutefois, ce n'était pas une femme.

Tout le reste de la semaine, Sara continua de surveiller l'usine Sanderson, la nuit, et d'observer ce qui se passait en ville pendant la journée.

Tout comme Nathan, elle recevait les fax du réseau de surveillance des délits. Si des cargaisons de drogue passaient par cette petite bourgade paisible, c'était dans la plus grande discrétion.

Allen lui envoyait de moins en moins d'informations nouvelles, au cours de ses messages quotidiens. Néanmoins, il lui avait fait part de rumeurs concernant une grosse livraison, prévue d'ici quelques semaines.

La surveillance à long terme et le travail en infiltration pouvaient être frustrants, ennuyeux, et durer pendant des mois, sans que rien de sensationnel ne se produise jamais.

Si les choses avaient été différentes, elle se serait peut-être sentie davantage chez elle et aurait pu apprécier son éloignement provisoire de Dallas. Malheureusement, elle avait peu de relations, à Ryansville. La tragédie entourant la mort de son père, la réaction de sa mère et l'opprobre jeté sur leur famille avaient changé la donne.

Le vendredi soir, après avoir jeté un coup d'œil par la fenêtre de son appartement, elle siffla Harold. La nuit était tombée. Il était l'heure de partir.

Au sommet de la colline surplombant l'usine, elle s'installa à son endroit habituel, Harold enroulé à ses pieds, puis sortit ses jumelles, son calepin, son stylo lumineux et attendit.

On était à la mi-octobre, et les nuits devenaient plus fraîches. La veille, il avait gelé. Sara se souvenait qu'il arrivait qu'il neige dès Halloween. Il ne lui restait plus qu'à espérer que l'hiver serait plus clément que d'habitude.

Depuis trois semaines, elle espionnait les lieux, notait toutes les activités de l'usine, et faxait des rapports quotidiens. Certes, il s'agissait de détails répétitifs. Cependant, si l'information selon laquelle d'importantes cargaisons de drogue passaient par Ryansville était vraie, la DEA, en détruisant ce réseau, gagnerait une bataille supplémentaire dans sa guerre contre les stupéfiants.

Aussi était-elle déterminée à rester là aussi longtemps qu'il faudrait.

A minuit, Harold commença à s'agiter. Un long grognement lui ébranla l'échine et elle le sentit vibrer contre son mollet.

Elle s'immobilisa et tendit l'oreille.

La maigre équipe de nuit était sortie pour fumer une cigarette, vers 23 heures, mais à présent, tout le monde était rentré.

Une lueur attira son regard et elle se pencha, jumelles en main, pour vérifier le portail arrière, rarement utilisé, sauf par l'équipe de jardinage.

Un camion de couleur sombre se fraya un chemin par l'arrière du site, tous phares éteints. Lorsqu'il s'arrêta, trois silhouettes se précipitèrent à l'arrière du véhicule et entreprirent immédiatement de décharger des douzaines de cartons.

Le grondement d'Harold se fit plus fort. Il s'assit sur ses pattes arrière, les oreilles dressées, les poils du cou hérissés.

Sara s'empara de son appareil photo pour prendre des clichés.

Le véhicule repartit aussi discrètement qu'il était venu.

Bingo !

A 4 heures du matin, toujours sous le coup de sa montée d'adrénaline, Sara rassembla ses affaires et redescendit le chemin, Harold à ses côtés.

C'était la mauvaise heure pour rentrer. Elle pouvait difficilement dire qu'elle était allée observer les étoiles ou qu'elle s'était levée de bonne heure pour faire son jogging. Enfin ! Ce brave shérif adjoint était probablement bien au chaud, dans son lit, et rien ne bougeait jamais, dans cette bourgade, avant 5 heures du matin.

C'est la raison pour laquelle le bruit de pas qu'elle perçut soudain lui glaça les sangs. Elle se figea, sortit du sentier, sur sa gauche et s'accroupit, tous les sens en éveil, une main posée sur le collet d'Harold pour qu'il se tienne tranquille.

Les bruits de pas se rapprochèrent.

Il ne s'agissait sûrement pas de cerfs ou de ratons laveurs en goguette. Elle entendait distinctement un humain, s'efforçant de ne pas se faire remarquer.

— Non ! chuchota-t-elle à l'oreille du chien, en lui posant une main sur le museau.

Harold avait beau se souvenir de ce qu'il avait appris, au cours de son dressage, tout son corps tremblait d'excitation.

Un homme lui apparut. Il lui était impossible de distinguer ses traits, dans l'obscurité. Il s'immobilisa à trente mètres d'elle et resta figé pendant ce qui lui sembla une éternité. Enfin, très lentement, il reprit sa route, comme si lui aussi se méfiait des rencontres inopportunes.

L'avait-il entendue ? Il était possible qu'il l'ait aperçue, de loin. Toutefois, il n'avait probablement pas pu l'identifier.

Elle attendit encore une demi-heure, avant de reprendre prudemment sa route, en s'arrêtant néanmoins au moindre bruit suspect.

6.

La semaine avait été fructueuse. Nathan avait survécu au dîner chez ses parents, qui étaient enfin partis pour l'île Sanibel, au large des côtes de la Floride. Là, trois semaines durant, ils se feraient bronzer sur la plage en buvant des Margarita. Nathan était ravi : pendant qu'ils profiteraient du soleil, il aurait la paix.

Sa mère lui avait parlé de ses devoirs familiaux, lui rappelant au passage que sa carrière dans la police était à la fois trop dangereuse et bien au-dessous de ses possibilités. Ce genre de discours n'était pas nouveau.

Ollie, qui ne commençait jamais sa semaine sans lui conseiller de se trouver une épouse convenable, s'était déjà acquittée de sa tâche... Encore une bonne chose de faite !

Sur le plan professionnel, il n'y avait eu ni incident dans la petite ville, ni gros accident sur la nationale. L'énigme des cambriolages des cabines du lac avait été résolue : un des propriétaires s'y était rendu, en milieu de semaine, et, trouvant la porte de sa cabine entrouverte, avait lâché son rottweiler.

Devant les crocs menaçants de l'animal, deux adolescents, venus spécialement de Newbrook, s'étaient rendus en tremblant. Dans la foulée, ils avaient avoué avoir cambriolé le caravaning.

Aussi Nathan s'interrogeait-il : pourquoi éprouvait-il un sentiment de frustration aussi persistant ?

Il eut sa réponse en voyant Clay déplacer un cavalier et lui prendre son fou sans coup férir.

Le vieil homme se renversa dans son fauteuil, une lueur triomphante dans les yeux.

— A toi... Enfin, si tu peux !

Nathan étudia l'échiquier, envisageant une demi-douzaine de solutions, avant de les rejeter, les unes après les autres.

— Je peux encore jouer... La question est de savoir si je veux ou non précipiter la fin de la partie !

Clay s'esclaffa bruyamment.

— C'est ce que j'aime en toi ! Quand tu sais que tu es à terre, tu ne fais pas durer l'agonie...

— Je n'ai pas dit que j'avais perdu ! En fait...

Nathan fit avancer son dernier fou et prit la reine de Clay.

— Tu as perdu la main, pendant ta virée à Chicago, avec ta femme !

— Il s'est passé des choses intéressantes, pendant notre absence ?

— Rien de bien important. Au fait, j'ai effectué quelques recherches sur le meurtre de Grover !

— Tu parles de nouvelles !

— J'ai parcouru les dossiers de l'affaire et je suis passé à la bibliothèque, pour lire les journaux de l'époque. Quand je suis entré, la fille d'Hanrahan s'apprêtait à faire exactement la même chose.

— Simple curiosité, sans doute. Elle était encore toute gosse, à l'époque. Bien trop jeune pour comprendre ce qui se passait !

Bien que Clay ait nonchalamment haussé les épaules, un spasme incontrôlé de la mâchoire trahissait son agitation intérieure.

— Tu ne trouveras rien que nous n'ayons découvert à l'époque !

— Peut-être ! N'empêche que je ne m'explique pas pourquoi un bon père de famille, sans casier judiciaire, et sans désaccord évident avec son patron, a subitement décidé de tuer ce dernier !

Clay examina longuement l'échiquier, avant de relever les yeux vers Nathan.

— Tu sais, si les échecs répondent à une certaine logique, ce n'est pas le cas pour certains meurtres. Nul ne saura jamais pourquoi un homme, qui paraissait parfaitement normal, a subitement été pris d'un tel coup de folie… Enfin ! Grover et Hanrahan sont tous deux morts et enterrés, à présent. Tu perdrais ton temps en reprenant l'enquête.

— Je ne sous-entends pas qu'il y a eu des erreurs !

— Tu n'en trouverais pas, de toute façon… A mon avis, ajouta Clay avec un rictus, la vie, dans ce patelin, te paraît beaucoup moins exaltante qu'à Minneapolis, et tu fouilles dans les affaires classées parce que tu n'as pas assez de pain sur la planche.

Nathan réfléchit un instant. Le vieux shérif était sur la défensive parce qu'il était blessé dans son orgueil. Il se sentait moins sûr de lui, à présent que sa carrière était terminée.

A moins, bien sûr, qu'il n'ait tout simplement raison.

— D'après le rapport, les jeunes Mitchell ont entendu une altercation et ont appelé les secours.

Clay s'agita impatiemment sur sa chaise.

— Ils se trouvaient sur cette colline, derrière l'usine, avec leurs copains et une caisse de bière. S'il y avait eu un jugement, leur témoignage n'aurait pas été très crédible : ils étaient complètement ivres.

— De toute manière, ils n'ont rien vu, c'est bien ça ?

— Tu as lu les rapports toi-même ! Ils ont entendu des vociférations, suivies de deux coups de feu. Ils ont eu la trouille de leur vie et ont décampé dans la direction opposée, en contournant la lisière est de l'usine… Plus jamais je n'ai eu le moindre problème avec leurs beuveries, dans ce bois !

— Ainsi, il n'y a pas eu de témoins ?

— Non !

— Et quand tu es arrivé ?

— J'avais travaillé tard, ce soir-là, et il ne m'a fallu que cinq minutes pour atteindre le lieu du crime. Hanrahan était toujours là, agenouillé près du corps.

— Et s'il était accouru pour venir en aide à Grover ?

— Il a tout avoué, *bon sang* !

— Sur place ?

— Non. En prison… Qu'est-ce qui te prend, Nathan ? C'est un interrogatoire ? lança-t-il, la mâchoire serrée. Cette affaire remonte à vingt-cinq années ! Tu n'as qu'à relire mon rapport !

Nathan eut soudain la vision de Sara et de son petit frère, enfants. Ils avaient dû être excités par l'approche de Noël, par l'attente du Père Noël qui déposerait des cadeaux sous leur sapin. Et, à la veille du jour tant attendu, leur monde s'était écroulé. Leur père avait été accusé de meurtre et s'était suicidé. Cela n'avait certainement pas manqué d'affecter tous leurs Noëls à suivre.

Par ailleurs, qu'est-ce qui avait poussé Daniel à commettre un acte pareil ? Frank Grover lui avait-il annoncé calmement qu'il allait être licencié ? Ou bien Daniel avait-il eu désespérément besoin d'argent ?

Une chose était claire : Clay ne voulait pas remuer le passé. Nathan le gratifia d'un sourire apaisant.

— Désolé… C'est sûrement le fait d'avoir rencontré Sara Hanrahan, à Ryansville… Elle est plutôt jolie… Du coup, je me suis interrogé sur son passé… Allez, à toi de jouer ! conclut-il en penchant la tête vers l'échiquier.

Clay étudia les pièces en silence, pendant un long moment, puis se renversa dans son fauteuil en soupirant.

— Je ferais bien d'aller chercher ma femme. Le samedi matin, elle va chez Mae, et chaque fois, c'est la même chose. Ces coiffeurs ont le chic pour te raconter leur vie. Alors je vais la chercher, pour accélérer le processus.

— On termine la partie à l'heure du déjeuner, lundi ?

— Un peu ! répondit-il avec un clin d'œil. Comme ça, tu auras tout le temps de réfléchir à l'issue de cette partie !

Il enfila sa veste et s'apprêtait à sortir, lorsqu'il s'immobilisa et se retourna.

— Moi aussi, je l'ai vue, la petite Hanrahan, en ville. Et je ne nie pas qu'elle soit jolie comme un cœur. Cependant, il y a en elle... quelque chose d'inhabituel... Elle a l'air à cran... sur le qui-vive.

— Elle vit seule. Il est normal qu'elle soit méfiante !

— Il y a autre chose... Ne t'acoquine pas avec elle, fiston. Conseil d'ami... Le physique ne fait pas tout ! Ne prends pas de risques.

Nathan entendit Clay papoter quelques minutes avec Ollie, à l'accueil, puis la porte d'entrée grinça.

Il resta longtemps à sa place, la tête appuyée sur ses mains ouvertes, à regarder par la fenêtre.

Cela n'avait rien à voir avec son apparence physique. Rien. Ce qui l'intriguait, chez Sara Hanrahan, c'était sa confiance inébranlable en elle-même et son attitude carrée : elle semblait régner sur le monde et n'avoir aucune intention de laisser quiconque se mettre en travers de sa route. Par ailleurs, non contente de l'ignorer royalement, elle semblait faire tout son possible pour *éviter* sa compagnie.

Depuis son retour à Ryansville, Nathan était harcelé par de nombreuses femmes, qui attachaient probablement plus d'importance à son arbre généalogique et à la richesse de sa famille qu'à sa personne. A Minneapolis, il avait été un individu parmi d'autres. Ici, il avait l'impression d'être le faire-valoir rêvé pour de nombreuses célibataires... et pour quelques femmes mariées.

De toute évidence, Sara Hanrahan ne s'intéressait nullement à lui, ce qui la rendait d'autant plus mystérieuse. Le jour où il l'avait rencontrée par hasard, à la bibliothèque, il avait ressenti une lueur d'intérêt aussi profonde qu'inattendue. Et il aurait juré que cela avait été réciproque. Alors pourquoi se montrait-elle si réticente à lui adresser la parole ?

La prochaine fois, il ferait en sorte qu'elle ne puisse s'en tirer aussi facilement. Il verrait bien ce qui se passerait !

Sara remontait la Grand-rue d'un pas nonchalant, en compagnie de Harold, saluant certaines personnes, s'écartant pour en laisser passer d'autres.

Il y avait un monde fou en ville, par ce bel après-midi d'automne. C'était peut-être le dernier week-end de l'année, avec un tel afflux touristique. Bientôt, les propriétaires des cabines, autour des lacs, les cadenasseraient pour l'hiver, avant de sortir leurs bateaux de l'eau. Dès le week-end prochain, les stations balnéaires les plus petites fermeraient jusqu'à l'été suivant. On avait ressorti les couvertures et on buvait un chocolat chaud avant d'aller se coucher.

Sara faisait du lèche-vitrines, dans l'espoir de trouver un cadeau pour l'anniversaire de sa mère. C'était un pari intéressant. Dorénavant, la petite ville était pourvue de douzaines de boutiques de toutes sortes, et les vitrines regorgeaient d'objets magnifiques. Aucun d'entre eux, néanmoins, ne semblait susceptible de plaire à Bernice.

Sara et Harold voulurent laisser passer une autre personne… qui ralentit et adopta la même cadence qu'eux.

— Bonjour !

Surprise, elle leva le nez. Nathan Roswell se baladait à côté d'elle, comme s'il n'avait que cela à faire.

Dans son jean délavé et son pull-over de coton beige, il paraissait encore plus grand… et très séduisant, elle devait bien le reconnaître. Elle avait toujours eu un faible pour les hommes aux cheveux noirs et aux traits énergiques et, pendant une fraction de seconde, elle s'imagina avec lui.

Toutefois, elle n'était pas du genre à se commettre avec un garçon doté de telles origines. Sans compter qu'avec la profession qu'il exerçait, il valait mieux qu'elle évite de se montrer en sa compagnie.

Elle s'arrêta devant le Pigeon d'Argile pour examiner les poteries en vitrine.

— Vous n'êtes pas en uniforme, aujourd'hui ? s'enquit-elle d'un ton égal. J'étais convaincue que vous ne portiez que du bleu marine et des badges dorés !

— J'ai pris mon après-midi.

Elle ne répondit pas. Sans s'en émouvoir, et au lieu de poursuivre son chemin, il s'immobilisa pour contempler les poteries, lui aussi.

— Je craquerais volontiers pour le basset, dit-il. Ou le mouton. Il est joli, vous ne trouvez pas ?

Le regard de Sara tomba sur les deux objets, et elle eut bien du mal à ne pas éclater de rire.

— Le mouton ?

Le basset était adorable, avec son échine recourbée et ses longues oreilles qui flottaient derrière lui. Le mouton, lui, était une simple boule d'argile, posée sur quatre pattes écartées. Seul son museau pointait sous son épaisse toison.

Nathan se frotta le menton d'un air rêveur.

— Je suis certain d'avoir vu une œuvre de cet artiste au Musée d'Art Moderne de Minneapolis !

— Si c'est le cas, je connais un bon nombre de gamins de maternelle qui feront fortune avec de l'argile !

De nouveau, elle considéra Nathan. Ses yeux brillaient d'amusement. Qui aurait cru qu'il avait le sens de l'humour ? Elle se souvenait de lui comme d'un enfant placide, qui lui avait toujours paru aussi hautain qu'inaccessible. A présent, elle se demandait s'il n'était pas timide, tout simplement.

— Je ne vous retiens pas… Allez vite l'acheter, avant que quelqu'un d'autre ne s'en charge ! De toute manière, je dois y aller, maintenant !

77

Il la gratifia d'un grand sourire.

— Je vais réfléchir. Si jamais il part avant que je me sois décidé, tant pis pour moi ! Je préfère vous escorter.

Sara trouva cela un peu difficile à croire : n'avait-elle pas vu Yvonne Weatherfield lui faire les yeux doux, le samedi précédent ? Il devait se poser des questions sur les véritables raisons de sa présence à Ryansville. Peut-être même commençait-il à se douter de la vérité.

— Comme vous voulez ! dit-elle, en haussant les épaules.

Ils se remirent en route, Nathan déambulant auprès d'elle dans la plus parfaite insouciance. Quasiment tous les gens qu'ils croisèrent les saluèrent, avant de dévisager Sara avec un intérêt non dissimulé.

Génial ! De mieux en mieux, vraiment !

Après avoir longé trois pâtés de maisons et rencontré la moitié de la population de Ryansville, elle se tourna vers lui.

— Bien ! J'ai apprécié votre compagnie, grommela-t-elle. A présent, je dois rentrer. A bientôt !

Soit il était borné, soit il avait une idée derrière la tête, car lorsqu'elle s'engagea dans la rue des Bouleaux, il lui emboîta le pas.

— Vous n'avez rien d'autre à faire ? lança-t-elle, agacée, devant la maison des Shueller.

Il fit mine d'être complètement sidéré par cette sortie, sans toutefois réussir à dissimuler son amusement.

— Selon ma mère, un jeune homme bien élevé se doit de raccompagner une dame chez elle.

— Cela se fait, en effet ! répliqua froidement Sara. Quand on *sort* avec la dame en question !

— Ce qui nous amène à une question intéressante. Que faites-vous, ce soir ?

— La lessive.

— Et demain soir ?

— Je suis prise.

— D'accord ! Dans ce cas...

Il réfléchit un moment.

— J'ai des réunions lundi et mardi soir. Que diriez-vous de mercredi ?

— Je ne peux pas.

Le voyant soulever un sourcil interrogateur, elle se surprit à ajouter :

— C'est l'anniversaire de ma mère.

« Et même si je dois la sortir de son appartement de force, elle viendra dîner au restaurant avec moi ! »

— Votre frère rentre à Ryansville, à cette occasion ?

Elle n'aurait eu aucune difficulté à rejeter des travaux d'approche trop directs. Et si elle avait perçu la moindre nuance de réprobation ou de condescendance, elle aurait répliqué sur le même ton, avant de le planter là. Mais la sympathie qu'elle décela dans sa voix lui fit baisser sa garde.

— Je... Je ne sais pas. Pourquoi ?

Il leva la main, comme pour lui effleurer la joue, puis la laissa retomber.

— Nous sommes dans une petite ville, répondit-il posément. Les gens jasent !

Autour d'eux, les feuilles des érables et des chênes, secouées par une légère brise, tombaient en vrille, en d'énormes flocons rouge et or. L'odeur âcre d'un feu de feuilles mortes, au loin, lui rappela l'époque lointaine où son père rentrait chez eux, sa gamelle vide à la main et le sourire aux lèvres. Le monde lui paraissait alors si stable, si sûr...

— J'ai beaucoup de souvenirs, à Ryansville. Des bons et des mauvais... Hélas, on ne pourra pas changer ce qui s'est passé.

— Non, reconnut-il doucement. Toutefois, votre père est seul responsable de ses actes. A mon avis, votre famille et vous-même devriez tourner la page.

— Tourner la...

Sa mère s'était totalement fermée au monde et vivait dans l'amertume. Adolescent, son frère avait marqué sa révolte de la manière la plus spectaculaire qui soit. Quant à Sara, même si elle refusait de croire que son père avait tué Frank Grover, elle s'était lancée dans une carrière dangereuse, et cela à plus de mille kilomètres de Ryansville. « Ah ça, il n'y avait aucun doute ! Ils s'en étaient tous très bien sortis ! »

Nathan posa doucement une main sur son épaule.

— Certaines personnes n'ont pas… oublié. Même après tout ce temps… Promettez-moi de m'appeler en cas de problème.

Elle était parfaitement consciente du fait qu'aucun membre de la famille Hanrahan n'était le bienvenu, dans cette ville. Dès l'âge de sept ans, elle s'était endurcie et avait appris que l'indifférence était sa meilleure défense. Pourtant, Nathan faisait allusion à tout autre chose. Pensait-il à une protection policière ?

Quoi qu'il en soit, elle était assez grande pour s'occuper d'elle-même. Elle avait passé des années à se frotter à des criminels dont les bonnes gens de Ryansville ne soupçonnaient même pas l'existence. Et son Beretta lui suffirait amplement à affronter une éventuelle menace physique.

En revanche, la sensation de chaleur, causée par la main de Nathan sur son épaule, risquait d'être bien plus difficile à affronter. Elle n'avait rien ressenti de tel depuis la mort de Tony.

Or, même une fois son enquête terminée, il ne pourrait jamais rien y avoir entre elle et un homme tel que Nathan Roswell.

Depuis leur rencontre inopinée, le samedi précédent, Sara voyait Nathan partout où elle allait, sauf la nuit, sur la colline surplombant l'usine Sanderson. Désormais, elle partait plus tard et inspectait soigneusement les environs, avant de sortir de chez elle. Si jamais il faisait sa patrouille dans les parages, il ne manquerait pas de s'arrêter et d'insister pour la raccompagner chez elle.

Elle réprima un petit rire en nettoyant son Beretta, sur sa minuscule table de cuisine, le mardi matin : elle se demandait ce qu'il penserait s'il découvrait un jour qu'elle était loin d'être la femme sans défense qu'il imaginait.

Vingt minutes plus tard, elle descendit la rue des Chênes avec Harold, longea les grilles et le parking de l'usine Sanderson et s'engagea sur la route de Dry Creek, à l'est. A la voir, on aurait pensé qu'elle profitait de cette belle matinée d'automne pour faire un petit jogging.

Nathan n'était pas la seule personne qu'elle croisait souvent. Par trois fois, elle avait surpris le vieux Earl Stark, l'observant de loin.

Le matin précédent, faisant brusquement demi-tour, elle avait commencé à remonter la rue des Peupliers. Assis dans sa vieille camionnette, à quelques mètres de là, Stark semblait la surveiller.

Son air étonné lui avait appris tout ce qu'elle avait besoin de savoir : le ferrailleur la suivait bel et bien.

Au bout d'un kilomètre et demi, la route de Dry Creek contournait une petite mare. La brume matinale s'élevait au-dessus de la surface obscure de l'eau, comme de la fumée. Seuls le moteur d'une voiture et le cri d'un huard vinrent rompre le silence.

Au bout de quelques centaines de mètres, Sara tomba sur la décharge. Elle s'arrêta près d'un chêne noueux, devant la boîte aux lettres, pour examiner le fouillis encombrant la propriété, par-dessus le portail en acier déchiqueté.

Deux petits bâtiments en tôle ondulée et plusieurs baraques en préfabriqué dominaient un cimetière d'engins agricoles, d'épaves de voitures et de camionnettes rouillées. Au centre trônait la maison délabrée de Stark.

Un cadre tout à fait usuel, pour le taudis le plus prolifique d'une petite ville, somme toute. En revanche, la mélodie de la *Lettre à Elise*, s'élevant d'un piano, à l'intérieur de l'habitat, et égrenée avec un art qui bouleversa Sara, était moins banale. Comment pouvait-on vivre dans un endroit pareil et jouer aussi bien ?

Les rideaux déchirés de l'une des fenêtres s'agitèrent légèrement et Sara entraperçut le visage de Earl, qui regardait vers l'extérieur. Quelques secondes plus tard, la musique s'arrêta brusquement.

La porte grillagée de la maison s'ouvrit en grinçant et se referma derrière une immense silhouette au dos voûté, qui s'avança lentement vers la terrasse, les bras ballants.

Subitement, Sara revécut une scène de son enfance. Elle devait avoir six ou sept ans et serrait dans un poing deux précieuses pièces de monnaie, tout en tenant le poignet potelé de Kyle dans l'autre. Comme tous les samedis, ils allaient s'acheter un soda à la fraise, au distributeur de la station-service. Earl Stark remplissait le réservoir de son vieux camion.

Un visage blafard, rond, et totalement dénué d'expression, était apparu à la fenêtre de la camionnette. Étonnée, elle l'avait regardé à son tour et lorsque le regard vide était tombé sur sa bouteille rouge vif, elle s'était approchée pour la lui tendre. Bien qu'il fût sans doute âgé d'une bonne vingtaine d'années, il lui avait semblé aussi jeune que le petit Kyle.

Malheureusement, Earl avait contourné son véhicule à ce moment précis et leur avait intimé l'ordre de « décamper ». Apeurés par son visage mal rasé et sa voix menaçante, Kyle et elle avaient couru presque tout le chemin du retour, ne s'arrêtant qu'une fois parvenus dans leur jardin.

De temps à autre, des rumeurs rapportaient que l'étrange enfant de Earl rôdait dans les bois ou que des travailleurs sociaux s'étaient rendus chez Stark et en étaient revenus sans avoir vu aucun signe de sa présence. Earl vivait en reclus et ne supportait aucune interférence dans sa vie.

Ce garçon immense, sur la terrasse, était-il celui qu'elle avait rencontré, il y avait si longtemps ?

— Bonjour ! lança-t-elle, en agitant une main.

Il leva la tête.

— Earl est là ? Je voudrais acheter un vieux bureau.

Il l'examina sans mot dire. Subitement, il descendit les marches, avec des mouvements souples et lents, et traversa la cour encombrée pour s'avancer vers elle, sans jamais la lâcher des yeux.

Malgré le portail qui les séparait et le chien qui l'accompagnait, Sara sentit un frisson lui parcourir l'échine.

Il lui avait parut immense, sur la terrasse, et elle l'avait encore sous-estimé. Il mesurait bien un mètre quatre-vingt-dix-huit et devait peser dans les cent vingt kilos. Un poids qui était réparti sur tout son corps, et pas seulement sur son ventre.

Harold se mit à gémir. Elle le calma d'une caresse, avant de comprendre ce qui se passait.

Ce n'était pas par angoisse que le chien gémissait. Il balayait la poussière avec sa queue, lentement, comme pour souhaiter la bienvenue à l'homme qui les dominait à présent tous deux, de l'autre côté du grillage.

— Vous êtes le fils de Earl ? s'enquit-elle, un sourire affable aux lèvres.

Comme il ne répondait pas, elle ajouta :

— J'aimerais lui parler, si ça ne vous ennuie pas.

Il passa un poing énorme au-dessus de la grille et, ouvrant sa paume, laissa apparaître un billet tout chiffonné. Apparemment conscient de l'impression qu'il lui faisait, il posa le billet sur le sommet d'un des piquets soutenant le grillage et, pivotant sur ses talons, retourna jusqu'à la maison.

Elle attendit qu'il soit rentré pour attraper le billet.

Il avait été griffonné à la hâte, et était presque illisible.

« J'ai quelque chose pour vous. Minuit, dans le parc, près du caravaning. Venez seule et n'approchez plus de chez nous. E.S. »

Elle en avait vu d'autres, dans sa vie. Et même si elle était capable de se servir de son arme, dans le cadre de son travail, l'idée de se rendre seule, de nuit, à un endroit où Earl et son fils l'attendraient, lui donna à réfléchir.

Pourquoi Earl voulait-il la rencontrer ? Et que pouvait-il bien posséder qui puisse lui être d'une utilité quelconque ?

7.

Sara aurait volontiers tordu le cou de son frère. Comment Kyle avait-il pu laisser passer l'anniversaire de leur mère, sans même se donner la peine de lui téléphoner ?

Elle avait essayé de le joindre plusieurs fois, à Minneapolis, laissant des messages sur sa boîte vocale. Dans le dernier, elle lui avait indiqué l'heure du rendez-vous et le nom du restaurant, et lui avait demandé de rappeler s'il envisageait de les y rejoindre. Elle n'avait obtenu aucune réponse.

A présent, elle se tenait, seule, dans le salon de sa mère, les bras chargés de cadeaux aux emballages colorés.

— Je n'ai pas réussi à contacter Kyle, maman. Ça ne fait rien ! C'est ton anniversaire, et nous allons sortir, toutes les deux !

Si ce ton ferme avait réussi à intimider un bon nombre de criminels endurcis, Bernice, elle, était faite d'un tout autre bois.

— Pas question !

— Si, maman ! J'ai réservé chez Josie, sur le lac Ryan. C'est un endroit tranquille. Il n'y aura pratiquement personne, un mercredi soir, à 18 heures ! Nous aurons une bonne table, avec vue sur le lac.

Bernice désigna sa gazinière d'un geste vague.

— J'ai préparé un bon ragoût.

— Il est cuit ?

— Eh bien, oui, ma foi !

— Parfait ! Mets-le au frigo. Tu le réchaufferas demain soir.

Sara déposa ses cadeaux sur le petit banc, près de la porte, puis, contournant sa mère, fouilla dans un placard.

— Dis-moi, maman, lança-t-elle par-dessus son épaule, combien de fois ai-je réussi à rentrer pour ton anniversaire, ces quatorze dernières années ?

Bernice croisa les bras sur sa poitrine, d'un air obstiné.

— Il pourrait bien s'écouler encore quatorze ans avant que cela ne se reproduise ! Enfile ça. Il fait un peu frais, ce soir, ajouta Sara en décrochant un long manteau de laine de son cintre.

Les deux femmes s'affrontèrent un long moment du regard. Finalement, Bernice détourna les yeux et se décida à répondre.

— Je ne sors plus beaucoup, tu sais !

— Eh bien, c'est le moment, reprit gentiment Sara en lui tendant son manteau. Couvre-toi, et viens. C'est très important, pour moi.

Bernice se renfrogna, une moue boudeuse aux lèvres.

— Où est ton chien ?

— Chez moi. Et il se tiendra tranquille jusqu'à mon retour.

La vieille dame hésita encore une seconde, puis alla dans la cuisine retirer le ragoût du feu, avant de laisser Sara l'aider à enfiler son manteau.

— Nous ne rentrerons pas trop tard, dis ?

— J'avais pensé t'emmener faire un peu de shopping, après dîner, mais si tu préfères, nous pouvons rentrer directement !

— Ce que je veux, c'est rester chez moi, grommela Bernice, tandis qu'elles se dirigeaient vers la Bronco. A mon âge, l'arthrite et le mauvais temps ne font pas bon ménage !

Elle garda un silence obstiné tout le long du chemin. Au moment où les deux femmes entraient dans le restaurant, Sara entendit sa mère prendre une inspiration angoissée.

— Tout ira bien, maman. Tu verras.

Même s'il n'y avait pas encore beaucoup de monde, quelques couples étaient déjà installés dans la salle à manger principale.

Certains clients levèrent la tête pour saluer les nouvelles arrivantes, avant de se replonger dans le menu.

— Tu ne trouves pas cet endroit magnifique ? poursuivit Sara. Moi, j'adore ce décor rustique. Regarde, cette petite alcôve, là-bas… Elle donne sur le lac.

Lorsqu'elle avait réservé, Sara avait spécifié qu'elle désirait cette table. Elle savait qu'elle conviendrait le mieux à sa mère. Comme prévu, Bernice acquiesça vivement.

Les salades arrivèrent sans que la vieille dame n'abandonne son air crispé. Toutefois, lorsqu'on leur servit leurs plats, la tension de ses épaules s'était un peu relâchée.

Sara savoura les yeux fermés une deuxième bouchée de brochet frais.

— J'avais oublié à quel point c'est bon !

— Peut-être, n'empêche qu'il y en a beaucoup trop ! rétorqua Bernice. Et c'est bien au-dessus de mes moyens. Des tiens aussi, d'ailleurs !

— Maman ! C'est ton anniversaire ! Pendant mon séjour, j'aimerais que nous sortions plus souvent, toutes les deux, et que nous prenions un peu de bon temps…

— Comment peux-tu te permettre un repas pareil ? insista Bernice en contemplant ses pommes de terres en robe des champs. Tu as trouvé du travail ?

Sara ne pouvait pas expliquer, même à sa propre mère, qu'elle était en mission pour la DEA. Pour Bernice, elle était fonctionnaire à Dallas.

— J'ai été prévoyante, voilà tout !

— Et la semaine prochaine ? Le mois prochain ? Que feras-tu quand tu n'auras plus d'argent ?

— Ça ira, je t'assure !

Quelques notes d'un concerto de Rachmaninov retentirent, rappelant à Sara la mélodie insolite qu'elle avait entendue la veille.

— Maman, tu te souviens de Earl Stark ?

Bernice se figea, sa fourchette chargée d'asperges en l'air.

— Le ferrailleur ? Bien sûr !

— Il avait bien un fils, non ? Je ne me rappelle pas l'avoir vu, à l'école.

— Il a dix ou quinze ans de plus que toi. Et puis, si ma mémoire est bonne, il n'a pas été scolarisé bien longtemps…

Sara posa ses couverts sur le bord de son assiette.

— Enfin, il a dû…

— J'ai eu pour cliente une des institutrices de l'école maternelle. Léon était costaud, pour son âge et, un beau jour, il s'est rué sur elle, en classe. Il a déchiré la manche d'une superbe robe de laine que je venais de coudre, et elle s'en est tirée avec une belle ecchymose.

— Une institutrice d'école maternelle ? Qu'est-ce qui s'est passé ?

— Je crois qu'elle essayait de lui faire accrocher son manteau. Il avait déjà fait quelques crises, moins fortes, toutefois. Après cet incident, Stark ne l'a jamais renvoyé à l'école.

Sara songea à l'homme immense et silencieux qui avait nonchalamment traversé sa cour pour lui apporter ce billet. Apparemment, lorsqu'il se mettait en colère, il devenait incontrôlable. Elle n'avait pourtant décelé aucun signe d'hostilité dans ses yeux délavés et totalement dénués d'expression.

— D'après la loi…

— Les autorités lui ont envoyé des travailleurs sociaux, et même le shérif. Stark leur a répondu que son fils était parti vivre chez des proches et, pendant bien longtemps, personne ne l'a aperçu en ville… A l'époque, les autorités n'étaient pas très douées pour ce genre de suivi. Au bout d'un certain temps, tout le monde a plus ou moins oublié l'affaire.

— Je crois avoir vu Léon, à la décharge, hier.

Bernice fronça les sourcils.

— Que faisais-tu là-bas ?

— Je me promenais avec Harold. Nous passions devant chez Stark lorsque j'ai entendu une musique magnifique. J'ai tout de suite su qu'elle provenait d'un vieux piano, pas d'un CD.

— Tu as dû rêver ! Earl n'a jamais fait d'études, et à en juger par la façon étrange dont il se comporte en ville, je dirais qu'il glisse doucement vers la folie… Ce qui n'est pas étonnant, vu qu'il boit. Quant à Léon, il paraît qu'il est arriéré.

— Ils avaient peut-être de la visite ?

— Honnêtement, il faudrait être fou pour rester plus de cinq minutes dans cette masure ! Certains membres du conseil municipal l'ont déclarée insalubre, il y a des années de cela. Le vieux Earl s'est battu comme un tigre.

Elles mangèrent en silence pendant plusieurs minutes, contemplant le soleil couchant, derrière la ligne dentelée de sapins.

— Tu es prête pour le dessert ? s'enquit Sara, en faisant signe à la serveuse.

— Oh, non ! Je ne peux plus rien avaler !

Le restaurant s'était rempli et Bernice jeta un coup d'œil nerveux en direction de la salle pleine à craquer, derrière elle.

— Je préfère rentrer à la maison.

La serveuse s'approcha de la table. Elle apportait un petit gâteau d'anniversaire surplombé de bougies allumées. Les autres clients se mirent à applaudir en l'acclamant.

— Il est tard, Sara. Je veux rentrer ! dit Bernice dans un souffle, les joues en feu.

La jeune serveuse lui sourit avec affabilité.

— Ne vous inquiétez pas, madame ! C'est la coutume, pour nos clients, d'applaudir, lorsqu'ils voient passer un gâteau d'anniversaire. Vous ne voulez pas qu'on vous chante « Bon anniversaire » ?

— Surtout pas ! répondit la vieille dame, horrifiée.

Sara prit la main de sa mère, par-dessus la table.

— Tout va bien, maman ! Ce n'est qu'un gâteau, après tout ! Il n'y a pas de quoi en faire une montagne !

— Ah, vraiment ? Et que diront tous ces gens, quand je me lèverai pour partir et qu'ils verront qui je suis ?

— Ils verront une femme qui a vécu ici toute sa vie, qui est allée à l'école avec leurs parents et a élevé ses enfants de son mieux ! répondit calmement Sara. Ils verront une femme qui a affronté l'adversité avec la plus grande dignité. Tu n'as plus besoin de te terrer, maman. Plus maintenant.

Les yeux pleins de larmes qui refusaient de couler, Bernice murmura, sèchement :

— Tu n'as jamais rien compris, Sara. Tu t'es toujours efforcée de simplifier le problème. Tu oublies qu'à l'époque, tu n'étais qu'une gamine et que tu n'as pas vécu ici bien longtemps !

— Maman, je…

— Inutile. L'homme que j'aimais nous a tous trahis, avant de choisir la solution de facilité. Il nous a laissés complètement démunis. As-tu la moindre idée des difficultés que cela a pu représenter, pour moi ? demanda-t-elle, les yeux brillants de colère. De ce que j'ai enduré ? Tous les habitants de cette ville nous ont tourné le dos. A présent, je n'ai que faire d'eux. Maintenant, *ramène-moi à la maison !*

Sara passa une heure chez sa mère, sans réussir à réchauffer l'atmosphère. Elle lui offrit ses cadeaux et servit le gâteau qu'elle avait rapporté du restaurant, avant de lui souhaiter bonne nuit et de s'en aller.

« Dire que je voulais renouer des liens… A ce rythme, j'aurai de la chance si elle m'adresse toujours la parole, quand je retournerai à Dallas ! »

90

Harold, lui, fut content de la voir rentrer. Il s'était habitué à leurs sorties nocturnes et, vers 22 heures, il commença à geindre devant la porte de son studio.

Sara arpentait la cuisine, attendant que le téléphone sonne. Elle avait déjà vérifié : Allen Larson n'avait laissé aucun message. Où était son contact de la DEA ? Pourquoi n'appelait-il pas ?

Elle ne pouvait demander l'aide de la police locale. Du moins pas encore. Elle devait d'abord être sûre que Nathan n'avait aucun lien avec les personnes impliquées dans le trafic de drogue.

D'un autre côté, c'eût été pure inconscience de sa part que d'aller retrouver Earl à minuit, sans avoir assuré ses arrières. Car si elle se sentait capable d'affronter Earl, il en allait différemment de Léon. S'il la prenait par surprise, elle n'aurait aucune chance… surtout dans l'endroit choisi par Earl.

Le parc était un simple lopin d'herbes folles, près du caravaning. Quelques arbres, une table de pique-nique couverte de graffitis et deux balançoires parvenaient à peine à le rendre plaisant pour des enfants ; les lilas énormes bordant ses côtés l'isolaient complètement des regards.

— Appelle, bon sang ! marmonna-t-elle, en fixant le téléphone du regard, sans arrêter de marcher.

Il était fort possible que Earl ait des raisons valables de vouloir la rencontrer seule. Que par ressentiment envers le propriétaire de l'usine Sanderson, il souhaite lui transmettre des informations importantes. Sur son billet, il l'avait instamment priée de ne pas retourner chez lui. Craignait-il d'être découvert ? Par ailleurs, comment pouvait-il être si sûr que Sara serait intéressée par les renseignements qu'il détenait ?

Et s'il travaillait pour la partie adverse ? S'il avait remarqué qu'elle surveillait l'usine et avait reçu l'ordre de se débarrasser d'elle ?

A 23 h 30, Harold se remit à gémir devant la porte, en balayant la moquette avec sa queue.

— D'accord, d'accord, mon vieux ! Je vais t'emmener faire un tour en bas. C'est plus prudent. Ensuite, nous irons nous promener en voiture !

Sara lâcha Harold quelques minutes dans la cour, puis le siffla pour qu'il la rejoigne dans la Bronco, où il s'assit à sa place favorite, à côté d'elle. Elle descendit lentement la rue des Peupliers, longea quatre pâtés de maisons bien entretenues et quelques terrains ouverts, au bas de la colline.

A sa gauche, éclairé par un seul réverbère, se trouvait le petit parc. L'éclairage était si faible qu'il ne laissait voir que la table de pique-nique. Le quart de lune, au-dessus d'elle, laissait le reste dans l'obscurité.

Elle s'arrêta le long du trottoir, s'assura que ses portières étaient cadenassées et éteignit ses phares, sans pour autant couper le contact.

— Qu'en penses-tu, mon vieux ? demanda-t-elle en tendant une main pour gratter les oreilles de son compagnon.

Le vieux chien se retourna maladroitement sur le siège pour scruter l'obscurité.

— Nous allons rester ici, murmura-t-elle. Nous verrons bien ce qui se passe, d'accord ?

Earl n'avait pas précisé dans quelle partie du parc il voulait la rencontrer. Cependant, s'il entendait le véhicule, il ne manquerait pas de s'en approcher. Si elle avait disposé de renfort, elle aurait tenté une approche beaucoup plus agressive. Elle aurait essayé de le débusquer. Toutefois, un agent spécial n'avait jamais atteint l'âge de la retraite en se montrant outrageusement téméraire. S'il voulait lui parler… Eh bien, elle était là !

Il fut bientôt minuit cinq. Puis minuit dix. A minuit vingt, elle envisagea de se remettre en route pour rentrer chez elle.

Des phares descendirent alors la colline, derrière elle. Une voiture s'approcha doucement de la sienne et s'arrêta non loin de son pare-chocs arrière. Sara se raidit, le cœur battant la chamade, et passa rapidement la situation en revue.

C'était peut-être son jour de ch…

Elle se mit à jurer entre ses dents. Une rampe de lumières s'était soudain mise à flasher sur le toit du véhicule, derrière elle. Si Earl se trouvait dans les environs, cela ne manquerait pas de le faire fuir. Les secondes passant, elle comprit que l'officier de police vérifiait ses plaques d'immatriculation sur son ordinateur portable.

Evidemment, il ne trouverait rien qui puisse compromettre sa mission à Ryansville. La Bronco était à son nom et elle n'avait perdu aucun point sur son permis de conduire. Par ailleurs, il ne pouvait rien découvrir de nouveau sur elle ou sur son véritable emploi.

Excité par les ampoules clignotantes de la rampe, Harold se mit à geindre en s'agitant sur son siège.

— Ça te rappelle quelque chose, hein ? chuchota-t-elle, en lui grattant le cou pour le calmer. Ça ne sera pas très long. Nous rentrerons bientôt à la maison.

Jusque-là, Nathan avait semblé croire à son « insomnie » chronique. Néanmoins, tôt ou tard, il se poserait des questions. Or, à en juger par son expression, lorsqu'il s'approcha enfin de sa portière, ce moment était arrivé.

Il posa un bras sur le toit de la Bronco et attendit qu'elle descende la vitre.

— Vous ne trouvez pas qu'il est un peu tard, pour ce genre de promenade ?

— Si ! rétorqua-t-elle. J'ai emmené ma mère au restaurant et quand je suis rentrée, Harold voulait à tout prix sa petite sortie du soir. Il était tellement tard que j'ai préféré l'amener au parc.

— Ici ? demanda Nathan, d'un air interrogateur.

— Je veux bien admettre que de nuit, l'endroit est plutôt effrayant. Je n'étais venue que de jour !

Il examina l'intérieur de sa voiture. Harold, aux abois, haletait toujours d'excitation.

— Vous croyez que votre chien est à même de vous défendre ?

— Je… Je le crois, oui. Les bergers allemands sont généralement très protecteurs, vous savez !

— A votre place, je ne compterais pas là-dessus ! Et je ne peux pas veiller sur vous vingt-quatre heures sur vingt-quatre !

La nuance d'inquiétude qu'elle perçut dans sa voix la réconforta quelque peu. Certes, il ne faisait que son travail, mais combien de fois s'était-on réellement soucié de que qui pouvait lui arriver *à elle* ? D'habitude, c'était plutôt le contraire !

— Vous croyez qu'il vaut mieux que je rentre ?

— Je vous suis.

— Ce n'est pas bien loin ! protesta-t-elle. Et je suis en voiture… Tout ira bien.

Nathan avait déjà rebroussé chemin. Visiblement, il avait la ferme intention de l'escorter jusque chez elle.

Or, si Earl avait vu l'adjoint au shérif s'arrêter, lui parler et la suivre, il hésiterait probablement à s'adresser à elle, à l'avenir.

D'après son billet, il ne souhaitait pas la voir rôder près de chez lui. Tant pis… Le lendemain matin, elle passerait tout de même devant la décharge, pour essayer de le rencontrer. Elle avait vérifié dans l'annuaire, et même si aucune entreprise ne fonctionnait sans téléphone, de nos jours, il n'y avait pas de numéro au nom des *Ferrailles Stark*. S'il avait des documents à lui remettre, peut-être accepterait-il de les lui donner, tout simplement ! Et s'il voulait seulement lui parler, ils pourraient se mettre d'accord pour un autre rendez-vous. De retour chez elle, Sara alla se garer sur son emplacement, dans l'arrière-cour. Nathan la rejoignit avant même qu'elle ait ouvert sa portière.

— Plus de promenade nocturne ! Vous restez chez vous, maintenant, d'accord ? lança-t-il avec un sourire équivoque.

— Promis !

Bondissant hors du véhicule, Harold s'assit à ses pieds, tandis qu'elle consultait sa montre.

— Grands dieux ! Minuit et demi, déjà ?

Son pull-over resta accroché à l'un des angles de la portière et Nathan tendit la main pour lui soutenir le coude, pendant qu'elle libérait le fil. Le contact avait été tout à fait anodin… Elle n'en sentit pas moins son cœur s'emballer.

— Je vais attendre que vous soyez rentrée, déclara-t-il, en regardant autour de lui. Avec tous ces sapins, votre porte est complètement cachée. On ne la voit même pas de chez les Shueller. Soyez prudente !

Il se tenait assez près d'elle pour qu'elle sente l'odeur enivrante de son eau de toilette boisée ; sa voix rauque de baryton lui fit courir des frissons sur tout le corps.

Légèrement désorientée, elle se surprit à fixer sa bouche, magnifiquement dessinée. Quand elle leva les yeux, elle vit que ses yeux noisette brillaient d'une chaleur étrange et s'étaient assombris, comme sous le coup d'une brusque impulsion sensuelle.

La lueur puissante, et définitivement masculine qu'elle décela dans ses pupilles la laissa sans voix.

Ainsi, lui aussi se sentait dangereusement attiré par elle !

Il recula d'un pas, hochant vigoureusement la tête en signe d'adieu.

— Surtout, soyez prudente, répéta-t-il.

Il attendit qu'elle soit rentrée avant de retourner à sa voiture de patrouille.

Elle le regarda s'éloigner, par la fenêtre de sa cuisine. Elle devait vraiment manquer de sommeil — à moins qu'elle n'ait tout simplement besoin de vacances.

Elle avait tout simplement imaginé une situation qu'il ne lui proposerait jamais et qu'elle ne pourrait jamais accepter. Non seulement elle lui cachait bien des choses, à présent, mais elle ne pouvait oublier son passé, plus qu'obscur.

Toutefois, il n'est pas interdit de rêver…

8.

Après son rendez-vous manqué avec Earl, le mercredi soir, Sara s'était rendue chez lui plusieurs fois. Dissimulée derrière les buissons et les arbres bordant sa clôture, elle avait passé des heures à guetter le moindre signe de vie.

Le portail qui barrait l'allée cabossée menant chez Stark était resté cadenassé, et elle n'avait vu ni Earl ni Léon.

Si Allen l'avait rappelée à temps, pour lui proposer du renfort, elle aurait peut-être pu entrer en contact avec Stark, dans le parc. Hélas, son collègue, comme tous les autres agents spéciaux de la région, avait participé à une descente importante au nord de St Paul, et sa réponse lui était parvenue trop tard.

Earl avait-il pris peur en voyant Nathan se garer derrière sa voiture ? Si c'était le cas, leur rencontre devenait impérative.

Une petite voix intérieure lui disait que quelque chose clochait, dans cette affaire, sans quoi elle aurait au moins aperçu le vieil homme, ces derniers jours.

Le vendredi suivant, à 17 h 30, elle s'avança vers la porte latérale de l'usine Sanderson.

— Retour à la case départ, marmonna-t-elle, pour elle-même.

Elle s'était garée à une centaine de mètres de là, en attendant la sortie des employés des bureaux, par la porte principale, à 17 heures.

A présent, il ne restait plus que l'auto japonaise rouge de Jane, sur le parking avant. Les véhicules de l'équipe de nuit, eux, stationnaient derrière le bâtiment.

Sara attendit encore une dizaine de minutes, avant d'aller se garer entre deux vieilles camionnettes, toutes rouillées.

Les fenêtres des bureaux étaient sombres et les portes du bâtiment principal seraient certainement cadenassées. Toutefois, de sa planque, au sommet de la colline, elle avait pu observer que l'équipe de nettoyage utilisait une autre porte. Elle gagna nonchalamment cette entrée, appuya sur la poignée et la sentit s'ouvrir. Satisfaite, elle se glissa à l'intérieur.

A sa droite, une porte blindée, flanquée de casiers, menait à l'usine en elle-même. A sa gauche, un parterre en mosaïque s'étirait jusqu'au hall principal de la partie réservée aux bureaux.

Après avoir passé quelques minutes à l'affût de bruits de pas, Sara tourna à droite et actionna les poignées de la double porte. Elles étaient verrouillées.

Elle s'engagea dans le couloir, essayant, l'une après l'autre, toutes les poignées de porte, en enregistrant leur emplacement.

Les toilettes n'étaient pas fermées à clé.

Il en allait de même pour la salle de repos.

Les bureaux individuels, eux, étaient cadenassés.

Sara regarda par la vitre opaque donnant sur le service comptabilité. L'endroit valait probablement le détour : du moins c'est ce qu'elle songea en distinguant les formes obscures d'un grand nombre de bureaux et d'ordinateurs. A une extrémité de la pièce, il y avait encore une porte, probablement le bureau de Robert Kelstrom.

Depuis qu'elle avait commencé à surveiller les lieux, elle avait assisté à plusieurs activités furtives, tard dans la nuit. Suffisamment pour la convaincre que le tuyau concernant les cargaisons de drogue n'était pas erroné.

Il serait fort instructif de découvrir exactement la nature de l'opération et l'identité des personnes impliquées. Il se pouvait qu'il ne s'agisse que d'un cercle d'acolytes, établis dans l'usine. Néanmoins, la logique voulait qu'au sein d'une entreprise de cette taille, l'un des responsables au moins soit au courant de ce qui se passait.

Devant elle, une tache lumineuse, provenant du bureau des Ressources humaines, inondait le corridor. Sara s'avança vers la porte et inspecta la pièce par un carreau. Le visage éclairé par la lueur de son ordinateur, Jane se tenait à son bureau, la tête dans une main, une liasse de documents étalés devant elle.

Sara frappa doucement sur le panneau de verre.

— Jane ? Tu es là ?

La secrétaire se redressa d'un bond.

— Sara ?

— Je suis passée te demander si tu voulais qu'on dîne ensemble, ce soir, expliqua Sara, à travers la porte.

Un sourire radieux aux lèvres, Jane jeta un coup d'œil en direction de l'horloge murale, se leva et traversa la pièce pour ouvrir la porte.

— Je ne me suis pas rendu compte de l'heure ! Quelle surprise ! Comment es-tu entrée ?

— Je voulais passer plus tôt… Enfin, j'ai vu que ta voiture était toujours là et la porte latérale était ouverte.

Sara contempla le bureau d'un air sidéré.

— Ouah ! Tu as un boulot monstre !

— Je suis bien contente d'avoir ce travail, crois-moi ! rétorqua Jane en haussant les épaules. Je suis vraiment désolée ne n'avoir pu t'appeler, Sara. Mais Ian et Robert sont plutôt optimistes, ces derniers temps. Alors, sait-on jamais ?

— Ne t'en fais pas pour ça. Que te reste-t-il à faire ?

Pour toute réponse, Jane retourna vers son bureau et alla éteindre son ordinateur, avant d'attraper un trousseau de clés, dans le tiroir supérieur de son secrétaire.

— Je n'ai plus qu'à aller déposer ces rapports dans la boîte aux lettres de M. Flynn, à la direction. Ensuite, je pourrai partir.

Sara ferma les yeux et prit une profonde inspiration.

— Ça sent bon, dans ton bureau. Qu'est-ce que c'est ?

— Ça change de l'époque où nous étions petites, hein ? Quand l'usine ne fabriquait que des produits de nettoyage, l'endroit empestait l'ammoniaque. Aujourd'hui, cela dépend du produit sur lequel on travaille.

Jane sortit du bureau et se dirigea vers ceux de la direction. Sara lui emboîta le pas.

— Cette légère odeur de cire d'abeille est une constante. Pour le reste, les parfums varient, reprit-elle. J'adore quand ils fabriquent la lotion pour les mains de Tante Emma. Elle est à base de lys, avec une touche de lilas… C'est divin !

Sara regarda Jane passer son trousseau de clés en revue.

— Vos produits doivent partir comme des petits pains !

— Oui ! Ils se vendent plutôt bien. Les affaires reprennent doucement : Robert est allé prospecter chez divers distributeurs, à travers le Middle West, et a signé plusieurs nouveaux contrats.

Jane ouvrit une porte, alluma les lumières et glissa des documents dans l'une des fentes des casiers accolés à une paroi. Désignant d'un geste de la main un étalage de baumes, de crèmes et de lotions, portant la traditionnelle étiquette, en vichy vert et blanc, des Produits de beauté naturels de Tante Emma, elle ajouta :

— Ils ont eu tort de changer d'emballage, cependant.

— Ce ne sont pas les mêmes qu'avant ?

— Si ! Nous sommes revenus aux emballages originaux, expliqua Jane en levant les yeux au ciel. Ian a voulu essayer quelque chose de plus chic… Dans le trimestre qui a suivi, les ventes ont chuté de moitié. Je ne travaillais pas encore ici, mais j'ai entendu dire que même nos clients les plus fidèles ne reconnaissaient plus les produits. L'entreprise a failli couler… Heureusement, on a redressé le tir !

Cela pouvait expliquer le désespoir des propriétaires de l'usine, qui avaient été amenés à chercher d'autres sources de revenus.

De retour dans le corridor, Sara se tourna vers l'aire de production du bâtiment.

— Passer la journée dans des odeurs aussi agréables, ça doit être fantastique ! lança-t-elle d'un ton de regret.

— Peu d'ouvriers sont de ton avis, dit Jane en s'esclaffant. Quant à Robert, il prétend ne plus rien sentir.

Lorsqu'elle prononçait le nom du directeur, ses joues s'empourpraient gracieusement. C'était bon à savoir !

— Tout le monde est parti, on dirait ! Tu ne veux pas me faire visiter les lieux, en vitesse ?

— C'est-à-dire…

— Jane, je n'ai aucune intention de voler des secrets de fabrication ! Parole de scout !

— Je ne sais pas… Ian et Robert sont intransigeants sur la question. Ils ne veulent pas de visiteurs ! Remarque… Si je demandais à Phil, le chef d'équipe, il serait peut-être d'accord… Il est assez relax !

— Je ne voudrais pas te causer d'ennuis, Jane.

La jeune femme réfléchit un instant, puis, d'un pas décidé, retourna dans son bureau.

— Oh, je ne vois pas ce qu'il y a de mal à ça, après tout ! De toute façon, je dois lui remettre sa demande de congé, dit-elle en cherchant le formulaire, sur son bureau. Il sera ravi d'apprendre qu'elle a été acceptée. Suis-moi !

Jane la guida jusqu'aux portes blindées donnant accès à l'usine proprement dite. Une fois entrée, Sara étudia soigneusement l'immense surface, s'efforçant de mémoriser le moindre détail.

La première chose qu'elle remarqua fut que les portes étouffaient considérablement le vacarme ambiant.

L'endroit devait faire trois cents mètres de large sur six cents de long, pour une hauteur de plafond d'une soixantaine de mètres. Il y faisait frais, malgré la vapeur qui s'échappait des cuves, au centre de la pièce, et le vrombissement régulier de la machine à fabriquer les emballages. Tout au bout, un homme, aux commandes d'un chariot élévateur, soulevait des palettes pleines qu'il faisait pivoter pour les empiler sur d'autres, emmagasinées le long d'une paroi.

Des ceintures mécaniques envoyaient des flacons remplis d'un liquide ambré vers un sas, dissimulé par un rideau. Les flacons réapparaissaient ensuite ornés d'étiquettes toutes neuves, en l'occurrence, celles de la Cire pour meubles de Tante Emma. Sara compta une vingtaine d'ouvriers, tous vêtus de combinaisons et de coiffes blanches et travaillant avec des gestes précis.

— Phil doit être dans son bureau ! lui cria Jane à l'oreille. Je vais aller lui rendre sa demande de congé. Ensuite, je te ferai visiter.

Sara acquiesça et suivit son amie du regard, tandis qu'elle se dirigeait vers un petit bureau. Derrière ses parois de verre, elle vit Jane s'adresser à un individu mince, aux cheveux gris, qui leva brusquement les yeux vers elle, avant de secouer vigoureusement la tête.

Elle n'aurait sûrement pas beaucoup de temps. D'un air dégagé, elle jeta un coup d'œil autour d'elle, avant de s'aventurer vers le centre de la salle. Elle avait vu arriver des cargaisons nocturnes, par la porte sud. L'un des ouvriers passa devant elle, portant un conférencier. Il la salua brièvement et disparut derrière les cuves.

Il y avait quatre portes, le long de la paroi sud. L'une d'entre elles portait l'inscription « Sortie de secours ». Les autres étaient blindées et cadenassées. Etait-ce là qu'on rangeait les produits chimiques… ou tout autre chose ?

Jane surgit à ses côtés.

— Je suis navrée… Je ne peux pas te faire visiter. Phil prétend que c'est dangereux, avec tout le matériel que nous avons ici. Il refuse de prendre cette responsabilité. De toute manière, tu as vu le principal, d'ici. Allons-y, veux-tu ?

Sara la suivit docilement jusqu'à l'entrée, consciente du regard soupçonneux de Phil qui l'observait, depuis les vitres de son bureau.

Il y conservait très certainement des clés. Des clés qui menaient à ces réserves… et peut-être à la preuve de ce qui se passait ici, au petit matin.

Toutefois, le moment n'était pas venu d'y faire une descente. Pour l'instant, le plus important était de découvrir qui était impliqué dans le trafic.

— Comme tu le vois, tout est d'une propreté extrême ! fit remarquer Jane, en ressortant. La direction ne veut prendre aucun risque !

Sara était bien persuadée que la direction se souciait des risques… Cependant, elle doutait qu'il s'agisse de ceux que pouvaient causer quelques malheureux microbes !

Josh contempla Harold avec délectation et fit faire un tour supplémentaire à sa laisse sur son poignet. Ce matin, Sara avait frappé à leur porte pour demander à sa mère si Josh pouvait sortir Harold, après l'école. Uniquement dans la cour, avait-elle précisé, et pour quelques minutes seulement.

Néanmoins, il faisait très beau et Harold avait agité la queue, apparemment tout excité à l'idée d'aller faire un tour. Aussi, Josh avait-il décidé de s'aventurer un peu plus loin. Quel mal y avait-il à faire avec lui le tour du pâté de maisons ?

Pour sûr, il n'y avait aucun chien semblable à Harold, dans toute la ville. Certes, il était vieux, mais il avait servi dans la police, autrefois. Et ça, c'était génial ! Personne n'oserait l'embêter, aujourd'hui !

Tous deux remontèrent la rue des Bouleaux. Lorsqu'ils atteignirent la rue principale, l'enfant hésita. Il s'apprêtait à faire demi-tour… quand il se retrouva nez à nez avec les Weatherfield.

— Salut, morveux ! ricana Ricky. Où est-ce que tu as dégoté ce clebs ? A la décharge ?

— Regarde-moi ça ! Il a exactement la couleur d'un rat ! renchérit Thad. T'as raison ! Il vient sûrement d'un dépotoir.

Harold se mit à gronder, les poils de son dos tout hérissés.

— Du calme, mon vieux, murmura Josh. Tout va bien !

— Tout va bien ? lança Ricky sur un ton de dérision. Je suis sûr qu'il existe une loi interdisant d'amener des rats en ville !

Josh raffermit son emprise sur la laisse. Un grognement plus profond ébranla le corps de l'animal.

— Fichez-moi la paix, d'accord ? Harold n'a pas l'air de vous apprécier !

— Que veux-tu que ça nous fasse ? reprit Rickey d'un ton méprisant. Je parie que vous allez choper la même maladie que ta mère, ce clébard et toi. J'imagine déjà la scène : un gamin et un rat géant, couverts de pustules violettes !

Josh crispa les poings et, oubliant Harold, les passants et tout le reste, fonça vers ses tourmenteurs.

Le berger allemand fut plus rapide que lui. Tirant sur sa laisse, il se mit à aboyer furieusement et à montrer les crocs.

Les frères Weatherfield poussèrent un cri d'effroi, dévalèrent la Grand-rue en courant et disparurent au coin de la rue suivante. Harold se lança à leur poursuite, entraînant Josh dans son sillage.

A leur approche, les gens s'écartaient vivement. Une femme hurla. Sur deux cents mètres, les passants horrifiés s'arrêtèrent pour les observer.

— Non, Harold ! Non ! criait Josh. Du calme, mon vieux ! C'est rien ! Au pied ! Au pied !

Le berger allemand finit par ralentir, puis, se calmant, se posa docilement sur le ciment, le regard rivé sur le point où les deux garnements avaient disparu.

— Bon sang ! haleta Josh.

Se relevant péniblement, il examina les genoux déchirés de son jean. Sa veste était couverte de poussière. Les égratignures, sur ses paumes, le piquaient cruellement.

— Ce chien n'a rien à faire en ville ! cria une femme, qui s'était repliée contre l'entrée de la quincaillerie Mitchell. Un de ces jours, il tuera quelqu'un !

M. Mitchell en personne sortit de son magasin.

— Je vais rapporter cet incident au shérif adjoint, fiston. Cette bestiole est un danger public ! Vous n'avez rien, madame Lund ?

Il la fit rentrer dans sa boutique et considéra Josh d'un air sévère.

— Ramène-le chez toi et fais en sorte qu'il y reste, compris ?

Josh acquiesça piteusement. Il sentait la nausée l'envahir.

— En route ! dit-il, avant de reprendre le chemin de la maison, sous le regard réprobateur des badauds.

Comment Sara réagirait-elle, en apprenant la nouvelle ? Des larmes lui montèrent aux yeux et il cilla avec rage pour les empêcher de couler. Même Harold semblait se ressentir de l'altercation. Il avait la queue et la tête basses, et paraissait aussi dépité qu'un chien peut l'être.

A quelques pas du garage, Josh considéra sombrement le jardin. Le téléphone n'avait pas dû arrêter de sonner. On avait dû appeler sa mère pour lui relater les exploits de l'animal et le tumulte que Josh avait causé en l'amenant dans la grand-rue.

Sans compter Mme Weatherfield, qui avait dû téléphoner pour menacer de les poursuivre en justice.

Josh continua son chemin en soupirant. S'il traînait suffisamment, sa mère s'inquiéterait pour lui. Du coup, elle lui en voudrait moins, quand il réapparaîtrait sain et sauf.

Arrivé au bas de la colline, il tergiversa un instant. Où aller ? Dans les bois, derrière l'usine Sanderson, ou au parc, près du caravaning ?

Harold s'était assis à ses pieds et, le museau levé, respirait la brise. Il geignit faiblement, regarda Josh, puis tournant la tête vers l'extrémité du parc, se mit à geindre plus fort.

Aïe ! Après ce qui venait de se produire, Josh savait qu'il serait incapable de retenir l'animal, s'il lui prenait l'envie de pourchasser un lapin.

— Du calme, mon vieux. Rentrons à la maison, d'ac ? ordonna-t-il en tirant sur la laisse.

Le chien l'ignora royalement.

— Allez ! Viens ! Il faut que nous…

Harold se releva subitement et partit comme une flèche. Le cuir glissa sur les écorchures ouvertes de Josh, qui lâcha instinctivement la laisse.

Vif comme l'éclair, Harold disparut derrière les arbres, à l'autre extrémité du parc. Bientôt, Josh n'entendit plus que ses aboiements, de plus en plus distants.

La peur lui nouait l'estomac. Il y avait sûrement des enfants dans le parc ! Pourvu qu'Harold ne s'en prenne pas à eux ! Pourvu qu'il ne s'échappe pas pour de bon !

Il se mit à courir pour le rattraper.

A la lisière du bois, il hésita. Dans son école, tout le monde était au courant de ce qui s'y passait : beuveries à la bière, petits trafics de drogue, adolescents flirtant outrageusement… Toutefois, il fut éperonné par les aboiements frénétiques de Harold.

— Viens ! Viens là, mon vieux !

Les épinettes lui égratignèrent le visage. Des toiles d'araignées se collèrent à sa peau. Des framboisiers sauvages s'accrochèrent à son jean. Lorsqu'il parvint enfin à se dégager de la broussaille, il courut jusqu'à ce que son propre souffle lui déchire les poumons, et finit par s'arrêter.

Quelque chose bruissa dans les buissons, devant lui. L'enfant se figea de peur. Normalement, les ours bruns restaient dans les parties du bois les plus reculées… Pourtant, il arrivait qu'ils s'approchent de la ville…

Harold surgit soudain, la langue pendant, comme s'il était hors d'haleine, lui aussi, après sa longue course.

— Bon chien ! Viens ici, mon vieux. Ça, c'est un bon chien !

Hélas, l'animal s'éloigna de nouveau en bondissant. Le son de ses pas écrasant les branches cassées et les mauvaises herbes acheva de démoraliser Josh.

« Crétin de clébard ! Andouille de chien ! » songea-t-il, en se remettant à sa poursuite.

Subitement, tout devint silencieux. Seuls subsistaient les petits gémissements de Harold.

Mort de peur, Josh ralentit et essaya d'avancer sans faire de bruit. Et s'il y avait des gens vraiment dangereux, là-dedans, en train de cacher du matériel volé, par exemple ? Il écarta les branches inférieures d'un érable… et découvrit Harold, au garde-à-vous, près d'un arbre mort. Il y avait quelqu'un avec lui.

Josh ouvrit de grands yeux. Il sentit son estomac se contracter et ses genoux se liquéfier.

— V… Viens là, mon vieux, chuchota-t-il. Je t'en supplie !

Prenant bien garde à ne pas faire craquer de brindilles ou bruisser de feuilles mortes, l'enfant, terrorisé, s'avança d'un pas, puis de deux.

— Har… Harold ! Viens là !

Il lui fallut quelques secondes supplémentaires pour que ses yeux s'adaptent à la pénombre. Quand il put enfin distinguer le chapeau de pêche de l'homme, avec les appâts tout autour, il se sentit infiniment soulagé.

Il avait déjà vu ce chapeau, en ville. Et si son propriétaire était un peu bizarre, il avait toujours été gentil avec lui.

Rassuré, le sourire aux lèvres, Josh s'avança pour contourner le tronc d'arbre.

— Oh, bonjour ! Désolé pour le chien, m'sieur ! J'espère qu'il ne vous a pas fait peur !

Il contourna un buisson de framboisiers et tendit la main vers le collier de Harold.

— Excusez-moi si Harold vous…

Il avait levé les yeux vers l'homme. Submergé par l'horreur de ce qu'il venait de découvrir, il se mit à hurler.

9.

Après avoir dîné dans le nouveau restaurant chinois avec Jane, Sara rentra chez elle. A peine sortie de sa Bronco, elle entendit claquer la porte arrière de la maison des Shueller.

Zoé traversa en courant la cour bordée d'arbres, Timmy dans les bras.

— Sara ! Josh a disparu !

Sara pivota sur elle-même, sentant la peur s'installer dans son estomac, tandis qu'elle passait en revue plusieurs éventualités.

— Quoi ? Depuis combien de temps ?

Le visage de Zoé était blême, ses yeux rougis par les larmes.

— Il... Il a emmené Harold faire un tour. Apparemment, ton chien a perdu la tête, en plein centre-ville. Il a pourchassé deux gamins qui embêtaient Josh, semant la panique autour de lui. Tout le monde a vu Josh reprendre le chemin de la maison, et pourtant, personne ne l'a aperçu depuis l'incident.

Elle reprit péniblement son souffle.

— Tu crois qu'Harold a pu s'en prendre à lui ? demanda-t-elle. Si ça se trouve, il est en train de saigner à mort, dans un coin... Bob est parti à sa recherche en voiture. Les oncles de Josh aussi... Ça fait presque deux heures qu'il a disparu !

— Tu as prévenu la police ?

— Oui. Il y a une demi-heure.

Zoé tira un mouchoir de sa poche de pantalon et se moucha bruyamment.

— Le… L'adjoint au shérif m'a convaincue de rester ici, au cas où Josh rentrerait, mais l'attente me rend folle. J'ai tellement peur !

Sara prit une main de la jeune femme entre les siennes.

— Crois-moi, Zoé. Jamais Harold ne fera de mal à Josh. S'il est devenu agressif, c'est uniquement parce qu'il voulait protéger ton fils !

— Dans ce cas, pourquoi n'est-il pas encore rentré ? Il fait presque nuit !

— Je n'en sais rien. En revanche, une chose est sûre : Harold le protégera au péril de sa vie. S'ils sont ensemble, il n'y a rien à craindre.

Elle réfléchit un instant.

— Dis-moi, y a-t-il un endroit particulier où Josh se rend, quand il est malheureux ?

— Chez n… nous ! chevrota Zoé, au bord des larmes.

— Je lui avais dit de ne pas quitter la cour ! dit doucement Sara. Peut-être a-t-il eu peur de se faire disputer !

— Bob est allé voir à l'école, et nous avons appelé toutes nos connaissances. Où peut-il être ?

Timmy se mit à gémir, tandis que Zoé essuyait ses larmes.

— Je vais essayer de le trouver, moi aussi. Où ont cherché les autres ?

— Dans le centre-ville, dans la cour de l'école… Au parc, derrière notre église…

Ses épaules s'affaissèrent et, la mine défaite, elle appuya sa tête contre celle de son bébé.

— Ils ont également remonté le chemin, derrière l'usine Sanderson… et fouillé toute la partie résidentielle. Nathan a appelé, il y a quelques minutes, pour me dire qu'une bonne vingtaine de personnes prenaient part à la battue.

Sara brandit son trousseau de clés.

— Harold répond toujours à ce sifflet, déclara-t-elle, s'efforçant de dissimuler sa propre angoisse. Ne t'inquiète pas. Nous retrouverons ton petit garçon !

Elle détacha le sifflet du porte-clés, remonta dans sa voiture et commença à sillonner les rues de Ryansville, en cercles de plus en plus larges, à partir du centre-ville.

Elle s'arrêtait au coin de chaque rue, pour donner un coup de sifflet, espérant entendre un aboiement ou apercevoir la silhouette puissante de Harold, suivie de celle, plus frêle, de Josh. Hélas, seuls d'occasionnels hurlements d'autres chiens lui répondirent.

Au bout d'une demi-heure, elle se retrouva au sud de la ville, là où elle s'était garée, la nuit de son rendez-vous avec Earl. Après cela, et même s'il lui semblait peu probable que l'enfant se soit dirigé vers cette partie sombre et isolée de la ville, elle irait vérifier qu'il ne s'était pas enfoncé dans un des chemins surplombant l'usine.

Elle siffla une fois, attendit, puis réessaya, plus fort.

Du fin fond du caravaning s'élevèrent les aboiements d'un beagle et d'un terrier quelconque. Dans cette cacophonie, elle distingua un autre son, plus distant…

Harold ?

Elle siffla une troisième fois et l'entendit plus distinctement. Ouf ! Mais que faisait-il tout au fond de ce bois ? Elle attrapa son téléphone portable et composa le numéro de Zoé, pour qu'elle prévienne le bureau du shérif adjoint. Après s'être munie de sa lampe torche, dans la boîte à gants, et après avoir vérifié que son arme était toujours en place, dans son holster, elle se mit en route.

— Josh ! Tu es là ?

Il devait être trop loin pour l'entendre. Or, même lorsqu'elle était enfant, tout le monde savait que ces bois étaient dangereux.

« Mon Dieu, faites qu'il n'ait rien ! »

Elle répéta cette prière comme une litanie, en traversant le parc mal éclairé, et s'enfonça dans la forêt.

110

Elle s'arrêtait régulièrement pour siffler Harold et appeler Josh, rectifiait sa direction et continuait, écartant d'un bras les branches des sapins, et tenant la lampe de l'autre main.

Elle trébuchait constamment sur des branches mortes et des pierres, dissimulées par la végétation. Les épines des framboisiers et les orties lui piquaient les mollets et les chevilles.

Elle se trouva subitement devant un marécage. Elle avança prudemment, pataugeant avec ses tennis dans la gadoue froide et nauséabonde. Elle avait presque atteint l'autre côté lorsqu'elle mit le pied dans un trou plus profond et tomba en avant, les deux mains dans la boue et les feuilles en décomposition. Sa torche lui échappa et s'enfonça dans l'eau saumâtre.

La nuit tombait, inexorablement, angoissante.

Soudain, une forme grise, menaçante, ressemblant à un loup, bondit sur la rive, au-dessus d'elle. La créature avait des yeux luisants et Sara faillit hurler.

L'animal geignit et descendit maladroitement de la rive, jusqu'à la limite du marécage, en trépignant d'impatience.

— Oh, Harold ! s'écria-t-elle, soulagée, en se hissant près de lui. Qu'est-ce que tu es venu faire ici ?

Elle s'écroula à genoux, sur la terre ferme. Immédiatement, le chien remonta sur la rive et tourna la tête vers elle, en gémissant avec insistance.

Sara mit ses deux mains de part et d'autre de sa bouche, prit une longue inspiration et hurla, aussi fort qu'elle le put.

— Josh ! Josh ! Tu m'entends ?

Cette fois-ci, elle perçut sa voix.

Elle gravit à grand-peine la rive escarpée, en s'accrochant aux racines des arbres pour garder l'équilibre, et finit par découvrir l'enfant, à l'orée d'une petite clairière.

— Salut, p'tit gars ! Ça va ? demanda-t-elle doucement. Tu es blessé ?

La lune, qui dardait de faibles rayons à travers les branches chargées de feuilles, au-dessus d'elle, lui révéla le visage de l'enfant, couvert de poussière et de larmes.

— Je… Je vous demande pardon d'avoir emmené Harold dans le centre-ville. Je sais que vous n'êtes pas contente de moi.

Elle s'accroupit auprès de lui, et passa une main rassurante sur sa joue.

— Mon grand… Je te remercie de t'être occupé d'Harold. Je sais que tu as fait pour le mieux. Pour l'instant, la seule chose qui compte est que tu sois sain et sauf. Que s'est-il passé ?

— Harold s'est échappé. Il est venu jusqu'ici. Quand j'ai vu le monsieur mort, j'ai eu très peur et j'ai commencé à courir pour rentrer chez moi.

Josh bougea sa jambe droite en grimaçant.

— Je suis tombé et je me suis fait mal à la cheville.

— Un monsieur mort ? Où ça ? demanda-t-elle en palpant la jambe de l'enfant, qui était brûlante et enflée.

— Là… Là-bas. Il est assis derrière un arbre…, balbutia Josh, en désignant l'autre extrémité de la clairière, d'un geste du menton.

— Tu es certain qu'il est mort ? Si ça se trouve, il s'est simplement endormi !

Josh secoua la tête avec véhémence.

— Il a les yeux grands ouverts et il ne sent pas bon. Et puis, il ne bouge pas du tout !

— Il faut que j'aille voir ça. Il est peut-être très malade ! Harold va rester avec toi, d'accord ?

Les yeux de l'enfant s'écarquillèrent de terreur.

Sara s'empara de son téléphone pour rappeler Zoé.

— Ça y est ! Je l'ai retrouvé. Ne t'inquiète plus, il va bien. Il a juste eu une belle frousse.

— Dieu soit loué ! s'exclama Zoé. Où… Comment ? Est-ce que je peux venir le chercher ?

Elle fut prise d'une crise de larmes mêlée d'un rire nerveux.

— Merci. Merci, de tout cœur, Sara !

Une fois son amie apaisée, Sara lui indiqua le chemin, non sans lui recommander d'avertir Nathan que l'enfant avait été retrouvé. Elle tendit ensuite l'appareil à l'enfant.

— Tiens ! Ta maman va te rappeler dès qu'elle aura prévenu le shérif adjoint. Pendant que tu lui parleras, j'irai voir ce monsieur dont tu m'as parlé.

Josh blêmit.

— Ne me laissez pas tout seul, je vous en supplie !

— Josh, je te promets de revenir tout de suite.

Sara ordonna à son chien de rester avec l'enfant et traversa la clairière.

Lorsqu'elle fut hors de la vue de l'enfant, elle tira son Beretta du holster. L'homme pouvait être dans le coma, malade ou mort. Cependant, mieux valait ne rien laisser au hasard. S'il s'agissait d'un toxicomane, sous l'effet d'un stupéfiant quelconque, il pouvait se révéler dangereux. Sans compter qu'il n'était peut-être pas seul.

Dans l'obscurité, Sara distingua la forme d'un tronc d'arbre, sur le sol. Elle inspecta les alentours, guettant le moindre mouvement. Rien ne bougea.

Elle s'avança lentement, tous les sens en éveil, prenant garde à la moindre ombre, au plus petit des arbres. Un bruissement dans les branchages, sur sa droite, la fit se figer sur place. Ce n'était qu'un raton laveur, qui prit la poudre d'escampette.

Elle contourna lentement l'arbre mort, restant à plusieurs mètres de distance, son arme tendue devant elle. Josh avait dit vrai : un homme était appuyé contre le tronc, les traits dissimulés par les ténèbres.

— Monsieur ? Vous m'entendez ? Monsieur ?

Après avoir de nouveau inspecté la clairière, elle fit quelques pas en avant.

— Monsieur ? répéta-t-elle, en dépit de l'odeur tristement familière qui émanait de lui, et des feuilles que le vent avait accrochées au col de sa veste.

Au-dessus d'elle, les nuages glissèrent devant la lune et un rayon d'argent traversa les branchages, éclairant ses yeux grands ouverts et sa bouche béante.

Earl Stark avait une excellente excuse pour ne pas avoir honoré leur rendez-vous, deux nuits auparavant.

Nathan regarda la camionnette du médecin légiste du comté s'éloigner, puis se tourna vers Sara. Il n'en revenait toujours pas. Où avait-elle trouvé le courage de s'aventurer seule dans la forêt — même pour porter secours à quelqu'un ?

Plus surprenant encore, elle ne semblait pas avoir perdu son calme, après la découverte du corps.

Les Shueller étaient venus chercher Josh et l'avaient emmené à la clinique, pour soigner sa cheville. A présent, les enquêteurs du comté de Jefferson exploraient le bois, à la recherche d'indices éventuels.

— Alors ? Quelles sont les conclusions du légiste ? s'enquit Sara, les bras serrés autour de sa poitrine, pour se prémunir du froid. Est-ce qu'il sait depuis combien de temps Earl est là ?

— Compte tenu de la température, qui a oscillé entre 7 et 10 degrés, ces derniers jours — ce qui a pour effet de ralentir le processus de décomposition — il pense que la mort de Stark remonte à environ quarante-huit heures.

— Est-ce qu'il peut s'agir d'un meurtre ? demanda Sara en frissonnant.

— Pour l'instant, le médecin légiste n'a trouvé aucune trace de coups. Par ailleurs, d'après la pâleur du corps, il semblerait qu'il n'ait pas été déplacé, après son décès. Bref, il s'agit probablement d'une mort naturelle.

— Mais il y aura sûrement une autopsie, non ?

— Peut-être. Les lois du Minnesota n'exigent d'autopsie qu'en cas de mort violente ou inhabituelle.

— Et mourir subitement, comme ça, ce n'est pas « inhabituel » ?

Nathan lui posa une main sur le bras, pour la réconforter, et s'efforça d'ignorer l'étincelle que ce simple contact avait allumée en lui.

— Je sais à quel point il est traumatisant de découvrir un cadavre. Toutefois, il faut que vous sachiez que le légiste a appelé la clinique, en chemin. Earl était malade. Il était cardiaque, alcoolique, et faisait de l'emphysème. Il a certainement été emporté par une crise cardiaque.

— Vraiment ? demanda-t-elle, abasourdie.

— Si le légiste a le moindre doute ou si nos enquêteurs trouvent le moindre indice suspect, il y aura une autopsie. Et je ferai appel à des instances supérieures pour qu'elles nous aident à traiter les indices.

Une lueur d'indécision traversa le visage de la jeune femme.

— Je… J'avais rendez-vous avec lui, l'autre soir. Il m'a paru en parfaite santé !

— Vous parlez de la nuit où je vous ai trouvée ici et vous ai ramenée chez vous ?

— Euh… C'est cela ! répondit-elle en détournant le regard.

Pourquoi ne lui avait-elle pas avoué la vérité, dès le départ ?

— Vous m'avez dit que vous étiez sortie pour faire gambader votre chien dans le parc !

— C'est vrai ! dit-elle en haussant les épaules, avec impatience. Mais j'avais également reçu un message de Stark. Il voulait me parler.

— Ça ne vous paraît pas risqué d'aller retrouver un inconnu dans un endroit isolé, la nuit ? s'enquit-il, en s'efforçant de garder son calme.

Sara releva le menton, d'un air de dédain.

— Bien sûr que si ! Je ne suis pas complètement idiote ! C'est bien pour ça que j'ai attendu dans ma voiture, toutes portières fermées.

— Vous ne pouviez pas vous arranger pour le voir en plein jour, et en public ?

Agacée, elle leva les mains.

— Le numéro de la décharge n'est pas dans l'annuaire. J'avais reçu ce billet la veille, et Earl m'a clairement signifié qu'il ne voulait pas me voir traîner près de chez lui. Je ne sais pas pourquoi... Il devait avoir peur !

— De quoi ?

— Je n'en sais rien ! s'écria-t-elle. J'ai craint qu'il ne change d'avis si je ne suivais pas ses instructions. Je...

Elle s'interrompit. Lorsqu'elle reprit la parole, sa voix n'était plus qu'un souffle.

— J'espérais qu'il m'apprendrait quelque chose sur la mort de mon père.

Nathan commençait à comprendre.

— Et qu'est-ce qui a pu vous faire penser une chose pareille ?

— Quelle autre raison aurait-il eu de vouloir me rencontrer ? Je n'avais jamais eu affaire à lui, auparavant. Je me suis dit qu'il savait peut-être ce qui s'est réellement passé, la nuit du meurtre de Grover et du suicide de mon père.

— Il n'aurait pas attendu toutes ces années ! Sara... J'ai relu tous les comptes rendus, ajouta-t-il doucement. Les faits sont relativement clairs. Par ailleurs, Clay Benson et ma secrétaire, Ollie, disent se souvenir de l'affaire comme si c'était hier. Et ils n'ont aucun doute, eux non plus.

— Il aurait pu y avoir une erreur !

— Earl était un ivrogne. De temps en temps, il faisait un petit séjour à la clinique psychiatrique de Minneapolis.

— Et alors ? Ça n'empêche pas qu'il aurait pu se souvenir d'un détail important ! insista-t-elle, les larmes aux yeux.

— Même s'il vous avait parlé de votre père, vous n'auriez pu avoir la certitude que ce qu'il disait était vrai ! Il aurait fort bien pu tout imaginer !

Elle baissa la tête.

— Dans ce cas, j'ai espéré en vain…

Tandis qu'une larme coulait sur sa joue, elle se détourna.

— Si vous n'avez plus besoin de moi, je vais rentrer.

Il la rattrapa doucement par le poignet. Ses os lui semblèrent incroyablement fragiles, à travers sa veste en jean, et il fut submergé par l'envie de la protéger.

— Attendez ! Je suis désolé… Je voulais seulement vous éviter de penser que vous aviez perdu une opportunité de découvrir la vérité.

— Je ne suis toujours pas convaincue !

Elle se dégagea et rejoignit sa voiture d'un pas décidé. Assis sur le siège avant, Harold guettait son arrivée.

— Et ce n'est pas ça qui me fera cesser ma quête !

Nathan la suivit. Il bloqua sa portière, au moment où elle se glissait derrière le volant.

— Ça va aller ?

Elle acquiesça brièvement.

— Et Léon ? Que va-t-il devenir ?

— Je vais aller lui parler et m'assurer qu'il comprend ce qui est arrivé à son père.

— Vous croyez qu'il peut vivre seul ?

— Je vais aussi prévenir les services sociaux, afin qu'ils envoient quelqu'un pour étudier la question. Vu son état mental, je suppose qu'il sera déclaré invalide.

— Pauvre homme… Perdre son père et son foyer en même temps…

— On ne sait jamais ! Avec un peu d'aide et un tuteur pour gérer l'entreprise de son père, je suis certain qu'il s'en sortirait. Dans le cas contraire, il y a plusieurs maisons spécialisées, dans la région.

— Il ne s'y plaira pas. Il m'a paru tellement sauvage !

— Il aura peut-être du mal à s'adapter, reconnut Nathan. Mais sait-on jamais ? Il finira peut-être par apprécier les relations avec ses semblables, dans un foyer ! Je connais personnellement les deux travailleurs sociaux de Ryansville, et ils sont extrêmement compétents. Ils feront tout ce qu'ils peuvent pour Léon.

— Vous me tiendrez au courant ?

— Bien sûr !

Nathan recula et referma la portière, puis attendit qu'elle ait baissé sa vitre.

— Encore un détail… Votre chien. Je n'ai pas voulu en parler devant Josh, toutefois, il semble qu'il y ait eu un problème, dans le centre-ville.

— Deux gamins tyrannisaient Josh, dit-elle en mettant le contact. Harold s'est porté à son secours, voilà tout !

— J'ai reçu plusieurs coups de fil, m'affirmant qu'il était hargneux et totalement incontrôlable.

Sara se tourna pour lui faire face, la mâchoire serrée.

— Je vous répète qu'Harold voulait défendre Josh.

— C'est possible. Seulement, voyez-vous, s'il y a encore un problème, il pourrait bien finir à la fourrière !

Sara posa une main protectrice sur l'échine du berger allemand.

— Il n'y en aura pas. Josh ne le sortira plus.

Elle hésita une seconde.

— Harold a derrière lui une longue carrière de chien policier, reprit-elle avec un soupir résigné. Pour ce qui est du dressage, il ferait honte à n'importe quel chien, dans cette ville. N'allez pas vous imaginer qu'il est dangereux et qu'on doit l'abattre, parce que je ne laisserai jamais faire une chose pareille. Ce sera tout ?

— Oui.

— Parfait ! lança-t-elle, en libérant le frein à main.

— Une dernière question… Comment l'avez-vous eu ?

— Comme vous le savez, d'habitude, ces chiens terminent leur vie avec leur maître. Harold était à la retraite depuis plusieurs années, lorsque son maître a été tué, en service. C'était… un ami proche, et Harold me connaissait bien. Les services de police m'ont autorisée à le garder.

Nathan la regarda manœuvrer sa voiture, passer devant lui et reprendre le chemin de son studio. Pour quelqu'un qui venait de trouver un cadavre dans les bois, elle avait répondu à ses questions avec une grande sérénité. Par ailleurs, ses explications lui avaient semblé logiques et crédibles.

Pourquoi, dès lors, avait-il le sentiment d'être loin de tout savoir sur Sara Hanrahan ?

10.

— Comment ça, incinéré ?

— Je viens de vous le dire, madame, répondit la voix agacée, à l'autre bout du fil. J'ai les documents sous les yeux : M. Stark s'est adressé à nous, en 1974, pour formuler ses dernières volontés. Le service a été prépayé et dûment notarié. J'ai moi-même vendu ce plan au défunt.

— Enfin… On ne l'a découvert qu'hier, insista Sara, s'efforçant de dominer son exaspération. Les circonstances de sa mort m'ont paru suspectes. On aurait dû pratiquer une autopsie !

— On m'a apporté le corps sans rien me dire. L'homme avait été identifié comme étant Earl Samuel Stark. Il avait payé un service que nous avons exécuté. Un point c'est tout !

— Et aucune loi…

— Ecoutez, madame… Tout le monde savait qu'il était cardiaque et qu'il buvait plus que de raison. Je sais que ça a dû être traumatisant pour vous, de le retrouver, mort dans le bois, mais son cœur a fini par lâcher, rien de plus ! Il avait signé un papier attestant qu'il ne voulait ni funérailles ni service religieux. Simplement une incinération.

— Que dit le rapport du médecin légiste ?

— Je ne sais pas qui vous êtes, madame, et…

Le crayon que Sara tenait en main se brisa.

— Passez-moi le directeur, s'il vous plaît.

— C'est moi ! lança-t-il, avant de raccrocher.

Sara éloigna le récepteur de son oreille, le considéra un instant d'un air furieux et raccrocha sèchement. A force de s'attendre à ce que les personnes âgées meurent de mort naturelle, on passait à côté d'un bon nombre de meurtres. Cela dit, elle n'avait pas encore étudié la situation d'assez près pour conclure.

Il se pouvait que le vieux Earl ait bel et bien été terrassé par une crise cardiaque. Il n'en restait pas moins vrai que, si on tenait compte de la date de son décès et du fait qu'il redoutait d'être vu en sa compagnie, on pouvait soupçonner le pire.

Lorsqu'elle avait parlé à Nathan de son rendez-vous manqué avec Earl, elle avait prétendu être en quête d'informations sur son père décédé. Finalement, c'était peut-être aussi bien : si jamais le shérif adjoint se posait des questions sur ses activités à Ryansville, il en déduirait qu'elle cherchait toujours.

Elle ne saurait jamais ce qu'avait voulu lui dire Earl. A moins que son fils ne soit au courant, ce qui était peu vraisemblable. Néanmoins, elle décida d'aller voir Léon Stark, après avoir rendu visite à l'ancien shérif.

Elle chercha l'adresse de Clay Benson dans l'annuaire, siffla Harold et traversa la ville, espérant trouver l'ancien homme de loi chez lui.

Par chance, quand elle se gara au coin de sa rue, il ramassait les feuilles mortes de son jardin.

— Bonjour, shérif ! cria-t-elle en remontant le trottoir, d'un pas léger. Belle journée, vous ne trouvez pas ?

Le visage rougi par l'effort et le souffle court, il prit appui sur son râteau et la regarda approcher.

— Plutôt, oui !

— Je m'appelle Sara Hanrahan, dit-elle en lui tendant la main. Vous ne me reconnaissez probablement pas, après si longtemps… J'ai grandi dans cette ville.

— Je sais qui vous êtes !

— Je peux vous poser quelques questions ?

— Je suis à la retraite.

— Je le sais… Et c'est d'une histoire ancienne dont j'aimerais vous entretenir. Vous ne voulez pas faire une pause ? demanda-t-elle en désignant de la tête les fauteuils en osier, sur sa terrasse.

— Vous pouvez m'interroger ici même ! Je dois en finir avec ces feuilles mortes avant que ma femme, Dora, ne rentre, poursuivit-il en se radoucissant. Sans quoi elle va me faire passer un fichu quart d'heure !

— Vous étiez shérif, en 1977…

— C'est exact.

— C'est l'année où… mon père est décédé.

Clay la dévisagea longuement.

— Et vous aimeriez savoir ce qui s'est passé… Vous vous demandez même si nous n'avons pas commis une erreur… Vous ne croyez pas un instant qu'il ait pu assassiner Frank et se suicider ensuite… Parce que, selon vous, votre père était incapable de faire une chose pareille.

— C'est à peu près cela.

— Ecoutez, ma petite. J'aimerais bien pouvoir vous dire que les preuves n'étaient pas suffisantes. Que j'ai négligé un ou plusieurs détails, au cours de l'enquête… Que je n'ai pas trouvé votre père penché sur le cadavre, les mains pleines du sang de Frank… Seulement, je mentirais ! conclut-il, plus durement.

— Je ne mets pas vos conclusions en doute, monsieur ! Malheureusement, je ne sais quasiment rien de ce qui s'est passé ! Ma mère refuse d'en parler. Quant aux journaux…

Elle haussa les épaules.

— Il arrive que les journalistes ne rendent pas exactement compte des faits, non ?

— Votre père n'a pas protesté quand je lui ai passé les menottes pour l'emmener au poste. Il s'est contenté de marmonner quelque chose à propos de Frank, de son job à l'usine et a ajouté que

« comme ça, ils étaient quittes ». Je sais bien qu'un homme ivre a parfois tendance à dire des choses qu'il ne pense pas. Pourtant, une fois dans mon bureau, il m'a tout avoué. Je l'ai enfermé et je suis ressorti : on venait de m'appeler ailleurs. Quand je suis rentré, Daniel s'était pendu avec sa ceinture.

Sara se sentit prise de nausées.

— Il... Il n'y avait pas le moindre signe d'une tierce personne sur les lieux du crime ?

Le visage rubicond de Clay prit une teinte grisâtre.

— J'ai soigneusement examiné l'endroit.

Entendant le son d'un moteur approchant, il releva la tête.

— Voilà Dora. Je dois me remettre au travail. Si vous avez d'autres questions, demandez à Nathan Roswell de chercher dans les rapports de l'époque. Je n'ai pas le temps d'essayer de me rappeler tous les détails !

— Je comprends.

Sara se dirigea vers le trottoir puis se retourna.

— Au fait, vous savez que Earl Stark est mort ?

— Il était vieux ! rétorqua Clay, sans sourciller.

— Oui. Il est décédé dans le bois, tout seul. C'est triste, non ?

— Ça arrive !

Sur ces mots, Clay se détourna. De toute évidence, l'entretien était terminé.

— Je l'avais rencontré, en ville, moins d'une semaine avant son décès. Il m'avait paru solide comme un roc !

— Les vieux alcoolos comme lui ne vivent jamais bien longtemps, dit Clay sans se retourner.

— Vous le connaissiez bien ?

— *Personne* ne le connaissait bien ! répliqua Clay, exaspéré. Il vivait en ermite !

— A votre avis, aurait-il constitué une bonne source d'information ?

Cette fois, l'ancien shérif se retourna, le regard méprisant.

— Je ne sais pas où vous voulez en venir, jeune fille. Cet homme était un poivrot fini. Il était à peu près aussi fiable qu'il sentait bon… Et croyez-moi, il ne se lavait pas souvent ! Par deux fois, j'ai été obligé de l'emmener à la clinique psychiatrique, et ma voiture de fonction a pué pendant des jours.

— Bien… Je vous remercie de m'avoir répondu, shérif.

Benson marmonna une réponse inintelligible et retourna à sa tâche. Toutefois, la rigidité de son dos n'échappa pas à Sara.

Elle ne cessait de repenser à une des choses que Clay lui avait dites : cela ne concordait en rien avec le souvenir qu'elle gardait de son père. *Un homme ivre a parfois tendance à dire des choses qu'il ne pense pas…*

Certes, elle n'était encore qu'à l'école primaire, quand il s'était pendu. Pourtant, elle se souvenait clairement du commentaire qu'il avait fait, un soir, en voyant Earl sortir d'un pub en titubant.

— Quel dommage qu'il boive autant ! avait-il dit. L'alcool est décidément une chose terrible.

Et son père aurait été ivre, la nuit du meurtre ? Cela paraissait tout bonnement impossible.

Sara repassa chercher son téléphone portable, qu'elle avait oublié sur la table de la cuisine. Elle ressortit… et le regretta aussitôt.

Nathan s'était garé derrière sa Bronco. Il se tenait sur l'aile avant de sa voiture de patrouille, les bras croisés et une botte posée sur la cheville opposée, comme s'il n'avait que cela à faire de sa journée.

— Alors, il paraît que vous avez eu une matinée bien remplie ? lança-t-il, la voyant approcher. Et moi, je me retrouve avec un entrepreneur de pompes funèbres et un ancien shérif furibonds sur les bras… Ils m'ont demandé si j'avais engagé une assistante.

Sara ouvrit la portière de sa voiture.

— Il vous en faudrait peut-être une !

— Vous postulez ? demanda-t-il en souriant.

— Moi ? Je n'y connais rien en matière de juridiction.

— Vous semblez avoir le chic pour poser des questions embarrassantes. C'est un bon départ !

Laissant la portière se refermer, elle s'avança vers lui et étudia un instant la lueur amusée qui brillait dans ses pupilles.

— Vous trouvez ça drôle ?

— Non. Je trouve ça fascinant. Vous avez suivi des stages d'affirmation de la personnalité, à... D'où venez-vous, déjà ?

— De Dallas. Vous saviez que ce pauvre Earl Stark avait déjà été incinéré ?

— Je viens de l'apprendre, répondit Nathan, reprenant son sérieux.

— Depuis que j'ai trouvé son cadavre, je ne pense quasiment qu'à ça. Et quand j'ai appelé la morgue, on m'a annoncé tout de go qu'il n'y avait pas eu d'autopsie.

— Etant donné l'état de santé de Stark, le médecin légiste a conclu à une mort naturelle. La morgue a fait son travail, c'est tout.

— Comment ont-ils pu faire une chose pareille ?

— On procède rarement à des autopsies, par ici. Encore moins lorsque le défunt était âgé et présentait de sérieux problèmes de santé !

— Vous semblez oublier qu'Earl était suffisamment en forme pour vivre seul et s'occuper de son entreprise. Pas mal, pour un homme à l'article de la mort !

— Les enquêteurs qui ont fouillé le bois n'ont rien trouvé de suspect, répliqua Nathan en soupirant. Le légiste a interrogé le cardiologue qui s'était occupé de Stark, à l'hôpital, l'an dernier, après une légère attaque. Ce dernier l'avait prévenu qu'il ne survivrait pas s'il ne consentait pas à se faire opérer. Earl est ressorti de là contre l'avis médical.

— Affaire classée, donc ! Tout le monde s'en fiche et personne n'ira chercher plus loin !

Il la dévisagea, d'un air soucieux.

— Ecoutez, je sais que cette affaire a été plutôt éprouvante pour vous. Vous ne voulez pas venir vous changer les idées, pendant une heure ou deux ?

Dans son émoi, elle ne s'était pas aperçue qu'elle se tenait si près de Nathan, ni même de l'intensité avec laquelle il la contemplait.

— Me changer les idées ? répéta-t-elle.

— Venez avec moi, dit-il en lui prenant la main. Je connais un petit restaurant, près du lac Caché, à la sortie de Newbrook. On y mange les meilleures perches du monde.

Nathan ne voulait sans doute lui offrir qu'un peu de réconfort. Malheureusement, le corps de Sara interprétait ce contact de manière entièrement différente.

— Les meilleures du monde ?

— Si je vous le dis !

Cela ne lui ferait pas de mal de passer un peu de temps en sa compagnie, à l'abri des regards inquisiteurs des bonnes gens de Ryansville.

— En tout bien tout honneur ?

— En tout bien tout honneur, répondit-il, levant solennellement la main. Parole de scout !

Elle jeta un coup d'œil autour d'elle. Voyant que personne ne les observait, elle grimpa dans la voiture de patrouille.

— J'ai l'impression que vous venez de m'arrêter, marmotta-t-elle.

— Si c'était le cas, répliqua-t-il en souriant, vous seriez menottée et à l'arrière !

Elle considéra la rudimentaire banquette de plastique.

— Je préfère être ici. Le comté est trop pauvre pour se payer des sièges capitonnés, à l'arrière ?

Il lui jeta un regard narquois, tout en reculant dans l'allée.

— Les poivrots laissent toutes sortes de déjections, au cours du trajet !

126

— C'est dégoûtant !

— Vous n'imaginez pas à quel point !

Après avoir appelé la centrale pour prévenir qu'il prenait sa pause déjeuner, il se dirigea vers la sortie de la ville.

Sur la nationale les menant à Newbrook, Sara continua de dissimuler sa connaissance du matériel dont était dotée la voiture de police.

— Vous avez un sacré ordinateur ! murmura-t-elle en examinant l'appareil intégré sur le tableau de bord. A quoi sert-il ?

— Il donne accès aux données contenues dans ceux de l'Etat. Grâce à lui, je peux vérifier les avis de recherche, les immatriculations de véhicules et les permis de leurs conducteurs, avoir la liste des voitures volées… J'en passe et des meilleures.

Il effleura l'écran, faisant apparaître une carte du comté.

— Comme vous le voyez, il fait également GPS.

— On est loin du petit ordinateur portable moyen !

— Plutôt, oui ! Un engin pareil va chercher dans les dix mille dollars ! Peu de petites villes en sont équipées. Nous avons eu la chance que le bureau du shérif octroie quelques faveurs spéciales, l'an dernier. Comme je couvre un territoire très large, à moi tout seul, et que je suis assez éloigné du bureau central, j'ai décroché le gros lot !

Sara s'appuya sur son dossier et étudia son compagnon à la dérobée. Elle appréciait ce moment de détente, loin de Ryansville et de la mission qu'elle y effectuait. Par ailleurs, elle venait de comprendre que Nathan prenait un réel plaisir à exercer son métier, et le voyait sous un jour tout à fait différent. Le gosse de riche était devenu un de ses collègues, et son dévouement, allié à sa fierté professionnelle, le rendait d'autant plus attirant.

Il lui jeta un coup d'œil rapide, avant de se concentrer de nouveau sur la route sinueuse menant de Newbrook au lac Caché.

— Qu'allez-vous faire, si l'usine Sanderson ne se décide pas à embaucher ?

— Je suppose qu'au bout de quelques mois, je rentrerai à Dallas. J'avais projeté de rester ici, mais il est indéniable qu'il est plus facile de trouver du travail, dans une grande ville, surtout en comptabilité.

— Pourtant, vous n'avez pas de famille, là-bas ?

— Non.

— Des amis proches ?

— Bien sûr ! De bons amis.

— Quelqu'un en particulier ?

— Pas depuis un petit moment.

Le visage rieur de Tony lui apparut brièvement. Toutefois, force lui fut de constater qu'il lui était de moins en moins pénible de penser à lui.

Nathan la regarda d'un air entendu.

— Le maître de Harold ?

— Oui… Cela fait quelques années qu'il est mort, à présent. S'il avait été emporté par une maladie quelconque, j'aurais eu le temps de me préparer à sa disparition. Hélas, il a été tué par balle et cela m'a complètement détruite. Je ne peux m'empêcher de penser qu'à quelques secondes près, il s'en serait sûrement sorti indemne. C'est tellement injuste que c'en est insupportable !

— Je sais. Mon coéquipier, à Minneapolis, a été tué et j'ai dû m'arrêter pendant un mois. Je n'arrivais plus à me concentrer sur mon travail.

Nathan actionna le clignotant, tourna à gauche, sur une petite route de gravier, et conduisit en silence jusqu'à un parking adjacent à une petite bâtisse de bois, au bord du lac.

Malgré l'heure — à peine 11 h 30 —, une dizaine de voitures étaient déjà garées près de la porte.

— On dirait que l'endroit est très prisé ! fit remarquer Sara, une fois que la serveuse les eut installés devant une baie vitrée donnant sur le lac.

128

— Ils n'acceptent pas les réservations. Dès midi, les gens font la queue dehors.

La serveuse prit leurs commandes et s'éloigna. Se renversant sur sa chaise, Nathan sourit à Sara.

— C'est la perche ou bien c'est moi ?

— … qui m'a attirée jusqu'ici, vous voulez dire ? La perche, bien sûr ! Et ne le prenez pas mal !

— Dites-moi un peu, mademoiselle Hanrahan… A part le poisson, qu'est-ce que vous aimez dans la vie ? La bonne musique ? Danser ? Les plages paradisiaques des pays lointains ?

— Ça dépend avec qui !

« Avec toi, ce pourrait être quasiment n'importe quoi ! » se surprit-elle à penser.

A l'extérieur, le soleil dardait ses rayons sur le lac. A l'intérieur, grâce aux bougies qui se consumaient doucement et à la couleur chaude des murs en pin brut, l'atmosphère était chaleureuse et intime.

L'éclairage tamisé adoucissait les traits énergiques du visage de Nathan, et donnait à ses yeux une nuance plus sombre. Elle eut soudain envie de le toucher, comme pour s'assurer qu'il existait vraiment.

— Vous me regardez comme si vous alliez faire de moi votre plat principal, fit-il remarquer.

— Ce doit être l'éclairage, répliqua-t-elle du tac au tac, pour dissimuler son embarras.

Sautant sur le premier sujet de conversation qui lui venait à l'esprit, elle croisa ses mains, se pencha en avant et déclara :

— L'ancien shérif n'a pas semblé ravi de me voir !

Nathan hocha légèrement la tête pour marquer son approbation.

— Que lui avez-vous dit, au juste ? Je n'avais pas vu le vieux Clay dans cet état d'agitation depuis le jour où sa femme l'a obligé à prendre des cours de danse avec elle.

— Je lui ai demandé ce qu'il savait sur mon père.

— Et… ?

— Et il a été formel : il n'y a aucun doute quant à sa culpabilité. Il semblerait que le sujet soit sensible !

— Sans blague ?

— Je ne comprends pas. Je ne lui ai pourtant pas demandé l'impossible… Je voulais simplement qu'il m'explique les faits. J'étais beaucoup trop jeune, à l'époque, pour comprendre ce qui se passait.

— Il m'a téléphoné, tout de suite après votre départ, pour me demander de répondre à vos questions éventuelles.

— Est-ce que je peux voir les rapports de police ?

— C'est-à-dire…, commença Nathan, en se tortillant sur sa chaise.

— Ils sont tombés dans le domaine public, à présent, non ?

— Oui… Toutefois, ces dossiers contiennent un bon nombre de détails que vous préféreriez sans doute ignorer.

— Vous acceptez de me les montrer, ou non ?

Il soutint son regard pendant un long moment, l'air soucieux.

— Si c'est vraiment ce que vous voulez…

Leurs salades arrivèrent et ils les dégustèrent en silence. Brusquement, Sara se rendit compte que c'était l'occasion rêvée — et peut-être la seule — de mieux connaître Nathan Roswell.

— Vous êtes en bons termes avec Clay Benson, à ce que je vois…

— Il a été mon supérieur pendant les trois années que j'ai passées au bureau du shérif pour le comté de Jefferson, à Hawthorne, répondit-il avec un sourire en coin. C'était un vieux brisquard, pas commode du tout. Quand il a pris sa retraite et s'est installé à Ryansville, tout le service a poussé un soupir de soulagement.

— Il était performant ?

Nathan pouffa de rire.

— Un véritable dragon. Avec le même tact. Cependant, il veillait à ce que le travail se fasse. Les électeurs l'adoraient pour sa fermeté envers les délinquants. Quant à ses subordonnés… Ils travaillaient sans relâche et s'efforçaient de rester à distance. Clay ne tolérait pas l'inefficacité.

— Ainsi, il était déjà revenu à Ryansville quand vous avez été nommé adjoint pour la région !

— C'est exact. Et nous sommes devenus amis. Nous jouons aux échecs, à l'heure du déjeuner. Il me parle du bon vieux temps et ne cesse de répéter à quel point l'inactivité lui pèse. De mon côté, je le taraude pour qu'il arrête de fumer et je le tiens au courant des derniers événements… Ça lui donne l'occasion d'échapper à Dora, ajouta-t-il. Elle le ferait trimer vingt-quatre heures par jour, si elle pouvait. Et lui, ma foi… Il déteste les courses et les tâches ménagères…

Sara songea à la respiration saccadée de Clay, quand elle l'avait rencontré, un peu plus tôt dans la journée.

— Il ne me semble pas en pleine santé !

— Il est trop gros, et quarante années de tabagisme n'ont pas arrangé les choses. Il souffre d'une faiblesse cardiaque et lutte contre un cancer du poumon depuis quelques années.

— J'en suis vraiment désolée. Ça doit être dur, pour vous !

Nathan piqua dans une feuille de laitue, l'étudia attentivement et reposa sa fourchette.

— Je n'aime pas penser à cela. Clay est presque devenu un grand-père pour moi. Je ne suis pas très proche de ma famille, voyez-vous…

Sara s'extasia devant le plat principal, découpa une bouchée de poisson et ferma les yeux pour en savourer la saveur délicate.

— Alors ?

Elle leva la tête et, croisant son regard moqueur, se sentit précipitée, la tête la première, sur un terrain qu'elle s'était promis d'éviter. Cet homme… Ce moment passé en sa compagnie… Tout cela lui était défendu, pour bien des raisons. Pourtant, elle ne pouvait s'empêcher de penser que c'était exactement ce qu'il lui fallait.

Derrière ses traits rudes, incroyablement séduisants, se cachaient une compassion, une gentillesse et une intégrité indiquant qu'il était le genre d'homme sur qui elle pouvait compter. Et le simple fait d'être en sa compagnie lui donnait la chair de poule.

— Alors ? Aucun commentaire ?

— C'est divin. Indescriptible !

Derrière la chaise de Sara, une étagère recouverte de plantes et s'élevant du sol au plafond, dissimulait presque entièrement la table du coin.

Une voix familière s'éleva, suivie d'un petit rire ravi.

Jane ?

Sachant à quel point son amie se sentait seule, Sara avala une autre bouchée de son poisson en s'efforçant d'écouter la conversation du couple.

C'est alors que la voix de l'homme lui parvint plus clairement. *Robert Kelstrom ?* Ainsi, les minauderies de Jane avaient un sens ! Sara sourit pour elle-même. « Fonce, ma belle ! »

… A moins, évidemment, que Robert ne soit impliqué dans l'organisation visant à inonder les environs de Minneapolis de stupéfiants divers.

— Vous êtes bien silencieuse, tout d'un coup ! lança Nathan, en la regardant d'un air songeur. Il y a un problème ?

— Pas du tout !

Elle jeta un coup d'œil en direction de l'assiette de son compagnon.

— Sauf que si vous n'aviez pas terminé votre plat, je vous aurais volontiers donné un coup de main !

— On peut en commander un deuxième, si vous voulez…

Derrière Sara, les voix se firent plus fortes, puis Robert ordonna clairement à Jane de baisser d'un ton. Distraite par l'échange, Sara mit quelques secondes à répondre à son interlocuteur.

— Euh… Non, merci. Cependant, je ne manquerai pas de revenir ici, si je réussis à me souvenir du chemin, bien sûr !

— Accepteriez-vous de vous joindre à moi, une autre fois ?

— Oui. J'en serais ravie !

Une main posée au creux de ses reins, Nathan la guida vers la sortie et, une fois sur le parking, lui ouvrit la portière de sa voiture. Elle hésita une seconde avant de monter : elle était fascinée par son expression songeuse et par la certitude que, si elle s'avançait vers lui, ne serait-ce qu'un peu, il l'embrasserait.

Même si la voiture était garée à l'extrémité du parking, et même s'ils étaient à l'abri des regards, cette idée était aussi effrayante qu'excitante : elle était convaincue qu'il y avait entre eux quelque chose de bien plus fort qu'une simple attirance physique.

Il étudia un moment son visage comme s'il attendait un signe de sa part. Puis, d'un geste délibérément lent, il fit courir son pouce le long de sa mâchoire, avant de glisser une main derrière sa nuque pour l'attirer plus près de lui.

— Ça fait un bon moment que j'en ai envie…, murmura-t-il.

Sara sentit son cœur s'emballer tandis que la bouche de Nathan se posait timidement sur la sienne. Subitement, il laissa échapper un grognement sourd et approfondit son baiser, avec ardeur, laissant transparaître un désir d'une intensité à lui couper le souffle.

Il releva la tête et la regarda dans les yeux, puis appuya son front contre le sien.

— Je n'aurais jamais dû… Maintenant, j'ai vraiment envie d'aller plus loin.

Les voix de convives regagnant leurs voitures leur parvinrent. Nathan s'éloigna d'elle avec un gros soupir.

Dans la voiture, il mit le moteur en route, et, s'appuyant sur le repose-tête, ferma les yeux.

— Je n'ai pas pour habitude de prendre une relation à la légère.

— Moi non plus, murmura-t-elle.

— Dans une petite ville comme Ryansville, une telle attitude ruinerait ma réputation, aux yeux de tous… adolescents et autres.

— Je comprends… Ne vous inquiétez pas. Oublions ce qui vient de se produire.

— Oublier ?

Il rouvrit les yeux. Les braises qui luisaient toujours dans ses pupilles embrasèrent le corps de Sara.

— Sûrement pas ! acheva-t-il.

Elle mourait d'envie de tendre la main et de passer son index sur ses lèvres, pour l'attirer dans une nouvelle étreinte.

Hélas, une petite voix malvenue vint lui rappeler à quel point la chose aurait été malencontreuse.

« Tu es ici en mission. Tu ne peux pas mettre ta carrière en péril ! »

Se forçant à détourner le regard, elle reprit, aussi légèrement qu'elle le pouvait :

— C'est pourtant mon intention ! Je vais certainement devoir rentrer à Dallas, d'ici quelques mois. Alors, pourquoi se compliquer la vie ?

Elle sentait son regard rivé sur sa nuque, et percevait ses efforts pour se contrôler. Brusquement, il enclencha une vitesse et reprit le chemin de Ryansville, dans le silence le plus complet.

« Bravo ! songea-t-elle, après qu'il l'eut déposée devant chez elle. Tu avais une opportunité… Ça aurait pu être la meilleure chose qui te soit arrivée, dans ta vie… et tu as réussi à la laisser passer ! »

Certes, elle avait fait son devoir. Toutefois, cela n'atténuait en rien son sentiment de perte.

11.

— Hé, petit ! C'est vraiment super, ce que tu as fait là !

Les mains sur les hanches, Nathan contemplait le train électrique qui occupait tout un coin du sous-sol des Shueller.

— Ça t'a pris combien de temps ?

Josh sentit son torse se gonfler de fierté.

— Je travaille dessus, avec mon papa, depuis que j'ai six ans.

— J'ai toujours rêvé de cela, quand j'étais gamin : construire quelque chose avec mon père. Je suis sûr que vous vous amusez drôlement bien, tous les deux.

— Vous n'avez jamais eu de train ? Comment ça se fait ?

Se penchant pour admirer le moteur diesel, le tender et les voitures de la *Southern Pacific*, Nathan répondit :

— Mon père voyageait beaucoup. Oh, bien sûr, il m'a offert un train électrique pour Noël, une année… Seulement, c'est le jardinier qui m'a m'aidé à le monter. Ce n'est pas la même chose que de faire cela *avec* son papa !

Josh acquiesça d'un air grave. Il comprenait parfaitement et se sentait un peu triste pour l'adjoint au shérif. Il avait entendu parler de l'immense fortune des Roswell. A présent, il songeait qu'il valait peut-être mieux avoir un papa ayant le temps de jouer avec vous.

— Celui-ci me semble un peu particulier. D'où vient-il ?

— Il appartenait à mon papy Tom. On lui a offert quand il était petit. Il me l'a donné à Noël dernier et, quand il est venu nous voir, de Géorgie, il m'a aidé à fabriquer cette chaîne de montagnes, sur le côté… Sa sœur a fait un caprice, un jour, quand ils étaient enfants, et elle a jeté la locomotive. Elle était cassée et il a fallu la souder. Du coup, elle ne vaut pas autant d'argent que si elle était en parfait état… Mais ce n'est pas grave. Je l'aime beaucoup : elle me fait penser à mon papy, quand il avait le même âge que moi.

Nathan se redressa en souriant.

— Tu es vraiment un garçon sympa, tu sais ! Comment va ta jambe, au fait ?

— Ça va ! dit-il en soulevant le bas de son jean trop long, pour montrer l'épais bandage soutenant sa cheville. J'ai été obligé de manquer l'école, hier. Des copains sont passés après la classe, pour me donner les devoirs. Ils trouvent que c'est génial d'avoir un chien de garde ! ajouta-t-il, radieux.

— Sauf qu'Harold n'est pas vraiment ton chien, tu le sais ! Et comme tu l'as vu, tu es trop jeune pour le sortir tout seul…

— Oui, dit Josh en baissant la tête. J'aurais jamais dû faire ça !

Nathan posa une main apaisante sur son épaule.

— Ce doit être terrifiant de se retrouver dans cette forêt, une fois la nuit tombée. Bien des adultes auraient eu une sacrée frousse, s'ils avaient trouvé Earl à ta place !

Josh n'avait pas envie de parler de cela. Il ne voulait pas repenser au visage livide du vieil homme, ni à ses yeux fixant le vide. Chaque soir, au moment où il s'endormait, la vision lui revenait, comme dans un film d'horreur.

— Josh ? insista doucement Nathan.

— Ça va…

— D'après ta maman, tu ne dors pas très bien, ces derniers temps. Alors, j'ai pensé que cela te ferait peut-être du bien de me dire ce que tu as sur le cœur.

Mal à l'aise, l'enfant s'avança jusqu'au tableau de commandes et actionna un interrupteur. Des centaines de points lumineux s'allumèrent dans les bâtiments et les rues des deux villages posés sur le support. Il pressa un autre interrupteur et, immédiatement, les trois trains se mirent à glisser sur les rails.

— Moi aussi, j'ai parfois du mal à trouver le sommeil, tu sais !

Josh se figea, la main posée sur le rhéostat contrôlant la vitesse de la maquette.

— C'est vrai ?

— Dans mon métier, on voit des blessés et des morts. Ce n'est jamais facile, même quand on est grand. On se souvient de ces gens pendant très longtemps, et on est triste pour eux. Les premières fois, on est terrorisé. Surtout quand on tombe sur quelque chose d'inattendu.

— Je savais bien qu'il était mort…, balbutia Josh en courbant la tête. Seulement, je me suis mis à penser à des films, vous savez ? Quand un mort, dans une maison en ruines, saute sur quelqu'un d'autre pour le tuer à son tour… Alors j'ai voulu m'enfuir.

— Et tu t'es tordu la cheville, de sorte que tu ne pouvais plus courir.

Des larmes brûlantes montèrent aux yeux de l'enfant et se mirent à couler le long de ses joues.

— Ça m'a fait encore plus peur ! Harold aboyait comme un fou et il faisait vraiment noir… Je ne savais plus dans quelle direction se trouvait ma maison !

— Josh… Souviens-toi de la manière dont Harold a aboyé après les gamins qui t'embêtaient ! Il t'aurait défendu contre la terre entière. Crois-moi, petit, tu n'avais rien à craindre, tant qu'il était avec toi ! Je sais que tu t'es senti sans défense et que tu as eu très peur. Cependant, il est resté à tes côtés jusqu'à ce qu'il entende Sara. C'est seulement à ce moment-là qu'il est allé à sa rencontre. Quand tu repenseras à cette nuit-là, rappelle-toi que tu étais avec un chien policier extrêmement bien dressé, et qu'il ne pouvait rien t'arriver. Si on fait exception, ajouta Nathan en souriant, de la pierre sur laquelle tu as trébuché !

Josh essuya furieusement ses larmes et acquiesça, tandis que ses lèvres tremblantes esquissaient un sourire.

— Je trouve que vous vous êtes conduits en héros, tous les deux, poursuivit Nathan. Harold avait senti qu'on avait besoin de lui. Quant à toi, tu as eu le courage de le suivre, sans même une lampe de poche. Tu sais, si le vieux Earl avait toujours été vivant, il lui aurait fallu des soins, et vous lui auriez certainement sauvé la vie, tous les deux !

Josh sentit ses joues s'embraser.

— C'est parce qu'Harold y est allé, que je l'ai suivi… Je devais le ramener à tout prix !

— Oui. Et c'était très courageux. Tu as d'abord pensé à ce chien et à tout l'amour que Sara éprouve pour lui !

Nathan lui tendit la main. Après quelques secondes d'hésitation, Josh la serra maladroitement.

— Mon bureau n'est pas très loin d'ici et la porte est toujours ouverte, d'accord ? Tu peux aussi m'appeler. Promets-moi de ne pas hésiter !

— C'est promis.

Josh n'avait rien entendu, et pourtant, lorsque Nathan se retourna pour partir, Sara se tenait sur la dernière marche de l'escalier.

L'adjoint au shérif ne l'avait probablement pas entendue descendre, lui non plus, car il sursauta et faillit trébucher.

— Je suis venue voir comment allait Josh, murmura-t-elle.

Nathan ne répondit pas, ce qui surprit l'enfant : à Ryansville, chacun savait qu'il était toujours très poli, même au cours d'une arrestation. Pourtant, ce jour-là, il se contenta de hocher la tête et disparut dans la cage d'escalier.

— Eh bien ! Tu en as, des visiteurs, Josh ! dit-elle en le serrant dans ses bras.

— Oui !

— Comment va ta cheville ? Tu vas pouvoir sortir, pour Halloween, dimanche ?

— Oh oui ! D'ici là, je n'aurai même plus de bandage !

Malgré son sourire, elle ne paraissait pas aussi sereine qu'à l'ordinaire.

— Tu as des nouvelles de la scène de la Nativité ?

La joie momentanée de l'enfant s'évanouit, laissant place à la déception.

— Oui. On a reçu une lettre, hier…

— Et… ?

— Je serai un des bergers.

— Mon pauvre poussin ! Toi qui voulais tant jouer le rôle de Joseph !

Josh ne supportait pas qu'on l'appelle « poussin ». Toutefois, Sara lui paraissait encore plus déçue que lui, et il se sentit obligé de la réconforter.

— Ce n'est pas bien grave…, dit-il.

— Si, c'est grave ! Tu en avais tellement envie !

De nouveau, elle le serra contre elle, puis recula d'un pas, posant les deux mains sur les épaules de l'enfant.

— Enfin… Tu as quand même décroché un rôle… Ce n'est pas le cas de tout le monde !

— Ouais…

— Et l'année prochaine… Tu seras encore plus grand et tu ressembleras davantage à Joseph. Sans compter que, grâce à ton expérience de cette année, tu auras plus de chance de décrocher le rôle. Tu ne crois pas ?

— Vous avez été pom-pom girl, dans votre enfance ?

— Tu rigoles ? dit-elle en s'esclaffant. J'étais une gamine maigrichonne, couverte de taches de rousseur, et en plus, je portais des lunettes. On ne m'a jamais sélectionnée pour aucun spectacle ! Simplement, je pense que lorsqu'on est déçu, il vaut mieux prendre les choses du bon côté…

Après son départ, Josh contempla longuement ses trains qui traversaient les villages et la campagne. Il songeait aux deux adultes qui étaient passés le voir. A part ses parents, ils étaient les adultes les plus sympathiques qu'il lui ait été donné de rencontrer, et il aurait voulu faire quelque chose pour eux, à son tour. Hélas ! Que pouvait faire un enfant de huit ans ?

Il y réfléchit toute la matinée et une bonne partie de l'après-midi, avant de se rendre compte qu'il savait parfaitement ce que l'un et l'autre désiraient.

Il ne lui restait plus qu'à agir en conséquence.

Après avoir rendu visite à Josh, Sara fit monter Harold dans la Bronco et prit la route de Dry Creek. Comme la fois précédente, elle se tint devant le portail cadenassé de la décharge, dans l'espoir d'apercevoir Léon… Et, comme la fois précédente, la maison était plongée dans l'obscurité.

Nathan était allé annoncer la mort de Stark à son fils. Il avait également prévenu les travailleurs sociaux du comté. Ceux-ci s'étaient rendus chez Léon dès le lendemain et le jour suivant, mais en vain : il avait d'abord refusé de coopérer, et voilà qu'il semblait s'être évaporé. Où pouvait-il être ?

La veille, Sara, inquiète, avait laissé un message à Nathan. Il lui avait répondu, par le même biais, qu'il l'avait cherché partout. Néanmoins, Léon ayant l'habitude de jouer la fille de l'air, cela n'avait rien d'exceptionnel.

Nathan s'était entretenu avec le responsable des services sociaux. A son avis, Léon était capable de se débrouiller tout seul, à condition d'accepter une aide ponctuelle. Il devrait également être assisté pour la gérance de l'entreprise et les tâches ménagères.

C'est dans un état de mélancolie proche de celui d'une collégienne enamourée que Sara avait repassé le message trois fois d'affilée, s'imprégnant de la voix grave de Nathan, avant de se secouer et de l'effacer brusquement.

Ça ne sert à rien de se bercer de rêves idiots et de vains espoirs !

Harold se pressa contre sa jambe en gémissant doucement et en agitant sa queue.

— Tu crois vraiment que nous devrions entrer ?

Elle s'était arrêtée en ville, pour acheter une demi-douzaine de sandwichs au fromage et au jambon, un paquet de chips et un soda à la fraise, en cas de besoin. L'idée de rencontrer Léon était légèrement angoissante, et il se pouvait qu'il se cache dans les parages, à la fois affamé et terrifié.

Elle avait d'abord envisagé de demander à Nathan de l'accompagner, avant de se raviser. Son message semblait indiquer qu'il avait perdu son temps en venant jusqu'ici. Par ailleurs, sa voix était terriblement froide.

— Allez viens, Harold ! ordonna-t-elle en commençant à longer la haie de fil barbelé, jusqu'à un endroit où elle s'était affaissée.

Elle aida le chien à passer, s'accroupit et se glissa entre les piquants acérés.

— Léon ? Vous êtes là ?

Le chien et sa maîtresse se mirent à explorer les piles de fragments de métal, d'épaves rouillées de voitures et d'engins agricoles. Sara frappait et essayait d'ouvrir toutes les portes des entrepôts.

Comme Nathan l'avait affirmé, tout était cadenassé. Les fenêtres et les portes de la maison étaient fermées, elles aussi.

— Autant pour moi ! grommela-t-elle en passant la propriété en revue, une dernière fois. Rentrons…

Ils se remettaient en route lorsque le chien jappa subitement et s'assit.

Sara s'immobilisa et se retourna juste à temps pour voir quelque chose disparaître derrière un coin de la maison.

— Léon ? C'est vous ?

Elle attendit plusieurs minutes, et fit le tour de la maison, sans trop s'approcher cependant. En vain. Il n'y avait aucune trace de l'immense silhouette de l'homme qui lui avait remis le billet, une semaine auparavant.

— Je vais déposer de la nourriture sur le pilier de la haie, lança-t-elle. Ensuite, je m'en irai et vous pourrez venir la chercher.

Elle gagna le portail à reculons, déposa le sachet sur le pilier le plus épais, envoya Harold dans la Bronco avant de jeter un dernier coup d'œil dans la cour. Léon était là. Elle le sentait. Certes, il semblait redouter la compagnie. Toutefois, était-il prudent pour autant de le laisser seul ?

Elle parcourut un petit kilomètre, attendit une vingtaine de minutes et, faisant demi-tour, passa lentement devant la maison, sans s'arrêter.

Le sachet de nourriture avait disparu et il n'y avait aucun déchet sur le sol, comme cela aurait été le cas si un raton laveur affamé l'avait dévoré.

— Ainsi, vous êtes là…, chuchota-t-elle. Il ne nous reste plus qu'à nous assurer que vous allez aussi bien que possible !

Les trois jours qui suivirent, Sara apporta à manger à Léon. Jamais il ne vint à sa rencontre, quand elle se présentait au portail. Toutefois, la nourriture disparaissait immanquablement dans les minutes suivant son départ.

Le quatrième jour, elle entendit le piano.

— Léon ! C'est Sara ! Vous êtes là ?

Elle se tenait devant le portail, le sachet en main. Elle continua de l'appeler, de plus en plus fort.

La musique s'interrompit. Un rideau remua légèrement. Une longue minute s'écoula avant que la porte s'ouvre en grinçant. C'est alors que Léon lui apparut.

— Je vous ai apporté votre déjeuner, commença-t-elle. Et puis…
j'ai entendu la musique et je l'ai trouvée si belle que j'ai eu envie
de rester pour l'écouter. C'est vous qui jouez ?

Il était sale et négligé : ses cheveux étaient ébouriffés et ses bottes
partaient en lambeaux. Pourtant, son sourire fugitif et doux alla
droit au cœur de la jeune femme. On aurait dit celui d'un enfant.

— Comment cela se passe, pour vous ?

Il se contenta de la fixer du regard, sans répondre.

— Vous avez faim ?

En voyant son visage s'éclairer, elle eut la certitude qu'il comprenait
ce qu'elle lui disait. Plus tard, elle irait voir si Ryansville disposait
d'un service distribuant des repas à domicile. Ensuite, elle rendrait
visite à l'assistante sociale censée s'occuper de Léon : ce dernier
ayant refusé de répondre à ses questions, elle n'avait probablement
pas pu évaluer ses besoins.

Il descendit les marches, avec une lenteur extrême, et traversa la
cour, s'arrêtant néanmoins à une distance raisonnable du portail.

— Vous vous souvenez de moi ?

Léon se contenta de hocher la tête.

— Comment vous appelez-vous ?

— Lé-on, répondit-il, au bout d'un long moment.

— Parfait. Voici votre déjeuner, Léon. J'espère que ça vous
plaira. C'est de la dinde, aujourd'hui. Vous aimez cela ?

Il garda le silence. Toutefois, profitant de ce qu'elle reculait de
quelques mètres, il s'avança, s'empara des provisions et, hochant
la tête en guise de remerciement, se détourna.

— Où avez-vous appris à jouer si bien du piano ? hasarda-
t-elle.

Il tourna la tête pour la regarder. La tristesse et la solitude qu'elle
décela dans ses yeux lui serrèrent le cœur.

— Maman… Morte, aussi.

— Je suis désolée, Léon. Vraiment ! Ça doit être dur, pour vous, d'être ici, tout seul. Vous n'avez pas envie d'aller dans un endroit où vous pourriez parler à d'autres gens ?

— Non !

De toute évidence, il n'avait aucune difficulté de compréhension. D'un geste indigné, il jeta le sachet à terre et regagna la maison à grandes enjambées, faisant claquer la porte derrière lui.

Le cœur gros, Sara appela Harold et retourna à sa voiture. Léon entendait garder son indépendance. Hélas, s'il s'obstinait à refuser toute aide extérieure, il n'aurait probablement pas l'occasion d'en profiter bien longtemps !

12.

Sara savait que son chien détestait les lutins de toutes sortes, et cela depuis toujours. Qu'ils aient deux ou quatre pattes, leur seule vue le rendait hystérique. Quant aux sorcières, sorciers et autres créatures surnaturelles, il ne les appréciait pas non plus.

— Désolée, mon vieux ! lança-t-elle en sortant de chez elle, le dimanche soir. Ce soir, tu restes à la maison… Du moins, jusqu'à ce que les monstres soient couchés !

Elle prit une longue inspiration, sourit et descendit les marches deux à deux. A Dallas, elle vivait dans une résidence évoquant davantage une cage à lapin qu'un véritable foyer. Le parking était toujours plein, et on y trouvait difficilement à se garer. Les habitants du lieu restaient si peu de temps que ses voisins étaient pour elle d'éternels étrangers. Halloween n'avait jamais amené le moindre enfant à sa porte.

Ici non plus, les monstres ne sonneraient pas chez elle : son appartement, situé au-dessus du garage, n'était pas visible de la rue. Toutefois, des hordes de gamins avaient déjà commencé leur tournée. Zoé avait demandé à Sara d'accompagner Josh, et la jeune femme se réjouissait d'assister aux festivités de la soirée.

Elle s'apprêtait à frapper chez les Shueller lorsqu'elle dut reculer pour laisser passer une bande de petits enfants qui montaient les escaliers en courant.

— Ouah ! Voyons ! Une fée, une mariée... Cendrillon... Et toi ? demanda-t-elle, perplexe.

— Bah ! Une chauve-souris, bien sûr ! répondit l'enfant, en déployant ses bras pour montrer ses ailes. Un vampire, même !

Sara sourit à Zoé, qui était sortie sur sa terrasse, un saladier rempli de bonbons et de « surprises » dans une main, Timmy sur la hanche opposée.

— Ils sont super ! s'écria Sara. Combien de visites avez-vous, en temps normal ?

— Entre quarante et cinquante ! Ça dépend de la météo !

Zoé tourna la tête.

— Josh ? Sara est là ! Tu es prêt ?

Le temps que Josh apparaisse, l'air légèrement dépité, une autre bande de gamins était venue quémander des bonbons, avant de repartir.

— Qu'est-ce que vous en dites ?

Le petit garçon portait une cape noire et des dents de vampire. Son visage, fardé de blanc, était copieusement arrosé de fausse hémoglobine, et ses gants de caoutchouc étaient terminés par des serres dignes de celles d'un aigle.

— Je trouve que tu es parfaitement *horrible* ! Tu as bien réussi les taches de sang. C'est toi qui les as faites ?

— Oui... Je peux très bien y aller tout seul, vous savez ! balbutia-t-il en détournant les yeux.

Sa mère le guida fermement vers la porte.

— Désolé, Josh, c'est non ! Ton père travaille tard, ce soir et moi, je dois rester ici pour ouvrir la porte à tous les monstres de la ville.

— Les garçons de mon âge ne sont pas accompagnés par un adulte. Ils font leur tournée avec leurs copains.

— On verra ça l'année prochaine. N'oublie pas que je me fais du souci pour ta cheville !

— Maman... Elle va très bien, ma cheville !

— Et si tu trébuches, dans le noir ? Tu risques de la tordre de nouveau !

Voyant de nouveaux arrivants grimper l'escalier, Zoé leur sourit aimablement.

— Allez-y, maintenant, tous les deux. Amusez-vous bien !

Josh descendit les marches de la terrasse en traînant les pieds, contourna le groupe d'enfants et attendit Sara sur le trottoir. Le voyant jeter des coups d'œil furtifs, des deux côtés de la rue, Sara devina qu'il était mal à l'aise.

— Tu ne sais pas, Josh ? Je vais rester loin derrière toi. Comme ça, personne ne devinera que nous nous connaissons... Qu'en penses-tu ?

Il acquiesça, la gratifiant d'un regard reconnaissant, et commença à descendre la rue. Son boitillement avait presque disparu. Il sonna aux portes de cinq maisons et arriva à la porte de la sixième au moment où deux extraterrestres se retournaient pour en partir. Son pas ralentit, et Sara le vit reculer, comme s'il craignait de se faire rabrouer.

Elle se rapprocha légèrement et s'appuya sur un arbre, au coin de la rue. Elle était hors de sa vue, et suffisamment proche pour intervenir si nécessaire.

— Josh ! C'est génial que tu aies trouvé ce type ! lança l'un des deux enfants, avec une note de respect craintif dans la voix. Quel effet ça t'a fait ?

— Oui ! Raconte... Tu l'as vu de près, et tout ça ?

— Ouais ! répondit Josh, en haussant les épaules.

— T'as pas eu peur ?

— Il faisait noir... Il n'y avait qu'un tout petit rayon de lune. Et puis Harold s'est mis à aboyer comme un fou...

— Le gros berger allemand que tu avais l'autre jour ?

— Ouais. Il était en train de devenir fou, poursuivit l'enfant, avec emphase. Alors, je me suis dit qu'il y avait sûrement des tueurs, cachés là-dedans. Et comme je m'étais tordu la cheville, je ne pouvais pas courir. J'ai bien cru que j'allais mourir !

— Ouah !

Les deux gamins continuèrent de l'assaillir de questions, puis l'un d'entre eux désigna le trottoir, devant lui.

— Tu veux venir avec nous ?

Josh tourna subrepticement la tête dans la direction de Sara. La voyant lever les deux pouces, il eut un large sourire et se joignit à eux. Elle laissa une distance plus grande entre eux, flânant comme l'aurait fait un promeneur nocturne.

Les garçons s'arrêtaient devant chaque maison et Josh était de plus en plus excité. Sara, elle, était ravie. Il avait bien le droit de s'amuser, pour une fois. La vie n'était pas toujours tendre avec lui !

Tous trois s'arrêtèrent subitement, au coin de la rue suivante, puis se précipitèrent dans la rue des Pins, ignorant deux ou trois demeures pourtant prometteuses, avec leurs terrasses illuminées et les potirons sculptés posés sur les rebords de leurs fenêtres.

En atteignant l'endroit où ils avaient disparu, elle vit ce qui les avait attirés : une voiture de patrouille, toutes lumières clignotantes, était arrêtée à une centaine de mètres de là, et un attroupement s'était formé autour d'un officier de police.

Même de loin, elle n'eut aucune difficulté à reconnaître la carrure massive de Nathan. Il se tenait sous un réverbère, les jambes écartées, les poings sur les hanches, et il n'était pas bien difficile de deviner que les garnements rassemblés autour de lui avaient fait des bêtises. Ils finirent par se disperser lentement, la tête basse.

Nathan se retourna vers Josh et ses nouveaux amis qui s'avançaient vers lui. Puis il leva les yeux et elle se rendit compte qu'il l'avait vue, elle aussi. Gênée, elle s'approcha du groupe.

— Vous allez les arrêter ? demanda Josh, en contemplant les citrouilles écrasées qui jonchaient le trottoir.

— En quelque sorte, oui !

— Mais… Ils sont tous partis ! s'écria un des camarades de Josh.

— Je les connais et je sais où ils habitent. Ils devront se présenter à mon bureau avec leurs parents, demain, après l'école. Sinon…

Nathan leva un sourcil menaçant.

Sara, qui traînait à quelques mètres de là, sourit intérieurement.

— Qu'en pensez-vous, les gars ? reprit-il. Ces gens ont pris la peine d'acheter ces citrouilles et de les sculpter. Vous croyez que c'est bien, de détruire leur travail ?

Tous trois secouèrent énergiquement la tête.

Nathan consulta sa montre et alla éteindre les gyrophares de sa voiture de fonction. Tout d'un coup, la rue leur parut étrangement calme et sombre.

— Vous n'avez plus beaucoup de temps, alors vous feriez bien d'y aller ! J'ai lu dans le journal que la tournée des monstres de Halloween prendrait fin vers 19 h 30.

Les garçons lui firent un petit signe de la main, avant d'aller sonner à l'une des maisons voisines. Sara se remit en route.

— Comment se fait-il que vous escortiez ces trois gamins, ce soir ?

Sa voix, chaude et basse, l'arrêta net. Depuis qu'elle avait si nonchalamment nié l'importance de leur premier baiser, c'était tout juste s'il la saluait.

— Zoé ne voulait pas que Josh fasse sa tournée tout seul. Je suis contente de pouvoir lui rendre ce service. Ça me rappelle mon enfance ici !

Il actionna la télécommande pour verrouiller les portières de sa voiture et, le visage impénétrable, prit appui sur le réverbère.

— Je ne vous ai pas vu dans les parages, depuis mardi !

Ainsi, il l'avait cherchée ? L'idée était séduisante, et Sara fut parcourue d'une onde de plaisir.

— J'étais là, pourtant ! Ça ne vous arrive jamais de prendre votre soirée ?

— Pour Halloween ?

Il avait répondu d'un ton tout à fait sérieux, que la lueur amusée, dans ses yeux, vint démentir.

— En général, non, reprit-il. A cette heure-ci, j'ai affaire aux destructeurs de citrouilles et autres voleurs de bonbons !

— De dangereux malfrats, à ce que je vois !

— Je ne vous le fais pas dire… Plus tard, j'irai faire un tour jusqu'à la carrière, pour mettre fin à d'éventuelles beuveries autour d'un baril de bière. Et pour terminer, j'arrêterai quelques conducteurs pour vérifier leur taux d'alcoolémie.

— Et comment faites-vous, quand vous attrapez une bande d'adolescents ivres ? Vous les menottez tous à un arbre, avant de les emmener au poste par groupes de quatre ?

— Pas du tout ! Ils connaissent la musique : je sais qui ils sont et où ils habitent, et ils n'osent pas s'enfuir. Leurs parents doivent venir les récupérer. Et le lendemain matin, je convoque tout le monde à 9 heures. Je n'accepte aucune excuse. S'ils ne se présentent pas, je double la peine.

Elle ne put s'empêcher de secouer la tête et de pouffer de rire.

— D'après ce que j'ai vu, vous faites du bon travail. Et vous avez beaucoup aidé Josh. Zoé m'a affirmé qu'il dort beaucoup mieux, depuis que vous lui avez parlé.

— De nos jours les enfants voient constamment la mort à la télévision. Pourtant, la voir en face constitue toujours un choc !

Nathan avait parlé à Josh avec une sensibilité et un sens du devoir qui étaient allés droit au cœur de Sara. L'espace d'un instant, elle l'avait imaginé en père aimant et protecteur, ce qui le rendait encore plus attirant à ses yeux.

— Je ferais bien de rattraper les garçons…, murmura-t-elle. Je m'efforce de surveiller Josh sans qu'il ait l'air d'avoir un chaperon. Et ces galopins sont rapides !

Nathan l'examina de la tête au pied.

— Je parie que vous faites un pêcheur de choc !

— Pardon ?

La question l'avait prise de court. Que venait faire la pêche dans leur conversation ?

— Ça fait longtemps que vous n'êtes pas montée sur un bateau ?

Oui…, songea-t-elle. Depuis qu'elle était enfant, quand son père l'emmenait sur son vieux rafiot, avec son moteur rouillé et son gouvernail un peu flottant.

— A la pêche ? En plein automne ?

— Bien sûr ! C'est la meilleure saison pour le brochet, à condition de savoir où aller. Ça vous tente ?

— Quand ? demanda-t-elle prudemment.

— Demain après-midi. C'est l'heure à laquelle l'eau est la plus chaude. Du coup, les poissons sont plus vivaces.

Ses yeux étincelaient d'amusement.

— Ne vous inquiétez pas ! Nous ne ferons que pêcher… Rien d'autre. Si vous souhaitez m'accompagner, prenez une licence chez Appâts & Burgers, sur la nationale. C'est ouvert jusqu'à 22 heures, ce soir.

— Vous ne travaillez pas, demain ?

Il leva les yeux vers le faible croissant de lune.

— Je travaille en moyenne cinquante heures par semaine. Parfois plus… sans parler des nuits. Alors, voyez-vous, personne ne me demande de compte sur mon emploi du temps !

— Vous n'avez pas de subalterne ?

— Si ! deux jours par semaine et pendant mes congés. Lorsque je ne suis pas en service, les standardistes du QG envoient des adjoints dans la région, pour les urgences. Alors… Ça vous dit d'aller à la pêche ou non ?

— Euh… Pourquoi pas ! Où se trouve votre bateau ?

— Sur le lac Ryan. Traversez la ville par la Grand-rue, prenez la nationale en direction du sud et suivez-la jusqu'au lac. Quand vous atteindrez la plage, tournez à gauche et continuez sur un kilomètre, environ. Vous ne pouvez pas le manquer. A une heure. Ça vous va ?

La perspective d'affronter des poissons gluants et des appâts vivants n'avait rien de bien romantique. D'un autre côté, cela faisait une éternité qu'elle n'avait pas pêché et, à l'instar de cette soirée de Halloween, l'expérience lui rappellerait peut-être les jours bénis de son enfance, avant que tout ne s'écroule autour d'elle de manière si dramatique. Et puis, la proposition était plutôt inoffensive, non ?

— O.K. ! lança-t-elle, derrière son épaule. A demain. 13 heures.

Ils iraient à la pêche, puis elle se remettrait au travail, sans que rien n'ait changé le moins du monde. Elle sourit intérieurement, fière d'être aussi maîtresse de ses sentiments.

Nul doute que la plupart des femmes tombaient instantanément sous le charme de Nathan, avec son sourire assassin et la lueur amusée qui brillait perpétuellement dans ses yeux noisette.

Fort heureusement, elle n'appartenait pas à cette catégorie…

Les réjouissances d'Halloween prirent fin et, dès 23 heures, la petite ville était calme.

Tout en se dirigeant vers la colline avec Harold, pour effectuer sa surveillance habituelle de l'usine, Sara pensait à Nathan.

A peine installée, néanmoins, elle oublia ce dernier : il se passait quelque chose d'inhabituel chez Sanderson.

L'usine était toujours fermée, le dimanche. Les portails avant et arrière en étaient cadenassés, et la sécurité n'était assurée que par un seul agent, qui faisait des rondes dans les locaux.

Or, ce soir-là, la voiture de l'agent n'était pas à son emplacement habituel, près de la porte latérale. A sa place se tenait un poids lourd de couleur sombre, l'arrière tourné vers la porte. Trois… Ou plutôt quatre silhouettes en vestes noires en tiraient des cartons visiblement lourds, les posaient sur des chariots, avant de les emporter à l'intérieur du bâtiment.

Sara sentit son cœur s'emballer. Fouillant dans son sac à dos, elle en sortit son Minolta et alla s'accroupir derrière les rochers, d'où elle prit une série de clichés.

Dans l'objectif, elle vit l'un des hommes s'immobiliser brusquement. Il pivota sur lui-même, leva la tête pour regarder dans sa direction, puis, d'un geste brutal, fit signe à ses acolytes d'accélérer le mouvement. Avait-il entrevu le reflet de l'appareil photo ?

La manière d'agir des individus lui confirma ce qu'elle savait déjà : ils n'étaient pas là pour une livraison ordinaire, et craignaient de se faire surprendre.

Harold dut sentir la tension qui s'était emparée d'elle, car il leva le museau et se redressa en geignant. Sara prit une autre série de photos.

Le chien se mit à gronder doucement. Au même moment, Sara aperçut un éclair furtif. Un peu plus bas, dans la colline, un rayon lumineux décrivit un arc, à travers les arbres, puis disparut. Une branche craqua.

Avait-elle été repérée ?

Après avoir précipitamment rangé son matériel photographique et son bloc-notes dans son sac, elle se saisit de la laisse du chien et, contournant le rocher, grimpa un peu plus haut. Sachant que ce moment pouvait survenir, elle avait étudié toutes les possibilités d'échappatoire, pendant la journée. Toutefois, dans le noir, elle devait avancer avec une prudence extrême.

Evitant le chemin principal, elle s'enfonça dans un étroit sentier qui serpentait dans la broussaille, et donnait sur une plantation de trembles. De là, elle aurait un meilleur point de vue sur les environs.

Le faisceau de lumière fouillait les arbres, derrière elle. De plus en plus proche, il envoyait des flashes intermittents dans la forêt touffue.

Subitement, le bruit sec d'une carabine déchira l'air. Une fois, deux fois… Une balle vint se ficher dans un arbre, non loin d'elle.

La bouche sèche et le cœur battant la chamade, elle plongea derrière des bosquets serrés, un peu plus haut.

Le tireur se trouvait en bas, à côté de l'usine. Même équipé d'un viseur à ultra-rouge, il était gêné par la végétation et ne pouvait viser avec précision. Or, si les malfrats avaient envoyé l'un des leurs sur la colline, auraient-ils pris le risque de tirer dans cette direction ?

Quoiqu'il en soit, mieux valait décamper…

Le souffle court et la gorge en feu, elle se fraya un chemin à travers les baies épineuses et les buissons nains, Harold dans son sillage. L'animal se cabra à plusieurs reprises, mais elle le rappela sèchement à l'ordre, sans s'arrêter.

Le balancement de la lampe torche et le bruit des pas derrière elle la talonnaient.

De nouveau, la carabine se fit entendre.

Le faisceau lumineux s'éteignit alors, et le silence retomba sur la colline.

D'en dessous lui parvinrent des voix agitées, puis le bruit d'un moteur qui démarrait. Des pneus crissèrent sur le gravier tandis que le véhicule s'avançait, probablement vers le portail arrière, même si, de l'endroit où elle se tenait, elle ne pouvait le distinguer.

Sara fit halte derrière le tronc d'un énorme chêne et, s'appuyant contre son écorce rude, respira à pleins poumons pour reprendre son souffle. Harold gémit avec une insistance renforcée, lui donnant des petits coups sur le mollet, le museau tourné derrière lui.

Peut-être son poursuivant ne faisait-il pas partie du gang de l'usine, après tout… Si c'était le cas, les malfaiteurs avaient probablement vu la torche, pris peur et visé, sans s'apercevoir de sa présence. Alors, qui d'autre était là ? Et surtout, pour quelle raison ?

S'il s'agissait d'adolescents occupés à boire de la bière, l'un d'entre eux pouvait très bien se vider de son sang, en ce moment même… Cette idée la fit frissonner d'horreur.

Elle sortit une lampe de poche miniature de son sac et tira son Beretta du holster. Cette fois, elle bifurqua vers le nord et s'enfonça dans un autre sentier. Elle avançait prudemment, évitant de faire le moindre bruit.

Soudain, Harold se cabra et tira sur sa laisse pour obliquer vers la droite.

Elle posa une main apaisante sur son épaule et s'immobilisa complètement.

— J'espère que tu te souviens de ce que tu dois faire…, chuchota-t-elle. Ça ne fait pas si longtemps que ça, après tout !

Sara libéra le collier de l'animal et, reculant d'un pas, lui fit signe de continuer seul.

Il bondit dans la broussaille, son pelage gris se confondant instantanément avec la pénombre ambiante. Elle l'écouta s'éloigner, puis l'entendit geindre.

Obéissant à un coup de sifflet sec, il réapparut d'un bond, le corps tendu, tremblant et agitant sa queue de droite à gauche.

— Tu en es sûr ? marmonna-t-elle en lui emboîtant le pas.

Il semblait l'être. A une dizaine de mètres de là, un faible gémissement s'élevait de derrière un rocher.

Toujours méfiante, elle le contourna, à une distance respectueuse et l'arme au poing.

Tandis qu'une de ses mains pressait la tache sombre qui s'élargissait sur son bras, Léon Stark leva les yeux et considéra son arme, avec une expression de terreur absolue dans les yeux.

— Non ! murmura-t-il d'une voix rauque. *Pitié !* Non !

13.

Sara avait prestement rengainé son arme, s'efforçant de convaincre Léon que ce n'était pas elle qui lui avait tiré dessus. L'avait-il crue ? C'était difficile à dire : quand elle avait demandé à voir sa blessure, il avait paniqué et, se relevant péniblement, avait pris le chemin du retour.

A présent, il descendait le sentier en traînant la jambe, la main toujours crispée sur le haut de son bras, se retournant sans cesse pour lui lancer des regards inquiets. Harold, lui, sautillait joyeusement à ses côtés, agitant la queue et tirant la langue, comme s'il venait de retrouver un maître disparu depuis longtemps.

Avoir à s'occuper d'un homme de cette corpulence, têtu comme une mule de surcroît, n'était pas précisément ce qu'elle avait prévu.

— Je vous en supplie, Léon ! Laissez-moi examiner votre bras… Je vous promets que je ne vous obligerai pas à aller à l'hôpital.

Comme il ne faisait pas mine de ralentir, elle ajouta :

— D'accord ! Dans ce cas, dites-moi au moins ce que vous faisiez là-haut, ce soir !

Il parcourut encore une bonne vingtaine de mètres, avant de marmonner :

— Dangereux.

— Si c'est dangereux, que faisiez-vous là ?

Il secoua la tête, sans s'arrêter de marcher.

— Dangereux… Pour *vous* !

De surprise, elle trébucha sur une racine d'arbre pourtant apparente et manqua de tomber.

— C'est pour me protéger que vous étiez là ? De quoi, bon sang ? ajouta-t-elle, comme il gardait le silence.

Ils étaient presque arrivés au bas de la colline et, de toute évidence, Léon n'était pas disposé à lui fournir le moindre élément de réponse. Soudain, Sara se souvint d'autres nuits où elle avait perçu une présence, là-haut.

— Est-ce que votre père m'a déjà suivie, Léon ? demanda-t-elle gentiment.

Léon baissa légèrement la tête.

Ainsi, le vieux Earl avait veillé sur elle, lui aussi. Mais enfin, pour quelle raison ? Etant donné le quasi-mutisme de son fils, elle ne le saurait probablement jamais. Cela dit, le plus important, dans l'immédiat, c'était Léon lui-même.

En l'emmenant à l'hôpital, avec une blessure par balle, elle s'exposait à des questions embarrassantes… Ce qui n'était rien, en comparaison des risques d'infection et des séquelles qu'encourait l'homme si la plaie était profonde.

Ils atteignirent la route de Dry Creek. Selon toute vraisemblance, il allait bifurquer à gauche pour regagner sa masure, où il pourrait s'enfermer à clé.

— Léon ! Arrêtez-vous tout de suite et écoutez-moi… *J'ai dit : « stop » !*

Apparemment intimidé par son ton autoritaire, il s'immobilisa lentement.

— Merci, Léon, dit-elle en hochant la tête.

— Pas de docteur…, bredouilla-t-il en reculant d'un pas.

— Vous n'êtes pas obligé de consulter un docteur.

Sauf si sa blessure était plus qu'une simple égratignure !

— Ecoutez… Si on allait sous ce réverbère, là… Il y a assez de lumière. Enlevez votre veste et remontez votre manche.

Il la considéra un instant avec une suspicion renouvelée.

— Pas de docteur, répéta-t-il.

Serrant les dents d'exaspération, elle posa une main sur son bras valide.

— Je comprends que vous ne vouliez pas aller à l'hôpital. Seulement, n'oubliez pas que vous êtes tout seul, à présent. Que ferez-vous, si ça s'infecte ?

— Ça va !

Malgré tout, et après avoir réfléchi un instant, il retira sa veste en jean, maculée de sang. Son T-shirt élimé, à la gloire des Vikings du Minnesota, semblait à peu près propre. Lorsqu'il retira la manche ensanglantée de la blessure, le sang s'échappait du petit trou nettement creusé dans le renflement extérieur de son biceps. La blessure paraissait bénigne, tout bien considéré, et la balle pourrait vraisemblablement être récupérée.

Le tireur avait dû viser le faisceau de sa lampe torche. Or, à cause des buissons, de sa position et de l'obscurité, même un viseur à ultra-rouge très perfectionné ne pouvait assurer un tir précis. Léon avait eu une chance folle : à une vingtaine de centimètres près, la balle aurait pu l'atteindre en pleine poitrine.

— Passons aux urgences pour vous faire retirer cette balle.

— Non !

Il se remit en route et elle n'eut plus qu'à prier le ciel pour que le tireur ait pris la fuite, au lieu de venir voir sur qui il avait tiré. Les douze balles contenues dans son chargeur ne lui serviraient pas à grand-chose, face à quatre ou cinq hommes armés.

Elle attendit quelques minutes, avant de s'emparer de son téléphone portable, le ralluma et commença à composer un numéro.

Dès le premier bip, Léon se figea. Se retournant prestement, il s'empara de l'appareil, le jeta au sol et l'écrasa d'un coup de talon.

— Léon !

Son front était perlé de gouttes de sueur.

— Pas de docteur ! répéta-t-il. Je rentre à ma maison.

Sa voix d'enfant en pleine rébellion contrastait étrangement avec sa stature impressionnante.

Essayer de l'arrêter n'aurait strictement servi à rien. Elle ramassa les restes de son téléphone et le regarda s'éloigner, avant de le suivre jusqu'à ce qu'il ait franchi le portail de sa cour.

Sifflant Harold, elle se hâta de regagner son studio.

Une vingtaine de minutes après qu'elle eut appelé le numéro d'urgence, son téléphone retentit. Elle avait vaguement espéré avoir affaire à l'un de ces shérifs adjoints anonymes, qui couvraient la région lorsque Nathan n'était pas de service. Hélas, elle n'eut pas cette chance.

— Qu'est-ce que c'est que cette histoire ? Léon Stark serait blessé ? Je suis devant chez lui, avec les secouristes et il nous fusille du regard, de sa fenêtre, en nous enjoignant de partir. Il m'a l'air en pleine forme !

— Euh… J'ai pensé qu'il valait mieux prévenir les autorités. Il m'a paru très choqué, quand je… euh… quand je l'ai croisé, il y a trois quarts d'heure. Il y avait du sang sur son blouson… Et il a refusé de me dire quoi que ce soit.

— Vous pouvez être un peu plus précise, quant à son état ?

— Il était pâle et couvert de sueur. Il se tenait le bras… J'ai craint qu'il ne se trouve mal, arrivé chez lui.

— Avez-vous vu ce qui s'est passé ?

— Non. J'étais partie courir quand je l'ai rencontré.

— On dirait qu'il vous en veut, rétorqua sèchement Nathan. Il nous a crié que vous l'aviez dénoncé.

— J'ai essayé de le convaincre d'aller aux urgences, pour faire examiner sa blessure. Bien entendu, il n'a rien voulu savoir. Comme il est tout seul, dans cette baraque, j'ai pensé qu'il valait mieux vous prévenir !

Une heure après la fin de leur entretien, le téléphone sonna de nouveau, tirant Sara d'un sommeil agité.

— Malgré l'heure tardive, lança Nathan, je voudrais passer vous poser quelques questions.

De toute évidence, la nature de la blessure de Léon avait été découverte. Sara n'avait plus qu'à espérer qu'il n'avait pas parlé de l'arme qu'elle avait braquée sur lui. Elle avait à peine eu le temps de sortir de son lit et d'enfiler un peignoir que des pas retentirent dans l'escalier, bientôt suivis de quelques petits coups à sa porte. Un simple coup d'œil à travers le rideau lui permit de voir Nathan, le visage fatigué et les traits tirés.

— Que se passe-t-il ? Léon va bien, n'est-ce pas ? s'enquit-elle en ouvrant la porte.

Nathan se passa une main dans les cheveux et fit un signe en direction de la kitchenette.

— Ça ne vous dérange pas ?

— Bien sûr que non ! Vous voulez un café ?

Il secoua la tête négativement et se laissa tomber sur une des chaises entourant la table, avant de l'examiner, l'air préoccupé.

— Comment va-t-il ?

— Il était peut-être blessé, répondit Nathan avec un rictus, mais pas affaibli, loin s'en faut ! Le convaincre d'aller aux urgences a été à peu près aussi facile que de faire du rodéo avec un élan sauvage !

Sara s'installa en face de lui, les bras croisés sur la table.

— Vous avez eu plus de succès que moi ! Il est à l'hôpital ?

— Non ! Le docteur a nettoyé et pansé sa plaie et lui a fait une piqûre antitétanique. Et, pensant qu'il ne prendrait pas de comprimés, elle lui a également injecté des antibiotiques longue durée.

— C'était grave ?

— Pas trop, en soi. Ce qui me préoccupe, moi, c'est la nature de cette blessure.

L'homme décontracté qui l'avait emmenée déjeuner et l'avait embrassée avec une fougue à lui couper le souffle avait disparu. A présent, elle ne voyait plus que l'officier de police, dont le regard perçant jugeait le moindre de ses gestes, dont la logique implacable pesait le pour et le contre de chacune de ses paroles.

— Je n'ai pas vu grand-chose, dans l'obscurité. Il ne m'a pas laissée approcher. Que s'est-il passé ?

Ignorant sa question, Nathan tira un petit carnet de notes et un stylo de la poche de son uniforme.

— Quand l'avez-vous vu, pour la première fois, ce soir ?

— Euh… Je dirais entre quinze et vingt minutes avant mon appel ! dit-elle, en jetant un coup d'œil à l'horloge murale. Vers minuit ?

— Vous étiez seule ?

Elle pencha la tête en direction de Harold, qui était allongé sur un tapis, devant l'évier, la tête posée sur ses pattes de devant et le regard en alerte.

— Où avez-vous rencontré Léon ?

— Oh ! En bas de la rue des Chênes, j'imagine…

— Que faisiez-vous là ?

— Je vous l'ai dit au téléphone !

— J'aimerais prendre quelques notes, cette fois !

Elle ne fut pas dupe de son sourire rassurant : il vérifiait sa version des faits, à l'affût de la moindre contradiction.

— Un petit jogging nocturne… Je suis sortie plus tard que d'habitude, parce que les déguisements d'Halloween font peur à Harold. Et la nuit était si belle que je me suis attardée.

— Vous n'avez croisé personne, dans les rues ?

Elle réfléchit un instant.

— Non ! Pas après 23 h 30.

— Vous n'avez rien entendu d'inhabituel ?

— Il y avait une fête, quelque part… Quelques coyotes dans les collines, quelques pétarades… Sans que je croise aucune voiture, toutefois.

— Pourriez-vous me dire d'où provenaient ces… *pétarades* ?

— Hmm…, répondit-elle en haussant les épaules, d'un air de regret. Pas vraiment. Je n'y ai pas accordé d'importance !

— Aviez-vous déjà rencontré Léon, tard le soir, au cours de vos joggings ?

— Jamais. C'est pourquoi j'ai trouvé cela bizarre. Vous l'avez déjà croisé, vous ?

— Que vous a-t-il dit ? rétorqua Nathan, sans lever les yeux de son carnet.

— C'est simple ! Il a catégoriquement refusé d'aller aux urgences ou de voir un docteur. C'est la raison pour laquelle je vous ai appelé pour vous prévenir de la situation. Maintenant, dites-moi… Quel genre de blessure présente-t-il ?

— Le médecin a extrait de son bras une balle de petit calibre.

— Oh ! Ce n'est pas possible !

— Elle a vraisemblablement été tirée de loin, sans quoi elle lui aurait traversé les chairs. Comme il faisait noir, il se peut que le tireur n'ait même pas été conscient de la présence de Léon !

Refermant son carnet, Nathan recula sa chaise, se leva et se dirigea vers la porte.

— Nous avons déjà eu cette conversation après la mort du vieil Earl. Cependant, vous ne m'avez toujours pas dit comment vous vous défendriez si vous étiez toute seule dehors, une nuit, et qu'on vous attaquait sans crier gare !

— J'ai Harold avec moi, et j'ai suivi quelques cours d'autodéfense.

Elle se leva et contracta ses muscles de manière exagérée.

— Cela dit, je commencerais par prendre mes jambes à mon cou…

— Et si l'homme était armé ?

162

— Je coopérerais, le temps de trouver un moyen de m'en sortir.

— Prenez garde à vous !

Il la dévisagea un moment, la mine grave.

— J'ignore qui a tiré cette balle… Cependant, s'il s'agit d'un tireur négligent, il peut très bien recommencer. Personne ne sera en sécurité dans cette ville tant que je n'aurai pas découvert qui a actionné la gâchette !

— Léon Stark a pris une balle dans la peau, la nuit dernière, déclara Nathan, en posant ses avant-bras sur la haie en piquets blancs entourant la propriété de Clay.

Clay leva les yeux de la pile de courrier qu'il passait en revue.

— Il est mort ?

— Non ! Seulement légèrement blessé. Apparemment une balle de 223.

— Il est aussi barjot que son père. Il a dû se mettre un de ses clients à dos !

— A moins qu'il n'ait découvert quelque chose qu'il n'aurait pas dû découvrir !

— Comme quoi ? Tu as une idée ?

— Pas encore. Il refuse de parler… J'ai passé la matinée à interroger les gens dans la région et à chercher des indices. En revanche, j'ai un témoin, qui affirme l'avoir rencontré peu après et qui pourrait avoir entendu les déflagrations.

— Témoin crédible ?

— Je pense, oui. Elle n'a rien vu de significatif, cependant elle m'a permis de situer plus précisément le moment et l'endroit où ça s'est passé.

— Quelqu'un du coin ?

— Sara Hanrahan. Elle était sortie promener son chien.

— Pour ma part, je prendrais son *témoignage* avec des pincettes !

Clay examina une enveloppe, avant de parcourir rapidement le reste de son courrier, et brandit la pile sur sa paume ouverte.

— L'arrivée du facteur est l'événement le plus excitant de ma journée. Je n'aurais jamais dû prendre ma retraite !

— Les journées exténuantes, les nuits de veille et la paperasserie te manquent, c'est ça ?

Clay agita un bras en direction de sa haie et de sa maison de brique.

— Il y a une limite à la dose de jardinage qu'un homme peut supporter. Si tu as besoin d'aide, pour une affaire, fais-moi signe. Si ça se trouve, tu sauveras un vieil homme de la folie !

— Dora te ferait passer un mauvais quart d'heure, si tu reprenais le travail ! ironisa Nathan.

— Je parle sérieusement, fiston ! Bien sûr, je n'entends pas être payé… Ce serait simplement histoire que mon palpitant continue de battre !

Le « palpitant » de Clay était exactement la raison pour laquelle Nathan n'avait aucune intention d'impliquer le vieil homme dans une affaire. Chaque fois qu'il rencontrait Dora, en ville, celle-ci lui parlait de l'angine de poitrine et des douleurs de plus en plus fréquentes de son mari. Sans compter qu'il ne fallait pas être diplômé en médecine pour remarquer son teint grisâtre ou sa respiration saccadée.

— Je n'y manquerai pas ! En attendant, tu passes à mon bureau, lundi midi ?

— Bien sûr !

Presque aussitôt, le regard enjoué de Clay se voila.

— Cela dit, je préférerais retravailler !

Nathan le regarda rentrer dans sa maison d'un pas lourd en essayant de s'imaginer lui-même à la retraite. Rien ne l'attirait tant que l'imprévisible montée d'adrénaline, lot de tout officier de police.

Et il aimait tout particulièrement l'idée qu'il pouvait changer bien des choses, rien qu'en sillonnant la ville.

Sur le chemin du lac Ryan, Nathan appela le QG pour prévenir qu'il prenait quelques heures de repos.

Il se rendit soudain compte qu'il sifflait sur les mélodies diffusées par sa radio et se réjouissait de cet après-midi de congé, la première depuis des semaines. Ce serait bon de remonter sur le bateau, sans doute pour la dernière fois cette année : bientôt, les températures, dans cette partie nord du Minnesota, seraient beaucoup trop basses.

Néanmoins, c'est bien plus que la perspective de voguer sur les eaux cristallines du lac Ryan qui le fit pianoter d'impatience sur son volant, en attendant qu'un gros raton laveur ait fini de traverser le chemin de gravier, devant son pare-chocs. Lorsqu'il aperçut la vieille voiture de Sara, après le dernier virage, son impatience augmenta encore.

La jeune femme était appuyée sur la portière de sa voiture, ses lunettes noires sur le crâne et ses cheveux blond vénitien flottant légèrement sous la brise du lac. Son berger allemand était, comme d'habitude, sagement assis à ses pieds.

Elle portait un élégant pull-over bleu marine sur un jean serré… Toutefois, même en haillons, elle n'aurait pas été moins séduisante.

Se détachant de son véhicule, elle s'avança vers lui, tandis qu'il se garait au bout de l'allée de béton menant à sa maison.

— C'est ici que vous vivez ? Tout seul ? Vous avez au moins de quoi héberger trois familles sans qu'elles se rencontrent jamais ! lança-t-elle sèchement. Je croyais avoir compris que nous avions rendez-vous devant un bateau, arrimé à un quai, au milieu des algues…

— Sara… Nous sommes sur le lac, regardez !

Sortant de sa voiture, il reposa ses avant-bras sur le haut de la portière ouverte et désigna la plage d'un geste du menton. Des vaguelettes venaient lécher les rochers.

— Mon bateau est là ! Sur le quai !

— Et c'est un sacré bateau !

Son intonation suggérait qu'elle le considérait comme un enfant gâté, qui avait toujours demandé — et obtenu — les plus beaux jouets de la ville.

— La maison appartenait autrefois à ma grand-tante, Grace. Mais, je n'en ai pas hérité : je l'ai rachetée et je la rénove, petit à petit. Les propriétaires précédents l'ont laissée dans un état lamentable.

— Elle est splendide.

— Pas de l'intérieur, dit-il avec un sourire furtif. Je dois aller me changer. Voulez-vous entrer la visiter et voir l'étendue des dégâts ?

— Non. Je préfère attendre ici, répondit-elle en rougissant légèrement.

Elle se dirigea vers le quai, Harold sur les talons. Nathan la regarda s'éloigner, fasciné par le balancement de ses hanches.

Il lui semblait si… *naturel* qu'elle se trouve ici. Elle faisait quasiment partie du décor. Il avait l'impression qu'il la verrait sur ce quai, humant l'air du lac, aujourd'hui, demain et les jours suivants.

Lorsqu'il ressortit, en jean et pull-over, elle se tenait sur le ponton et contemplait l'embarcation avec un mélange d'admiration et de dédain.

— Le moins qu'on puisse dire, c'est que ça n'a pas grand-chose à voir avec le vieux rafiot de pêche de mon père, marmonna-t-elle. Il y a de la moquette, à l'intérieur ? Des sièges rembourrés ? Une console et un volant ? Ça va vite, un engin pareil, dites ?

— A moins de trois kilomètres à l'heure quand je fais du cabotage… Et à quatre-vingt dix quand je suis pressé.

— On peut s'en servir pour faire du ski nautique, non ? demanda-t-elle en désignant la plate-forme et l'échelle d'accès.

— C'est une des raisons pour lesquelles je l'ai acheté. Il faudra que vous veniez, au printemps prochain, pour monter sur des skis !

Le visage de Sara s'assombrit.

— Oui… On verra !

D'ici là, elle serait probablement repartie pour Dallas. A cette pensée, Nathan sentit son estomac se nouer.

— Montez, et allons-y. Prenez un gilet de sauvetage dans un des compartiments, sous les sièges arrières.

— On peut emmener Harold ? demanda-t-elle en voyant la moquette gris clair. Il pourrait rester sur la grève, vous savez !

Elle mourait d'envie de faire monter son chien. Même si la moquette avait été blanc neige, il n'aurait pu refuser.

— Pas de problème ! Ça devrait lui plaire.

Quelques minutes plus tard, ils se dirigeaient vers le large, à une vitesse impressionnante. Au bout de quelques instants, Sara alla se réfugier derrière le pare-brise.

— Brrr ! Le vent est plutôt frisquet, cria-t-elle pour couvrir le bruit du moteur. Cela dit, c'est super !

Ses yeux brillaient et elle avait les joues toutes roses.

Une fois qu'ils eurent dépassé Dawson Point, Nathan relâcha la pression et laissa le bateau s'arrêter, provoquant un remous qui les fit tanguer. Imperturbable, il entreprit de préparer le matériel de pêche et lui tendit une canne.

— Que pêchons-nous, au juste ?

— Nous allons caboter en eaux peu profondes, entre vingt et trente mètres, là où la végétation aquatique est abondante. Les plus petits poissons se trouvent ici, en ce moment, et par conséquent, les brochets aussi !

— Vous m'avez l'air bien sûr de vous ! lança-t-elle, d'un ton taquin, sans lâcher des yeux l'appât en métal rouge et blanc, au bout de sa ligne. Vous êtes sûr qu'ils ne préfèrent pas les appâts vivants, et bien juteux, comme des vers, par exemple ?

D'un petit geste, il lui montra le seau rempli de vairons et le sac de papier, sur le plancher.

— S'ils ne mordent pas, nous essayerons autre chose !

Remarquant qu'elle se rétractait dans son gilet de sauvetage, il ajouta :

— Vous avez froid ? J'ai des vestes, dans la cale.

— Non, merci. Tout va bien. J'adore cette sortie !

Son sourire était tellement radieux qu'il eut soudain envie de la prendre dans ses bras pour l'embrasser à en perdre haleine. Exactement, en fait, comme il avait commencé à le faire sur le parking du restaurant...

Quand elle lui avait négligemment annoncé qu'elle n'aurait aucune difficulté à oublier ce qui s'était passé entre eux, il s'était senti à la fois excité et frustré. A présent, il avait le choix entre prendre le risque de se faire rabrouer une deuxième fois et essayer d'attraper un beau brochet...

Mieux valait s'en tenir au poisson.

Si son sentiment de frustration grandissait, la jeune femme, pour sa part, semblait complètement concentrée sur sa promenade nautique.

— J'ai très peu de souvenirs : je me rappelle avoir appâté et surveillé le bouchon, c'est tout. Je ne crois pas avoir jamais caboté.

— S'il l'un de nous deux attrape quelque chose, l'autre s'arrête pour lui donner un coup de main.

Devant son air interrogateur, il précisa :

— Ne vous en faites pas. Quand le poisson mordra, je vous préviendrai.

Elle s'esclaffa, en lâchant quelques mètres de ligne supplémentaires.

— Je vous parie que c'est vous qui devrez m'aider !

Le moteur ronronnait, longeant la grève sud du lac.

168

— Vous en savez plus, pour Léon ? demanda-t-elle d'un ton léger. Est-ce qu'on lui a délibérément tiré dessus ?

— Je ne crois pas qu'on puisse viser d'aussi loin, dans l'obscurité.

— Alors vous pensez qu'il s'agissait d'une balle perdue ? Ce n'est pas rassurant ! commenta-t-elle en frissonnant.

— Le plus étonnant, dans tout cela, c'est que personne, à part vous, n'ait entendu le moindre coup de fusil… ni la moindre voiture pétarader, d'ailleurs.

Sara raffermit son emprise sur la canne à pêche.

— J'étais peut-être la seule à ne pas dormir !

— Harvey Andersen dort les fenêtres ouvertes, toute l'année, et sa maison se trouve près de l'endroit où vous avez croisé Léon. Il n'a rien entendu.

— J'ai croisé Léon dans ce quartier-là, répondit-elle fermement. Il a très bien pu être blessé ailleurs. Il était sur le chemin du retour.

— C'est vrai…

Une nuit d'Halloween… Et quelques coups de feu, tirés par des adolescents, après quelques bières ? C'était possible. Toutefois, son instinct lui disait qu'il était loin de tout savoir sur cette affaire.

Les yeux de Léon Stark avaient été remplis d'une terreur sans mélange, du moment où Nathan avait essayé de le convaincre de sortir de sa tanière à celui où il avait ramené le pauvre bougre chez lui, après les soins.

— Il ne vous a pas dit qu'il se sentait menacé, ces derniers temps, si ?

— Non. Il ne m'a pas dit grand-chose, à vrai dire !

La jeune femme détourna la tête et se concentra sur sa ligne. Ils pêchèrent en silence pendant un bon quart d'heure, puis Nathan sentit sa ligne se tendre, une fois, puis deux… Hélas, lorsqu'il essaya de tirer sur l'hameçon, le poisson s'était dégagé.

Sara lui lançait un grand sourire, chaque fois qu'il faisait chou blanc.

— Gardez votre énergie pour celui que je vais prendre, suggéra-t-elle. Vous allez en avoir besoin !

Il admirait son assurance tranquille et son sens de l'humour. Ici, sur ce lac, il découvrit qu'elle appartenait à la catégorie de femmes s'accommodant volontiers du silence, sans jamais essayer de le rompre par de vains bavardages.

Il se surprit à la regarder davantage que sa ligne. Il prenait plaisir à l'entendre s'extasier devant les derniers feuillages accrochés aux arbres et les profondeurs azur du lac, où des bancs de vairons glissaient lentement, comme de l'argent en fusion.

Plongé dans ses pensées, il fut pris de court en la voyant soudain sautiller, avec un cri victorieux.

— J'en ai un ! J'en ai un !

Nathan mit le moteur au point mort.

— Il va plonger une ou deux fois en eau profonde… Ne tirez pas trop fort !

Le poisson émergea en un arc argenté, essayant de se détacher de l'hameçon, à grands bruits d'éclaboussures.

— C'est fantastique ! s'exclama-t-elle en enroulant son fil. Il doit être énorme !

Nathan se saisit de l'épuisette en pouffant de rire.

— Ils le sont toujours, tant qu'on ne les a pas pesés.

La canne dans une main, elle tendit l'autre pour attraper le gilet de sauvetage de son compagnon et l'attira plus près d'elle, jusqu'à ce qu'ils soient quasiment nez à nez.

— Non ! Celui-ci est *vraiment* gros !

Surpris par l'intensité de ses paroles et par sa force étonnante, il rit de bon cœur.

— Je n'en doute pas une minute, ma p'tit' dame ! Seulement, vous devriez faire attention, parce que vous allez le perdre !

Lorsqu'elle fut enfin parvenue à rapprocher l'animal du bateau, Nathan tendit l'épuisette et le hissa à bord. Harold, qui s'était rapproché pour observer la scène, fit un bond en arrière, effrayé par les contorsions du poisson, qui lui éclaboussa le museau.

— Bon sang ! s'exclama Sara.

Elle regarda Nathan dégager délicatement l'hameçon de la gueule du poisson, qu'il étendit le long des marques, près de la proue.

— Cinquante-cinq centimètres ! reprit-elle. Pas mal, hein ?

— C'est le moins qu'on puisse dire ! Et il doit bien peser dans les trois kilos ! Vous le voulez ou je le relâche ? demanda-t-il, après une seconde d'hésitation.

— Oh ! Laissez-le partir, je vous en prie !

Supportant délicatement le poids du brochet, il le descendit jusqu'au niveau de l'eau, le garda un instant et le laissa partir. Le poisson plongea vivement et disparut.

— On parie ? demanda Sara, au bout de quelques secondes, les yeux toujours brillants. Je veux dire... A celui qui attrapera le plus gros... Ou bien *l'unique* poisson ?

Nathan rangea l'épuisette et enroula son fil.

— Quel est l'enjeu ?

Il avait quelques idées séduisantes en tête, impliquant toutes une musique douce, un peu de vin et un endroit charmant éclairé par des bougies. Chez lui, par exemple.

— Que diriez-vous d'un cheeseburger chez Appâts & Burger ?

— Vous êtes sûre ? demanda Nathan en toussotant.

— Ou bien ailleurs..., poursuivit-elle, son sourire se faisant timide et mystérieux. Dans un endroit où les clients n'accrochent pas leurs hameçons à leur chapeau !

— Ça me plairait bien !

— Je vous remercie. J'ai passé une après-midi fantastique..., murmura-t-elle.

Ses yeux se portèrent sur la bouche de Nathan, puis remontèrent.

— Vraiment ! Ça a été... très... agréable, ajouta-t-elle.

A ce moment, Nathan se dit qu'il y avait des limites à la résistance d'un homme.

Posant sa canne à pêche, il leva les mains et lui entoura la nuque, avant de l'attirer contre lui. Le goût de ses lèvres sur les siennes lui parut d'abord infiniment doux... puis tout bonnement paradisiaque.

Les cils baissés, elle s'abandonna contre sa poitrine, l'emplissant d'une chaleur torride qui lui fit oublier toute réserve.

Il laissa échapper un grognement et approfondit son baiser. Lorsqu'il sentit les mains de la jeune femme lui effleurer les épaules, il fut totalement submergé par son propre désir.

Il sentit alors quelque chose de froid et d'humide contre lui.

Puis la « chose » se mit à gronder doucement.

Harold !

Nathan eut envie de gronder en retour car Sara recula, les yeux plus sombres, les joues en feu.

— Je... Euh... Il s'assure que tout va bien pour moi.

— Et c'est le cas ?

Elle le dévisagea puis, tendant la main vers son visage, l'attira pour un autre baiser vertigineux.

— Je... Je n'aurais pas dû faire ça, balbutia-t-elle en le relâchant.

Sara recula d'un pas, le laissant complètement désorienté.

— Pourquoi ?

Elle eut un geste vague de la main.

— Parce que... c'est mal ! Nous ne sommes que des amis, sans plus !

Mal n'était pas précisément le mot qu'il aurait choisi : ses baisers lui paraissaient si délectables !

Ils continuèrent de pêcher pendant quelques heures, jusqu'à ce que le crépuscule froid de ce début novembre descende sur le lac. Harold se mit à gémir, en arpentant les confins étriqués de l'embarcation. Sara avait attrapé quelques brochets supplémentaires. Trop distrait pour se concentrer, Nathan avait manqué plusieurs prises avant d'abandonner la partie, se contentant de la regarder faire.

Elle ne voulait qu'une simple amitié, et souhaitait garder ses distances. Nathan, lui, voulait bien davantage.

Quand il honorerait son pari en l'invitant à dîner, il ferait en sorte qu'elle change d'avis.

14.

Jane se lissa les cheveux et s'humecta les lèvres, avant de rassembler les documents posés sur son bureau.

« Tout marche si bien… Je n'arrive pas à y croire ! »

Cela avait commencé par une entrevue avec Ian, le propriétaire de l'usine, au lendemain d'Halloween. Il s'était déclaré impressionné par la somme de travail dont elle s'acquittait, et s'était targué de toujours reconnaître le mérite de ses employés. Puis il y avait eu cette réunion fantastique, quelques jours plus tard, avec Robert et Ian, qui l'avaient convoquée dans le bureau de Ian pour discuter de son avenir.

Son avenir ? Elle n'avait jamais souhaité qu'une chose : conserver son emploi jusqu'à l'âge de la retraite ! Pourtant, ils avaient parlé de la former pour le poste d'assistante de direction. Qui l'aurait crû ? La petite Janey Webster, promue à un poste de cadre ?

On frappa à ce moment un coup sec à la porte. Robert se tenait devant elle, mince et élancé. Avec ses cheveux argentés et ses yeux bleu clair, pétillant d'intelligence, il semblait sortir tout droit des pages d'un magazine pour hommes.

— Vous n'êtes pas encore prête ? demanda-t-il en tapotant sa montre. Cela fait dix minutes que nous attendons ces rapports !

S'il avait l'air vaguement contrarié, sa voix était aussi cour-toise qu'à l'ordinaire, et la secrétaire sentit un délicieux frisson lui parcourir l'échine. *Robert Kelstrom. Mme Robert Kelstrom. Jane Kelstrom.*

Il lui arrivait, par moments, de griffonner toutes les combinaisons possibles de leurs deux noms en rêvassant devant son bureau, avant de passer ces pages au destructeur de documents, afin que personne ne tombe dessus.

— Jane !

Il la considérait d'un air bizarre. A son grand embarras, elle se rendit compte qu'elle le dévisageait depuis un moment et rougit violemment.

— Oui, monsieur... Je suis navrée. J'ai voulu vérifier mes comptes une fois de plus.

Il s'enfonça sans bruit dans le couloir. Il était toujours très silencieux, car il portait de fabuleux mocassins italiens, couleur crème, avec des semelles de crêpe. Parfois, il la surprenait en se matérialisant soudain devant son bureau, sans qu'elle l'ait entendu arriver.

Elle le suivit jusqu'au bureau de Ian et hésita un instant, ne sachant trop ce qu'on attendait d'elle. D'ordinaire, elle entrait, tendait les documents demandés et ressortait aussitôt. Cette fois, Ian se glissa derrière elle et ferma la porte d'un geste ostentatoire.

Il jeta un coup d'œil furtif en direction de Robert qui, croisant les bras sur son énorme bureau directorial, en chêne massif, sourit à la jeune femme avec bienveillance.

— Avez-vous réfléchi à notre dernière conversation, madame Webster ?

— Oh, oui ! répondit-elle, transportée d'émotion.

Robert vint s'asseoir sur la chaise à côté de la sienne.

— Ce n'est pas une mince affaire, que de passer des Ressources humaines à la Direction. Vous vous sentez prête à relever le défi ?

— Je... Je crois, oui.

— Robert m'affirme que vous avez un profil très prometteur, enchaîna Ian, tripotant son stylo en or. Vous avez bien compris que vous travailleriez sous ses ordres ?

— Oui, monsieur.

— Lorsqu'on est promu à un poste aussi élevé, on est plus impliqué, reprit Robert. Vous ne seriez plus une simple employée, une collègue en mesure de faire des confidences à la pause-café, vous savez !

— Je comprends.

— Et les promotions font parfois des jaloux !

Il se retourna sur son siège, posa nonchalamment son coude sur le dossier de celui de la jeune femme et la regarda droit dans les yeux.

— Or, parfois, on est tenté de colporter quelques ragots, ne serait-ce que pour conserver ses anciens amis. Il vous faudrait avoir une éthique irréprochable, quant aux secrets de l'entreprise.

— Bien sûr ! Sans aucun problème !

— Robert vous fait un bien piètre tableau de ce qui représente une grande chance pour vous, déclara Ian en réprimant un petit rire. J'espère…

Le téléphone retentit.

— Excusez-moi. J'avais demandé à Marcy de ne pas nous interrompre… Cela doit être important !

Il décrocha et fit pivoter son fauteuil vers la fenêtre.

Une minute plus tard, il se retourna vers ses interlocuteurs.

— Je crains que nous ne devions poursuivre cet entretien un autre jour. Vous acceptez le poste que nous vous proposons ?

— Oui. Oui, avec gratitude !

— Parfait, dit-il avec un vague geste de la main, lui signifiant qu'elle pouvait disposer. Bienvenue à bord ! Robert, tu as les offres pour la lanoline de la crème pour les mains ? demanda-t-il, en s'emparant des dossiers que Jane avait déposés sur son bureau.

La jeune femme se leva, ne sachant trop que faire dans l'immédiat.

— Merci. Je vous remercie de tout cœur, monsieur. Et vous aussi, monsieur Kelstrom !

Ni l'un ni l'autre ne parurent s'apercevoir de son départ. Vaguement déçue, elle se dirigea vers la porte. Toutefois, le temps qu'elle atteigne son bureau, elle avait retrouvé toute son exaltation. Elle avait été promue ! Et Robert l'appréciait réellement ! Ils allaient beaucoup travailler ensemble, désormais. Qui sait où cela pouvait les mener ?

Elle consulta le calendrier et sourit. Robert l'avait déjà emmenée déjeuner une fois, et Thanksgiving était proche. Il se pouvait qu'il l'invite à cette occasion... A moins qu'il n'accepte qu'elle lui prépare la meilleure dinde qu'il ait jamais goûtée...

D'ici à Noël, ils en seraient à échanger des présents, de bon goût, certes, mais relativement intimes. Et, à la Saint-Valentin, elle serait peut-être la femme la plus heureuse du monde. Qui aurait pu penser qu'en si peu de temps, son existence changerait de manière si radicale ?

Un léger doute la talonnait, qu'elle s'efforça d'ignorer. Jusqu'ici, sa vie n'avait pas été bien excitante, se résumant à un mariage auquel elle n'aurait jamais dû consentir et à des années de labeur bien mal récompensé.

Elle méritait cet avant-goût du bonheur. Pourquoi chercher la petite bête et risquer de gâcher la chance de sa vie ?

Ollie entra précipitamment dans le bureau de Nathan, la mine grave.

— Je viens de recevoir un appel de ma cousine Sheila. Il y a eu une fusillade chez les Lund.

Nathan jeta un coup d'œil à son téléphone, avant de s'attarder sur le visage horrifié de sa secrétaire.

— Un accident ? s'enquit-il, en attrapant ses clés de voiture. Il y a des blessés ?

— D'après ce qu'elle m'a dit, il est trop tard. Ria et Vince sont morts tous les deux.

Nathan laissa échapper un grognement furibond. Dans cette bourgade, les gens tendaient à appeler son bureau plutôt que de composer le numéro d'urgence, perdant ainsi les précieuses secondes qui pouvaient tout changer.

— Elle en est sûre ?

Ollie ne put contenir ses larmes plus longtemps.

— Pauvre Ria ! C'était une de mes meilleures amies. Qui aurait pu penser...

— Vite, Ollie... Je dois me rendre là-bas ! lança Nathan en contournant son bureau. Que vous a dit Sheila, exactement ? demanda-t-il, en posant les mains sur les épaules de sa secrétaire.

— Elle... Elle était allée chercher Ria pour le repas des bénévoles, à l'église Saint-Patrick. Quand elle est arrivée... Il y avait du sang partout. Ils étaient morts tous les deux !

La relâchant, Nathan se tourna vers la porte.

— Appelez le central et demandez qu'on nous envoie les enquêteurs et l'équipe médicale d'urgence. Je déciderai sur place s'il me faut l'aide des enquêteurs de Minneapolis pour rassembler les indices. J'y vais !

Toutes lumières clignotant et la sirène hurlant, il réussit à atteindre la petite ferme, au nord de la ville, en quatre minutes. Hélas, un seul coup d'œil lui suffit pour comprendre qu'il n'y avait plus urgence.

Sheila était assise sur les marches, à l'arrière de l'impeccable maisonnette de deux étages, et sanglotait, la tête entre les mains. Elle marmonna des paroles incompréhensibles en lui indiquant la porte.

Vince Lund, un homme de large carrure, d'environ quarante-cinq ans, gisait sur le ventre, au milieu de la cuisine, un semi-automatique à ses côtés. Une traînée de sang s'échappait de la blessure nette, sous sa mâchoire, et la balle, en ressortant, avait projeté de l'hémoglobine sur le mur derrière lui.

Le mélange de poudre et de suie, entourant l'endroit par lequel la balle était entrée, laissait supposer qu'il s'agissait d'un suicide.

Une cartouche brillante de 223 se trouvait près du corps. Vu la quantité de poudre contenue dans une cartouche de cette taille, la balle en elle-même s'était probablement fichée dans le mur.

Nathan enfila une paire de gants en latex, enjamba le corps et alla examiner le salon. Des traces rouges de mains, sur les cloisons, ainsi qu'une autre, de sang, sur le parquet, suggéraient que Ria avait essayé de s'enfuir.

Il la trouva à plat ventre, elle aussi, dans la plus grande chambre, au premier étage. Elle portait toujours son jean et un sweat-shirt tout simple. Elle n'avait donc pas eu le temps de se préparer pour le déjeuner.

S'agissait-il d'un meurtre, suivi d'un suicide ? Vince avait-il pourchassé son épouse terrorisée, avant de retourner son arme contre lui ? Un Colt AR-15, en mode semi-automatique, pouvait tirer trois balles d'un coup. Avec un peu de chance, Ria était morte rapidement.

Nathan s'accroupit et appuya deux doigts sur la gorge de la victime, avant de les porter à son poignet, pour comparer. Elle était fraîche, et la rigidité cadavérique avait déjà atteint les muscles de son cou. Le décès remontait à six heures, peut-être moins. L'équipe du médecin légiste établirait plus précisément la chose.

S'emparant de son téléphone portable, il appuya sur la touche de raccourci pour demander de l'aide supplémentaire, avant de contempler la femme à ses pieds. L'espace d'un instant, il revit son sourire chaleureux. Vince et Ria lui étaient toujours apparus comme le couple parfait, heureux, se taquinant dans les allées du supermarché, travaillant bénévolement pour plusieurs associations de la petite communauté. Que s'était-il passé ?

Quelques minutes plus tard, des véhicules divers encombraient l'allée. Des voitures de patrouille. Une ambulance. La camionnette d'urgence locale. Celle des enquêteurs du comté de Jefferson. Il faudrait des heures à l'unité de Minneapolis pour arriver, à cause de son éloignement.

Nathan s'effaça pour laisser travailler les enquêteurs et les photographes. Au beau milieu de toute cette agitation, il regarda par la porte ouverte et vit le visage décomposé de Sheila.

Une femme officier de police l'emmenait au loin, un bras réconfortant passé autour de ses épaules. Toutefois, son expression d'incrédulité totale et ses yeux remplis d'effroi n'échappèrent pas à Nathan.

« D'abord, songea-t-il, la blessure par balle de Léon, et à présent… On a toujours du mal à croire que de telles horreurs puissent se produire dans une petite ville comme la nôtre, et toucher des gens qu'on connaît. »

Toutefois, il y avait autre chose. Quelque chose le titillait, sans qu'il parvienne à savoir quoi, au juste. Quelles que soient les conclusions des experts, il n'abandonnerait pas la partie tant qu'il n'aurait pas la certitude que le mystère était élucidé.

Le mercredi matin, au cours de son jogging, Sara décida de passer voir le shérif adjoint à son bureau.

Cela faisait plus d'une semaine qu'ils étaient allés pêcher… Depuis ce baiser qui l'avait bouleversée, capturant son cœur.

Elle s'était surprise à guetter Nathan, en ville, à se demander ce qu'il faisait, où il se trouvait. Elle s'était même inquiétée de sa sécurité.

D'où provenait un tel sentiment ? Elle était là pour poursuivre sa surveillance, observer l'activité croissante de l'usine et rédiger des rapports.

Ce n'était vraiment pas le moment de s'enticher du représentant local de l'ordre qui, malheureusement, pouvait très bien être au courant des activités illégales de l'usine. Il touchait peut-être même de l'argent pour fermer les yeux…

Seulement, il lui fallait quelques renseignements. Les gros titres des journaux de la veille avaient été plutôt terrifiants : « RYANSVILLE — MEURTRE SUIVI D'UN SUICIDE ». Les articles, en revanche, n'apportaient que peu de précisions quant aux deux décès.

Dans une bourgade tranquille telle que la leur, où le moindre étranger était susceptible de faire l'objet de la rubrique *people*, la tragédie s'étalait sur trois pages, étoffée par des interviews des voisins et amis du couple. Tous les témoignages concordaient : il s'agissait d'une union solide, entre deux personnes également actives, que ce soit dans leur paroisse ou au service de la commune.

Sara en avait discuté, de manière anodine, avec les commerçants, et aucun d'eux n'avait fait la moindre allusion à un éventuel problème de couple ou à un épisode adultérin. Quant à Allen, la veille au soir, il avait été incapable de lui fournir la moindre information concernant les rapports balistiques. Nathan, lui, possédait sans aucun doute ces précieux renseignements.

Elle prit une profonde inspiration et pénétra dans la pittoresque bâtisse de briques. Ollie leva le nez et la considéra sans sourire.

— Il est dans son bureau. Vous pouvez entrer.

— Merci !

Par la porte ouverte, elle vit que deux épais dossiers traînaient sur un coin de sa table, tandis que trois autres étaient étalés devant lui.

Elle l'examina pendant quelques secondes, s'efforçant de maîtriser les battements de son cœur. Il n'était pas le seul homme à être pourvu de cheveux noirs, de mâchoires solides, de fossettes… d'un sourire ravageur.

C'est alors qu'il leva la tête. Voyant la lueur familière dans ses yeux et les croissants profonds creusés dans ses joues hâlées, elle songea qu'avec la meilleure volonté du monde, elle n'aurait pu maîtriser les battements de son cœur.

— Ollie m'a dit que je pouvais entrer !

Nathan referma ses dossiers, recula de son bureau et croisa une jambe sur son genou. A présent, elle distinguait les cernes sous ses yeux et la tension autour de ses lèvres.

— Elle essaye de me faire prendre une pause !

Sara tira une chaise. Lorsqu'elle s'assit, Harold fit de même.

— Vous travaillez sur l'affaire Lund ?

Il hocha la tête, sans répondre.

— C'est plutôt bizarre, vous ne trouvez pas ? Deux personnes tout à fait équilibrées… Un couple parfait…

Il leva un sourcil interrogateur.

— Du moins si l'on en croit l'opinion publique, expliqua-t-elle avec un sourire contrit. Je n'ai pas échappé aux ragots, vous savez !

— C'étaient de braves gens. Vous les avez connus ?

— Je ne me souviens pas d'eux. D'après les journaux, ils avaient tous deux plus de quarante ans… Ce qui fait d'eux mes aînés, d'une dizaine d'années. Ils semblaient appréciés de tous… Pensez-vous vraiment qu'ils aient été susceptibles… Je veux dire… Vous croyez que l'on peut croire ce que racontent les journalistes ? Qu'il s'agit véritablement d'un assassinat, suivi d'un meurtre ? Et s'il s'agissait d'un homicide maquillé ?

Une lueur d'émotion traversa le visage de Nathan, poussant Sara à se demander s'il éprouvait quelque scepticisme, lui aussi.

— J'ai retrouvé la carabine à côté du cadavre de Vince.

Elle pesa soigneusement ses mots et finit par hausser les épaules.

— Je regarde sans doute trop de séries policières, à la télé. Pourtant, je me demande si cette carabine lui appartenait vraiment. Un intrus aurait très bien pu s'introduire chez eux et…

182

— Je confirme ! Vous regardez trop la télé !

— Vous ne pensez pas que ce soit possible ? insista-t-elle.

— Tout est possible ! Nos enquêteurs et ceux de Minneapolis poursuivent leurs recherches. Et moi aussi.

— Et les balles ?

— Les balles ?

— Ont-elles toutes été tirées avec la même arme ?

— Je suis désolé, répondit-il, les lèvres pincées. L'enquête est en cours et je ne peux pas en parler.

— Bien entendu. Je comprends. Seulement, je ne peux m'empêcher de faire le rapprochement avec…

Elle secoua la tête.

— … avec ce pauvre vieil Earl, décédé dans la forêt. Et avec Léon, sur qui l'on a également tiré. Bien sûr, ce Vince peut très bien avoir été complètement fou sans que personne ne s'en soit aperçu… Il a pu provoquer la mort de Earl, sans attirer les soupçons, et tirer sur son fils ensuite. Vous ne pouvez pas faire des tests balistiques ou quelque chose du genre ?

— Comme je viens de vous le dire, les enquêteurs travaillent sur cette affaire.

— Je…

— Si vous savez quoi que ce soit sur cette affaire, Sara, vous devez me le dire maintenant, lança Nathan en plissant les yeux. Avez-vous vu quelque chose de suspect ?

— Non… pas du tout ! répliqua-t-elle en le gratifiant d'un demi-sourire. Je n'arrive pas à oublier cette vision du vieux Stark, c'est tout… Et je pense souvent à son fils qui a été blessé, moins d'une semaine après son décès. Je commence à avoir peur de sortir seule. Si ça se trouve, un psychopathe se promène dans la nature !

— Je ne pense pas qu'il y ait lieu de s'inquiéter.

Son ton ferme lui indiqua qu'elle en avait assez dit. En continuant, elle risquait de le rendre suspicieux. Pour l'instant, l'affaire était entre les mains de Nathan.

— Merci, dit-elle en se levant. J'avais un peu peur, et je me sens mieux, à présent. Je vais vous laisser travailler…

Elle avait presque atteint la porte de son bureau lorsqu'il la rappela.

— Je ne vous ai pas beaucoup vue, ces derniers jours ! dit-il en se massant le cou, d'une main lasse. Vous êtes allée voir Léon ?

— Façon de parler, répondit Sara en s'esclaffant. A mon avis, il m'en veut toujours d'avoir prévenu les urgences, la nuit où il a été blessé.

— Il refuse de vous parler ?

— Oui. Et pas seulement à moi. Il ne laisse même pas entrer l'aide ménagère du comté, et cela fait une semaine qu'on essaye de lui livrer ses repas, sans succès.

— Il est peut-être malade !

— L'assistante sociale est parvenue à le convaincre de lui ouvrir sa porte, hier. D'après elle, la maison est relativement bien tenue et il a l'air en assez bonne santé. Sa plaie semble cicatriser rapidement… Il l'a même autorisée à lui apporter des provisions. Il semblerait que son garde-manger soit plutôt bien rempli, cependant… Earl devait acheter des conserves par cartons entiers !

— Elle n'essaye pas de l'enrôler dans une des associations de la ville, au moins ?

— Non, Dieu merci ! Apparemment, il s'en sort plutôt bien, pour l'instant. Il doit se sentir un peu seul, néanmoins. Alors, je continue d'essayer de lui rendre visite.

— C'est très gentil de votre part, dit Nathan avec un sourire. Vous avez eu mon message ?

— Hum. Oui. Désolée de ne pas vous avoir rappelé.

Il lui avait téléphoné pour savoir quand il pouvait l'inviter à dîner pour s'acquitter de sa dette : c'était indéniablement elle qui avait attrapé le plus gros poisson.

Sara avait effacé le message.

Plus elle le voyait, plus elle se berçait de fantasmes impossibles. Elle ne devait pas oublier qu'une fois cette affaire terminée, elle rentrerait à Dallas.

Elle n'avait aucun avenir, ici, à Ryansville et même si elle en avait eu un, il lui suffisait de songer à l'immense richesse de la famille Roswell, ainsi qu'au milieu social dans lequel elle évoluait.

Il n'y avait pas de place pour une femme comme elle, dans cette vie-là.

15.

— Tu ne te décourages pas facilement, hein ! lança Bernice en souriant malgré elle à sa fille.

Sara lui tendit son long manteau gris, l'incitant à l'enfiler.

— Non ! reconnut-elle. Regarde un peu, dehors !

Bernice jeta un regard dubitatif à travers la fenêtre. De gros flocons de neige tourbillonnaient doucement, contrastant avec le vert sombre des sapins, dans la rue.

— Il neigeote, et alors ? C'est le début d'un hiver interminable et, selon toute vraisemblance, nous aurons largement notre comptant de neige, cette année !

— Maman… Ce sont les *premières* neiges ! Tu ne trouves pas cela magnifique ?

— Si, tant que je n'en ai pas un mètre cinquante devant ma porte… Tant que des congères énormes, aux croisements, ne m'empêchent pas de voir arriver les voitures.

Sara s'efforça à grand-peine de garder sa bonne humeur.

— Nous sommes presque à la mi-novembre, tu sais ! Elle arrive vraiment tard, cette année ! ajouta-t-elle, en tendant à sa mère ses bottines fourrées. Et d'après la météo, il devrait en tomber une bonne dizaine de centimètres. Songe qu'à Dallas, je fais un film quand nous avons trois malheureux flocons !

— Tu n'avais qu'à pas partir si loin ! commenta Bernice, les lèvres pincées.

C'est ainsi que la vieille dame confessa à sa fille que cette dernière lui manquait. L'allusion à peine voilée à sa solitude interpella Sara.

— Tu as sans doute raison… Tu te rappelles à quel point j'aimais les tempêtes de neige, étant petite ? Je me pelotonnais sous mes grosses couvertures, en écoutant la liste des fermetures d'écoles, sur KBRS, et en priant pour que celle de Ryansville en fasse partie… Tu te souviens ?

— Oui.

— Je sens encore l'odeur du cacao et de la bouillie d'avoine parfumée à la cannelle que tu nous préparais, ces jours-là. Avec Kyle, on faisait des dessins sur les vitres gelées et on se fabriquait des forteresses à base de couvertures, dans le salon…

— Cette époque a passé trop vite, même si les temps étaient durs.

— *C'était* une époque merveilleuse, maman. J'en garde un excellent souvenir !

— C'est vrai ?

D'ordinaire, Bernice ne parlait du passé qu'avec amertume. Aujourd'hui, pourtant, sa voix était teintée d'une note mélancolique.

— J'aurais tellement voulu mener une existence plus facile…, poursuivit-elle lentement, en enfilant une épaisse paire de gants de laine. Kyle n'aurait certainement pas…

— Tu as fait ce que tu pouvais, coupa Sara, en étreignant brièvement sa mère. Et Kyle a fait ses choix tout seul… Tu ne pouvais rien de plus pour lui. Je regrette seulement qu'il ne t'appelle pas plus souvent !

Ce qui était plus qu'improbable, comme elles le savaient toutes les deux. Adolescent rebelle, Kyle avait commis toutes sortes de délits mineurs. Indifférent aux prières de sa mère, il n'avait pas davantage été impressionné par les avertissements répétés des officiers de police.

Seul un miracle, ainsi que la patience du juge pour enfants du comté, lui avaient permis d'éviter la maison de redressement. Et tout ce temps, il n'avait jamais cessé de reprocher la moindre réprimande à sa mère et à son père décédé.

Sara décida que la promenade devait rester agréable. Ce n'était pas le moment de s'attarder sur le passé.

— Tu es prête ?

Elle siffla Harold, qui s'était allongé près du réfrigérateur, et sortit la première, attendant que sa mère ait verrouillé la porte. Elle devait être la seule habitante de Ryansville à prendre cette peine.

Les deux femmes descendirent la rue, Sara savourant le picotement glacé des flocons sur ses joues.

— Ça me fait tourner la tête, de les regarder ! lança-t-elle en serrant le bras de Bernice.

Elles avaient parcouru une centaine de mètres lorsque Bernice se tourna vers elle en soupirant.

— Je... Je voudrais te remercier.

— C'est génial d'être dehors, non ?

La neige tombait plus fort, à présent, et les arbres et les buissons en étaient déjà recouverts.

— Attends un peu le mois de janvier ! reprit Sara. Les vents glaciaux feront chuter la température à moins dix !

— Je ne parlais pas de cela...

Elles s'arrêtèrent au coin de la rue des Peupliers et de la Grand-rue, où de jeunes mères se hâtaient de rentrer chez elles, suivies par leurs enfants qui soulevaient des nuages poudreux, du bout de leurs bottes. Les automobilistes avançaient prudemment sur le macadam glissant.

— Qu'est-ce qu'on fait ? s'enquit Sara. On rentre ? Je ferais peut-être bien de te ramener chez toi avant que ça ne s'aggrave, non ?

— J'aimerais...

Bernice prit une longue inspiration.

— J'irais bien au salon de thé.

Abasourdie, Sara se tourna vers elle.

— C'est vrai ?

— Je prendrais volontiers un café. Pas toi ? Je… Tu crois que ton chien se tiendra tranquille ?

— Bien sûr ! Le jour où Harold a effrayé les passants, il croyait bien faire : il s'était porté au secours de Josh. Il peut rester dehors. Il sera sage !

Elle l'attacha soigneusement à un panneau, devant le salon de thé, lui ordonna de l'attendre et suivit sa mère jusqu'à une table, d'où elle pouvait le surveiller.

Il n'y avait aucun client sur les banquettes de bois longeant les murs. Un vieil homme, assis à une table centrale, leva la tête et leur fit un signe de la main, avant de reprendre la lecture du journal étendu devant lui.

Bernice s'était raidie en s'asseyant, les joues pâles et le regard rivé à la table. Au bout de quelques minutes, elle examina subrepticement la pièce.

— Détends-toi, maman. Il n'y a quasiment personne ! Je suis ravie que tu aies eu cette idée !

Tout en dégustant un café fumant et une tarte aux framboises, Sara, dans un effort suprême pour rompre le silence, babilla joyeusement sur le temps, sur son lycée et sur les changements subis par la ville…

Petit à petit, Bernice se détendit. Elle avait mangé la moitié de sa pâtisserie lorsque, écartant son assiette, elle contempla ses mains une seconde, avant de relever la tête. Ses yeux brillaient de larmes.

— C'est… *difficile*, pour moi, tu sais !

— Je sais, maman…, dit Sara, lui prenant les mains. Mais reconnais que c'est bon de sortir de nouveau !

— Bien sûr ! admit Bernice avec un sourire. Je commence même à apprécier ! Merci, Sara… Pour tout ce que tu as fait pour moi. Ton retour à Ryansville… Ta patience d'ange…

— Tu es ma mère… et je t'aime !

— Et ça n'a pas toujours été facile, n'est-ce pas ?

Les lèvres tremblantes, Bernice baissa la tête.

— J'ai commis tant d'erreurs… C'est ma faute si tout cela nous est arrivé… A nous et à Kyle.

— Absolument pas ! Tu ne pouvais rien faire !

Bernice ne répondit pas immédiatement. Au bout d'un long moment, elle soupira de nouveau.

— Si ! Et bien plus que tu ne le penses. Je me sentirai coupable jusqu'à ma mort… Et il m'arrive même de prier pour que ce jour arrive enfin ! acheva-t-elle, d'une voix à peine audible.

Le lundi matin, Nathan se présenta chez Sara, un sachet de viennoiseries dans une main, un os en caoutchouc dans l'autre.

Sara n'eut pas le cœur de le renvoyer : une odeur alléchante de caramel et de cannelle s'échappait du sachet et, à ses pieds, Harold bavait déjà d'impatience.

Ils avaient discuté pendant une bonne heure et à présent, Nathan, renversé dans le fauteuil face au sien, son sourire sexy et nonchalant aux lèvres, lui relatait quelques anecdotes de sa vie d'officier de police.

Si elle ne doutait plus de son intégrité, il n'en restait pas moins qu'elle devrait repartir, une fois sa mission terminée. Elle pouvait être son amie… *Rien d'autre*. Or, elle avait de plus en plus en plus de mal à garder cette réalité en tête.

Le simple fait d'écouter le son de sa voix grave et forte lui donnait la chair de poule. Elle était sans doute toujours sous le coup de leur dernier baiser.

— 19 heures, ça vous convient ?

Sortant de sa rêverie, elle leva les yeux vers lui. Il l'observait, l'air prodigieusement amusé.

— Comment ?

190

Ses rides d'expression s'approfondirent encore.

— Pour dîner, samedi soir.

Il consulta sa montre, se leva et alla déposer sa tasse dans l'évier.

— Il faut que j'y aille, reprit-il. J'ai une réunion avec le conseil municipal dans dix minutes.

Elle le rattrapa à la porte.

— Attendez… Je ne crois pas…

— Je vous dois un dîner ! objecta-t-il, une lueur enjouée dans les prunelles. On a bien parié, pendant notre partie de pêche, non ?

— Ce n'est vraiment pas la peine !

— Oh, que si ! murmura-t-il.

Sara le fixa du regard, et tout disparut autour d'elle. Les yeux de Nathan étaient remplis d'une chaleur et d'une sensualité à peine dissimulées.

Il posa sa bouche sur la sienne, doucement, comme s'il craignait sa réaction. Toutefois, lorsqu'elle répondit à son baiser, il s'enhardit à un point qui ne laissait aucun doute sur ce qu'il désirait. Et force lui fut de se faire une raison : elle le désirait également.

Refermant ses mains sur sa nuque, elle l'attira plus pleinement contre elle…

Sentant soudain la pression de sa lourde ceinture contre l'étoffe fine de son chemisier, ainsi que le métal froid de son badge, elle revint à la réalité.

— Je dois y aller, lui chuchota-t-il à l'oreille.

— Attendez une minute…

— Samedi soir, 19 heures !

Elle n'eut pas le temps de retrouver l'usage de la parole : il était sorti et dévalait déjà les marches.

Debout devant sa porte ouverte, elle le regarda s'éloigner, les pneus de sa voiture laissant de grandes stries dans la neige fraîche. Quand le véhicule eut disparu, elle fut prise d'un fou rire irrésistible. Il ne lui avait pas demandé son avis. Il avait manœuvré pour l'inviter, l'empêchant ainsi de refuser. Par ailleurs, comment aurait-elle pu dire non à un homme qui embrassait si divinement bien ?

— Pour un représentant de la loi, vous êtes bien sournois, monsieur Roswell, marmonna-t-elle.

Elle referma sa porte, songeant qu'il lui aurait été si doux de mieux le connaître...

Le lendemain, Sara frappa bruyamment chez Léon, avant de reculer de quelques pas pour voir si quelque chose bougeait derrière les rideaux. Harold était assis, balayant la neige de la queue, les yeux rivés sur la porte.

— Léon ! Harold sait que vous êtes là ! Je vous ai apporté une surprise...

Il ne répondit pas. Quelle tête de mule ! Deux semaines s'étaient écoulées depuis qu'il avait été blessé, et elle passait presque chaque jour, sans qu'il accepte de lui ouvrir sa porte. Et si l'assistante sociale et l'infirmière à domicile étaient parvenues à examiner sa plaie, la chose s'était faite sur la terrasse : il ne les avait pas laissées entrer.

La femme de ménage qu'on lui envoyait deux fois par semaine n'avait pas eu plus de succès. Désormais, elle se contentait de lui apporter des produits frais, qu'elle déposait devant chez lui. Dieu seul savait dans quelle crasse vivait Léon, mais au moins, il acceptait la nourriture...

— J'ai un cadeau pour vous, Léon ! cria Sara. Vous ne voulez pas voir ce que c'est ? Je vous ai aussi apporté quelques douceurs. Si vous ne nous ouvrez pas, c'est nous qui allons les manger !

Le chien remua la queue avec une ardeur renouvelée et, se relevant, se mit à gémir. Quelques secondes plus tard, la porte s'entrouvrit et Léon apparut, la mine renfrognée.

Sara lui montra un paquet, enveloppé dans un papier rouge vif.

192

— Voici pour vous ! Seulement, je refuse de vous le passer dans l'embrasure de la porte. Vous devrez venir le chercher !

Il hésita encore un instant. Finalement, la porte s'ouvrit en grinçant et Léon sortit sur sa terrasse. Lorsqu'elle lui tendit le cadeau, il le regarda fixement pendant une bonne minute.

— Vous pouvez l'ouvrir, vous savez ! Vous voulez que je vous aide ?

Il secoua la tête sans lever les yeux. Il inspecta le paquet sous toutes les coutures, une expression émerveillée sur le visage. Etait-ce la première fois qu'on lui offrait quelque chose ? Le vieil Earl aurait laissé passé les anniversaires et les Noëls sans la moindre marque d'affection ?

Avec moult précautions, il finit par déballer l'objet et découvrit une petite boîte en carton.

— Faites attention ! C'est fragile !

Il parut immensément surpris par le polystyrène remplissant la boîte, mais, une fois qu'il eut trouvé l'objet qu'il renfermait, ses yeux s'illuminèrent de bonheur.

Sara avait déniché une boîte à musique en forme de piano, dans une petite boutique, en lisière de la ville. Certes, vingt dollars, ce n'était pas une petite somme, pour un objet qui pouvait si facilement être perdu ou endommagé, dans un intérieur comme celui de Léon. Toutefois, lorsqu'elle avait vu le titre du morceau joué par l'automate, elle n'avait pas eu le choix.

Elle lui montra comment s'y prendre pour le remonter et, à la grande joie de Léon, une version cristalline de la *Lettre à Elise* s'éleva dans les airs.

— Ça vous rappelle quelque chose ? Je vous ai entendu jouer cela… Vous me le jouerez bien, un de ces jours ?

Soudain méfiant, il recula d'un pas. Il était à deux doigts d'aller se réfugier à l'intérieur. Craignant de perdre son avantage, elle se saisit du sac de provisions posé à ses pieds.

— Je vais vous quitter, à présent, Léon. Il y a quelques douceurs, là-dedans. Ça devrait vous plaire !

En retournant vers le portail, elle entendit crisser le bruit de la Cellophane, ainsi que la boîte à musique, qui égrenait de nouveau ses notes de piano.

Elle se retourna et vit Léon, un paquet de gâteaux dans une main, la boîte à musique dans l'autre. Jamais elle n'avait vu une telle expression de ravissement sur un visage.

Avant de quitter définitivement la ville, elle avait bien l'intention de veiller à ce qu'il ait mieux à faire que de languir dans son taudis, des semaines entières, sans voir âme qui vive.

En arrivant chez elle, après avoir promené son chien, le vendredi après-midi, Sara trouva un fax sur sa machine.

« Ce n'est pas trop tôt ! » songea-t-elle, en s'emparant du document, avant d'aller s'asseoir sur le rebord de son lit.

Depuis son arrivée à Ryansville, neuf semaines auparavant, elle surveillait l'usine chaque nuit et faxait des rapports réguliers à la DEA de Minneapolis, ainsi qu'à l'antenne de Fargo. Toutefois, elle n'avait pas beaucoup de retours.

Le fax qu'elle tenait en main avait été rédigé par l'agent spécial Allen Larson, dans le style concis qui lui était propre.

« Selon nos experts en balistique, les armes utilisées pour l'affaire Lund et l'affaire Stark sont les mêmes. Le AR-15 a été enregistré au nom de Vince W Lund, en date du 15 juin 2001. Aucune déclaration de vol avant la mort de son propriétaire. Pas de casier judiciaire pour le couple Lund.

» Par ailleurs, un rapport de nos bureaux de Seattle prévoit l'arrivée d'une grosse cargaison, juste après le réveillon du nouvel an. Nous vous préviendrons dès que nous en saurons plus. »

Sara s'empara des oreillers, à la tête de son lit, tapa dessus et les empila confortablement, puis, s'y appuyant, ferma les yeux.

Ainsi, elle avait eu raison. Bien sûr, cela ne répondait pas à toutes les questions qu'elle se posait. La nécrologie des Lund lui avait appris que Vince avait travaillé à l'usine pendant plus de dix ans, et qu'il appartenait au conseil de l'Eglise luthérienne depuis plusieurs années. C'était un homme exceptionnel, membre actif de diverses associations, religieuses ou communales.

Néanmoins, il avait pu traverser des périodes difficiles, sur le plan financier. Et être attiré par des activités qu'il n'aurait pas pratiquées en temps normal… A moins qu'il n'y ait été contraint.

D'un autre côté, il se servait peut-être très rarement de sa carabine, et il était possible qu'elle ait été volée à son insu. Il y avait forcément, à l'intérieur de l'usine, un bon nombre de gens rêvant de faire porter le chapeau à une tierce personne.

Sara sortit son ordinateur portable de l'endroit où elle le cachait, dans le placard, le brancha sur la prise téléphonique, et envoya un e-mail à Allen.

« Je voudrais connaître l'historique financier des Lund, le plus rapidement possible. Emprunts exorbitants, gages, taux de crédit, saisies d'huissiers… Tout ce qui pourrait avoir été une importante source de stress. »

L'affaire était déjà terrible, dans l'hypothèse où il s'agissait bien d'un meurtre, suivi d'un suicide. Dans le cas contraire, on avait affaire à un double homicide, ce qui signifiait qu'un tueur sans merci se promenait impunément dans les rues de Ryansville…

Et que l'heure était venue de prévenir les autorités locales.

Si terrifiante qu'avait pu être l'expérience, le fait d'avoir trouvé un homme mort dans les bois avait changé bien des choses pour

Josh, à l'école. Par ailleurs, la rumeur avait couru que Harold avait failli mettre les Weatherfield en pièces.

Des enfants qui jusqu'alors l'ignoraient, à l'heure du repas, rivalisaient désormais pour s'asseoir à sa table. Quelques filles le regardaient même avec admiration.

Malheureusement, les frères Weatherfield, eux, n'avaient pas changé d'attitude.

— Hé, face de grenouille ! T'es pas allé taquiner le macchabée, ces derniers temps ? lui lança Thad, au moment où les enfants passaient la porte principale de l'école. Ça doit pas être marrant d'avoir que des morts comme copains ! ajouta-t-il, lui administrant un grand coup de poing dans les côtes.

Ricky, debout en haut des marches, tendit la jambe en avant, au moment précis où Josh passait. Thad le poussa dans le dos.

Propulsé en avant, incapable de contrôler sa chute, Josh vit les couleurs vives des vêtements de ses camarades défiler devant ses yeux en un éclair, avant de se cogner le visage sur les marches en béton.

Son sac à dos lui heurta la nuque, faisant voler ses lunettes. A la douleur se mêla alors une rage folle : cela lui était arrivé si souvent ! Deux gamins se liguant contre lui pour l'humilier…

Autour de lui, des enfants se mirent à crier, un autre à ricaner.

Quand on lui avait proposé de sauter le CE2, l'idée d'être le plus petit de la classe ne lui avait pas paru insurmontable. A présent, il le regrettait. Il ne se passait pas une seule journée sans qu'il soit tourmenté, parce qu'il était le plus petit, le plus jeune et le plus faible… *Il était temps de réagir.*

Ses genoux écorchés le brûlaient. Un liquide chaud, au goût de métal, lui emplissait la bouche et… Oh, non ! L'une de ses dents de devant lui paraissait différente : elle était fendue en plusieurs endroits, et déchiquetée.

Même si l'un des Weatherfield avait le même âge que lui, et l'autre à peine un an de plus, tous deux étaient plus costauds que

196

lui. Pour l'instant, ils s'étaient retranchés derrière d'autres enfants, apparemment satisfaits de leur exploit.

Sans réfléchir, ne regardant même pas autour de lui pour voir s'il y avait des professeurs ou le principal dans les parages, Josh jeta son sac et, les poings serrés, fonça tête baissée vers Thad et Ricky.

Instantanément, les autres enfants s'éparpillèrent. Il y eut même quelques hurlements. Peu importait… Josh ne voyait que le sourire idiot de Thad… Qui se figea bien vite, se muant en expression de totale incrédulité.

Il donna un coup de tête dans l'estomac de son adversaire, le faisant se courber en deux. La vitesse les projeta tous deux en arrière et ils passèrent par-dessus la rampe métallique protégeant la descente.

Thad atterrit sur le dos, au beau milieu d'un buisson épineux, hurlant comme une fille, Josh toujours sur lui.

— Laisse-moi tranquille, ou tu le regretteras ! J'en ai assez, compris ?

Emporté par sa colère et son humiliation, Josh ponctuait ses paroles de coups de poing furieux dans les côtes de son tourmenteur.

Une main ferme l'attrapa par le col de sa veste, lui rappelant la présence de Ricky. Hurlant de rage, il se retourna, essaya de faire face à son deuxième ennemi… et se trouva nez à nez avec le principal. M. Swenson avait été champion de lutte, à l'université du Minnesota et, bien qu'âgé d'une bonne quarantaine d'années, il était resté très musclé. Etre envoyé dans son bureau constituait pour les élèves de l'établissement le châtiment suprême.

— Suis-moi immédiatement ! ordonna M. Swenson, sans relâcher son emprise.

Ces derniers mots eurent sur Josh l'effet d'une bombe. La tête basse, il s'exécuta, vaguement conscient des regards et des chuchotements qui accompagnaient son passage.

Eberluée, Dottie, la secrétaire de l'école, leva le nez.

— Joshua Shueller ?

— Appelez-moi sa mère ! Et trouvez l'infirmière scolaire. Elle doit être au collège, à cette heure-ci.

Josh, déjà terrorisé, commençait à se sentir mal. Son estomac le tourmentait, comme s'il s'apprêtait à vomir son repas.

La sanction qui l'attendait ici n'était rien en comparaison de la tristesse et de la déception que ne manquerait pas d'éprouver Zoé.

M. Swenson l'escorta fermement jusqu'à l'intérieur de son bureau, le relâcha, puis, reculant d'un pas, l'examina de la tête aux pieds.

— Tu veux aller aux toilettes ?

— N…

Josh déglutit péniblement.

— Non, monsieur.

— Alors, assieds-toi, reprit-il en désignant une chaise de bois rudimentaire, avant d'aller s'installer sur son fauteuil, de l'autre côté du bureau.

— Peux-tu m'expliquer ce qui se passe ?

C'était tellement, tellement injuste ! Josh jeta un rapide coup d'œil en direction de la fenêtre. Comme d'habitude, les frères Weatherfield avaient tiré leur épingle du jeu, et cela malgré leur cruauté. Josh, lui, encourait un nombre incalculable d'heures de colle… A moins qu'on ne le renvoie tout bonnement de l'école.

Hélas, en les dénonçant, il ne ferait qu'aggraver son cas. Il secoua lentement la tête, les yeux rivés sur ses mains égratignées.

— Dis-moi ce qui s'est passé !

Josh cilla pour refouler les larmes qui lui brûlaient les paupières. Il ne serait pas dit qu'on le verrait pleurer. Toutefois, quelque chose, dans l'intonation du principal, lui fit lever les yeux.

M. Swenson poussa vers lui une boîte de mouchoirs en papier.

— Tiens, fiston. Nettoie un peu ta lèvre.

Bon sang ! Au lieu d'être noirs de colère, les yeux du principal étaient presque… bienveillants. C'était impossible : même les élèves des écoles environnantes avaient entendu parler du directeur de l'école primaire de Ryansville.

— Ecoute, petit ! reprit M. Swenson, avec un sourire en coin. Quatre de tes camarades au moins se sont précipités ici, tout à l'heure, pour me raconter ce qui se passait. J'ai eu tout le mal du monde à me débarrasser d'eux pour aller voir par moi-même.

Josh le regarda, médusé. Il ne doutait pas un instant que Swenson avait déjà entendu une version des faits. Toutefois, ce n'était probablement pas en sa faveur.

— Alors ?

— Je n'aurais pas dû me battre, marmonna Josh.

— Et ?

— Je ne le ferai plus.

— Comment cela a-t-il commencé ?

Josh secoua la tête un peu trop vite. Ce mouvement lui donna un tel vertige que son estomac se souleva de nouveau.

On frappa doucement à la porte. M. Swenson regarda vers sa secrétaire.

— Vous avez pu joindre Mme Shueller ?

— Elle arrive ! Et l'infirmière sera là dans une dizaine de minutes.

— Et les Weatherfield ?

— Yvonne Weatherfield assiste à un congrès, à Minneapolis, mais l'employée de maison va essayer de joindre M. Weatherfield à son bureau.

M. Swenson laissa échapper un grondement de mécontentement, qui acheva de terroriser Josh. Pour une fois qu'il ripostait, le monde s'écroulait autour de lui.

Au bout de quelques minutes, il entendit des pas se précipiter dans le couloir, puis des voix familières, et bientôt, sa mère accourut, la mine très inquiète.

Elle posa des mains apaisantes sur ses épaules et, s'il avait été un peu plus jeune, il se serait probablement jeté dans ses bras.

— Oh, mon grand ! Que s'est-il passé ? murmura-t-elle. Toi qui ne te bats jamais !

Entendant d'autres pas approcher, Josh leva la tête. Sara, Timmy dans les bras, venait d'entrouvrir la porte.

— Salut, Josh ! Ta maman m'a demandé de la conduire en voiture… Voulez-vous que j'attende dehors ? demanda-t-elle au principal.

— Non ! intervint précipitamment Zoé. Je préfère que tu sois là.

M. Weatherfield entra à grandes enjambées, une minute plus tard. Ses sourcils froncés lui déformaient le visage.

— Que se passe-t-il ici, Swenson ? J'ai été obligé d'interrompre une réunion avec des clients de Chicago !

— Asseyez-vous tous ! répliqua Swenson en désignant les chaises disposées en demi-cercle autour de son bureau. Aujourd'hui, il y a eu une bagarre, devant trois professeurs et la plupart des élèves de cet établissement. Ce genre d'incident doit cesser. Nous allons discuter d'une sanction appropriée, et de la façon de nous assurer que cela ne se reproduira pas.

— C'est ce gamin ? lança M. Weatherfield, en foudroyant Josh du regard. Qu'est-ce qu'il a fait, au juste ?

Josh se tassa encore davantage sur sa chaise. Il aurait voulu disparaître. Ni l'étreinte de sa mère ni le sourire complice de Sara ne lui furent d'aucune aide.

— Il s'agit de vos enfants, Weatherfield ! Je viens d'apprendre qu'ils sont d'une cruauté rare avec cet élève, et depuis un bon moment !

— Des chamailleries de gamins ! rétorqua sèchement M. Weatherfield. Tout le monde connaît ça !

— Cet après-midi, ils ont fait tomber Josh, à la sortie de l'école, et devant témoins. Josh a dévalé les marches en ciment la tête la première, s'est cassé une dent de devant et s'est fendu la lèvre. Si les Shueller portent plainte, ce qui est leur droit le plus strict, vos fils encourent une sanction pénale ! Dottie ? reprit-il d'une voix plus dure. Faites monter Ricky et Thad !

16.

Lorsque Nathan arriva, vers 19 heures, le samedi, Sara avait l'estomac noué et s'était rongé deux ongles. Elle n'avait pas eu de véritable rendez-vous galant depuis la mort de Tony.

Nathan lui apparut, sûr de lui et terriblement beau, dans un impeccable pantalon kaki, mis en valeur par un chandail vert bouteille.

« Je suis trop habillée ! » Telle fut sa première réaction. Elle avait espéré que sa courte robe noire, rehaussée par une rangée de perles et des talons hauts, serait appropriée, quel que soit le restaurant où il avait choisi de l'emmener.

— Euh… Je devrais peut-être changer de tenue !

— Pas du tout ! Tu es ravissante !

Ils avaient enfin décidé de se tutoyer. Nathan caressa doucement sa chevelure rousse.

— On dirait de la soie…, murmura-t-il d'un ton rêveur.

Il se rapprocha encore un peu, si près qu'elle perçut la chaleur de son corps et l'odeur discrète de son après-rasage. Un frisson délicieux la parcourut de la tête aux pieds.

— Tu sens le muguet…, ajouta-t-il, lui effleurant une oreille du bout des lèvres.

A regret, il recula d'un pas.

— Si nous ne partons pas immédiatement, je n'aurai plus envie d'y aller du tout !

Il les conduisit jusqu'aux Quatre Saisons, un joli petit restaurant style années quarante, sur le lac Cormorant, où ils commandèrent du brochet et des crevettes à la noix de coco. Uniquement éclairé par de petites bougies, posées sur chacune des tables, l'endroit semblait leur appartenir, et leur intimité ne fut interrompue que par les allées et venues du serveur.

— Que fais-tu, pour Thanksgiving ? Tu vas quelque part ? s'enquit Nathan, lorsqu'on leur eut servi une mousse au chocolat onctueuse dans des coupes en cristal.

— Non ! Je serai seule avec maman… Et Kyle, si jamais il décide de faire une apparition, ce qui lui arrive rarement.

— Tu n'as pas d'autre famille ? demanda Nathan, les sourcils froncés.

— Ma mère a coupé les ponts avec la plupart de mes oncles et tantes, depuis… la mort de mon père, précisa-t-elle en haussant les épaules.

— Dans ce cas, vous devriez vous joindre à nous, toutes les deux, pour déjeuner ! D'ordinaire, nous recevons une douzaine de proches et au moins autant d'amis.

La fourchette en l'air, Sara essaya de se représenter sa mère — ou elle-même, d'ailleurs — dans ce contexte.

— Mmm… Je croyais que tu ne t'entendais pas très bien avec tes parents ?

— Ils font beaucoup d'efforts… et moi aussi. Alors, quoi qu'il arrive, nous passons les jours de fête ensemble.

— Ils ont dû avoir du mal à accepter que tu embrasses une carrière à laquelle ils ne s'attendaient pas !

— Tu sais, répondit Nathan en s'esclaffant, quand on dit que l'absence rapproche les gens, on a bien raison ! Papa et maman sont revenus de Floride depuis deux semaines, à présent, et je n'ai pas eu droit à une seule allusion concernant mon éventuelle reprise des sociétés familiales. Ils se sont peut-être enfin rendus à la raison… Qui sait ?

Les sociétés familiales… Si elle l'avait oublié, ces mots auraient suffi à lui rappeler à quel point leurs origines étaient différentes.

— Alors ? Qu'en dis-tu, pour Thanksgiving ?

— Ce serait trop pour ma mère, et je ne veux pas la laisser seule ce jour-là. Merci tout de même !

— Si jamais tu changes d'avis, l'invitation sera toujours valable !

Posant sa serviette, il lui tendit la main.

— Tu veux danser ?

Dans les bras de Nathan, une émotion sans mélange s'empara de Sara. Enivrée par sa chaleur et son parfum, elle se délecta de la puissance qui émanait de lui, sous la matière douce de son pull-over.

— Si tu ne veux pas partager notre repas de Thanksgiving, lui chuchota-t-il à l'oreille, il faut que tu fasses la connaissance de mes parents, samedi prochain !

— Ah bon ?

Ils s'étaient machinalement déportés du côté le moins éclairé de la piste de danse. Leurs pas ralentirent, et bientôt, ils ne bougèrent quasiment plus. Nathan prit la nuque de la Sara entre ses mains et lui effleura la joue d'un baiser. Lorsqu'il baissa la tête pour l'embrasser, elle crut que son cœur allait s'arrêter de battre.

Du bout des doigts, il lui souleva le menton et déposa un bref baiser sur ses lèvres, avant de faire glisser son pouce sur le bas de son visage.

— J'ai hâte de te présenter aux miens.

Ils dansèrent jusqu'à l'heure de la fermeture, sur les mélodies entonnées par les Golden Notes, un orchestre de la région, parfait pour ce genre de soirées… Trop parfait, même : Sara se sentait prête à succomber au charme du shérif adjoint de Ryansville.

Il ne s'agissait pas de le lui avouer ! Elle avait déjà reçu notification de sa prochaine mission, à Dallas. Si tout se déroulait comme prévu, elle repartirait dès le début du mois de janvier.

Et cette perspective n'avait plus aucun attrait à ses yeux.

— Ça s'est bien passé, avec ta mère, pour Thanksgiving ? lui demanda-t-il, le samedi suivant, en lui ouvrant la portière de sa voiture.

— Elle a accepté d'aller manger chez Josie, au lieu de cuisiner. Nous y sommes allés suffisamment tôt pour éviter la cohue des jours fériés. Le buffet était délicieux !

Il se pencha pour l'embrasser sur la joue et alla s'installer derrière le volant.

— Elle redoute le monde ?

— Oui…, bredouilla Sara, mais elle fait des efforts. Cette fois-ci, elle a même discuté cinq minutes avec un couple qu'elle connaissait vaguement.

Nathan traversa la nationale. Arrivé sur la grève, il s'engagea sur la route du lac Ryan, qu'ils suivirent sur les derniers trente kilomètres du trajet.

— J'ai le sentiment que tu ne m'accompagnes pas le cœur gai, dit-il, lui jetant un rapide coup d'œil, avant de se concentrer de nouveau sur la route, aussi sinueuse qu'étroite. Nous aurions très bien pu partir dans la direction inverse et manger devant la télé, chez moi !

Ce qui, nul doute, les aurait conduits à des dégustations d'un autre type, qu'elle n'était pas encore prête à envisager.

— Je me contenterai d'aller chez tes parents.

— Tu n'es pas très enthousiaste !

A son rire grave, et voyant les ridules s'approfondir, au coin de ses yeux, elle sut qu'il comprenait son état d'esprit.

— Ce n'est pas parce que ma mère nous a invités à dîner que nous devons rester longtemps, tu sais ! Je lui ai parlé de toi, jeudi dernier, et à mon avis, elle veut sincèrement te rencontrer !

« Génial ! » Si la visite de la propriété des Roswell lui semblait intéressante, l'idée d'avoir affaire à la famille de Nathan, elle, lui apparaissait comme un véritable défi… En effet, il y avait de fortes chances pour qu'ils connaissent par le menu l'histoire de sa famille !

La maison et le terrain qui l'entourait étaient exactement tels qu'elle se les était imaginés enfant, de l'allée en boucle à la formidable demeure de brique, haute de deux étages, avec sa traditionnelle double porte d'entrée. Dans le hall au sol de marbre, deux volées de marches, menant à un palier ouvert, semblaient sortir directement d'un conte de fées.

Tout était magnifiquement conçu et décoré avec goût, dans des tons de blanc, nuancé par des touches noires et gris ardoise. Pourtant, ce décor lui parut inexplicablement froid.

A moins que ce sentiment ne vînt de Patrick et Elena Roswell, ainsi que de leur fille Meredith qui, sous ses cheveux blond platine, ne cacha pas sa désapprobation, dès l'instant où Sara fut entrée chez eux.

— Vos parents sont de la région, mon petit ? s'enquit poliment Elena, en étalant sa serviette en lin sur ses genoux.

Sara sentit le morceau de pain qu'elle avait dans la bouche prendre un goût de parchemin.

— Oui. Du moins ils l'étaient. Mon père est mort, il y a des années de cela.

Assise face à Sara, Meredith arrondit ses lèvres parfaites en une moue méprisante.

— Que faisait-il, déjà ?

Il était tout à fait clair que la jeune femme voulait la mettre en difficulté. Sara décida de ne pas s'en offusquer.

— Il travaillait à l'usine Sanderson. Et avant cela, il était à son compte.

Foudroyant sa sœur du regard, Nathan se hâta de changer de conversation.

— Tu pars en Espagne, le mois prochain, à ce qu'on m'a dit… En vacances ou pour affaires ?

— Pour affaires, évidemment ! Comme papa doit rester ici pour tout gérer, c'est moi qui me charge des déplacements. Mais ça ne me dérange pas ! ajouta-t-elle. J'adore la prospection. Le mois dernier, nous avons décroché deux nouveaux marchés, à Washington ! Et vous, demanda-t-elle à Sara ? Que faites-vous, dans la vie ?

« Je m'efforce d'assurer la sécurité de gens comme toi ! » songea Sara, réprimant difficilement un sourire narquois.

— En ce moment, je cherche du travail… J'en profite pour consacrer un peu de temps à ma mère.

— Et vous êtes dans quelle branche, exactement ?

— La comptabilité.

Elle avait effectivement un diplôme de comptable, obtenu grâce à des cours du soir, et qui lui avait maintes fois servi de couverture, au cours de ses différentes missions.

— Vous voulez dire qu'il n'y a pas de travail pour une employée de bureau, dans cette ville ? Vous m'étonnez beaucoup !

Meredith gratifia son frère d'un regard dédaigneux, signifiant clairement : Tu ne peux pas trouver mieux ?

— Sara est comptable, Meredith. Elle a le même diplôme que celui que tu as obtenu à l'université ! Sara vit à Dallas depuis un bon bout de temps, ajouta-t-il, à l'intention de ses parents. Elle est revenue ici dans l'espoir de s'y installer définitivement.

Patrick, un homme élégant, d'une soixantaine d'années, hocha poliment la tête, avant de se concentrer de nouveau sur son assiette. Néanmoins, il avait accueilli Sara assez chaleureusement, et semblait plus sympathique que sa femme et sa fille.

Elena s'éclaircit la gorge et continua de jouer avec sa nourriture, sans toutefois absorber grand-chose.

— Je vous remercie de votre invitation… Ce repas est délicieux, hasarda Sara en savourant son riz.

Assaisonné d'oignons, d'ail frais, d'herbes, et parsemé de champignons sautés, il était à la hauteur des louanges de Nathan sur les talents de la cuisinière.

Au dessert, le biper de Nathan retentit, interrompant un autre silence gêné. Sara en aurait pleuré de soulagement.

— Est-ce que nous allons être obligés de partir ?

Il dut percevoir la note d'espoir dans sa voix, car il étudia un instant l'écran du biper et secoua la tête, l'air navré.

— Je le crains, hélas… Si tu veux rester pour terminer…

— Oh non ! Je t'accompagne. Harold est tout seul depuis un bon moment. Je dois vraiment rentrer !

— Harold ? répéta Meredith, l'air désapprobateur.

— Mon chien…

Nathan recula sa chaise et aida Sara à se relever.

— C'était délicieux… Comme d'habitude, maman !

— Et comme d'habitude, tu dois filer. Tu ne commences pas à te lasser des exigences de ton métier ? Tu n'as jamais un moment à toi ! s'exclama Elena, en se mordant la lèvre inférieure. Et puis, tous ces criminels auxquels tu as affaire… Promets-moi de ne pas prendre de risques, Nathan !

— Tu sais, la plupart des criminels sont des gens comme nous. Ils ont besoin d'aide, voilà tout ! Je suis désolé que nous ne puissions rester plus longtemps, conclut-il, posant une main sur les reins de Sara. On y va ?

Ils firent leurs adieux, puis Nathan la guida au fond du hall d'entrée, où ils récupérèrent leurs manteaux. Il s'immobilisa à mi-hauteur des escaliers.

— Tu voulais vraiment partir, n'est-ce pas ?

Elle plissa les yeux.

— Pourquoi ? Ce n'était pas un véritable appel ? demanda-t-elle, un poing sur la hanche.

— Oh que si ! Seulement, mon remplaçant va régler le problème : j'ai pris ma journée.

— Dans ce cas, tu n'étais pas obligé de partir !

— Non… A moins qu'on n'ait besoin de moi en renfort ou pour des renseignements.

Il hésita une seconde.

— Si tu veux qu'on y retourne, je…

— Oh non ! s'exclama-t-elle en lui prenant le bras. Je ne pense pas que ta famille apprécie ma présence outre mesure. Laissons-les se remettre tranquillement !

Nathan se tourna vers elle, un sourire à la fois enfantin et plein d'espoir aux lèvres.

— Tu ne veux pas qu'on s'arrête chez moi, que je te fasse visiter ma maison, sur le chemin du retour ?

Il était souvent passé lui dire bonjour, dans son studio, au-dessus du garage. En revanche, elle n'était allée chez lui qu'une seule fois, et encore, elle n'était pas entrée. Depuis, elle se sentait intriguée par l'immense demeure victorienne.

— Volontiers ! Je vais appeler Josh pour qu'il fasse courir Harold dans l'arrière-cour.

Tandis qu'elle était au téléphone, Nathan sortit de l'allée circulaire et s'engagea sur la route longeant le lac Ryan.

La route était bordée de neige des deux côtés. Le lac gelé était environné de cabanes de pêche. Les traces des pneus des motos des neiges se croisaient sur la glace, tel un réseau non signalisé.

Quand ils s'engagèrent sur l'allée menant à la propriété de Nathan, Sara sentit son estomac se nouer de nervosité. Il ouvrit la porte. Elle hésita une fraction de seconde et entra, attendant que ses yeux s'habituent à l'éclairage.

— Je ne mords pas, tu sais ! lança-t-il. Je veux simplement te montrer ce que j'ai accompli.

Peut-être était-ce vrai, après tout. Néanmoins, elle l'imagina en train de lui mordiller le cou du bout des dents, et fut parcourue d'un délicieux frisson. Puis, se reprenant, elle écarta fermement ces pensées.

Elle savait déjà que les baisers de Nathan Roswell allaient bien au-delà de toutes ses expériences précédentes. Sa bouche et ses mains puissantes l'emplissaient d'une telle chaleur que tout son être vibrait et que son cœur battait à se rompre. C'était plutôt dangereux, pour une femme qui s'était toujours targuée d'avoir une totale maîtrise d'elle-même...

Traversant l'entrée, elle se retrouva dans un hall central, au bout duquel de grandes baies vitrées s'ouvraient, à gauche sur un parloir, et à droite sur la salle à manger. Une cage d'escaliers ouverte menait à l'étage. Nathan appuya sur un interrupteur et un lampadaire étincelant baigna les parquets de chêne d'une lumière douce.

— C'est absolument magnifique, murmura Sara, en jetant un coup d'œil à la salle à manger.

Au milieu de la pièce, une douzaine de rouleaux de papier peint étaient serrés dans un carton. Le sol était toujours protégé par une feuille de plastique. Les fenêtres étaient nombreuses, et elle se les représenta ornées de longs rideaux de dentelle.

— Je viens de rénover les boiseries du parloir, dit-il en traversant le hall. Maintenant, je vais hanter les ventes aux enchères, afin de trouver les meubles appropriés.

La pièce possédait également un parquet en chêne, recouvert en grande partie par un épais tapis d'Orient, dans des tons bleu marine, vert émeraude et rubis. Une énorme cheminée trônait au milieu de la paroi du fond.

Elle s'imagina le dessus de la cheminée, drapé de velours vert et recouvert de chandeliers en cuivre. Une demi-douzaine de chaussettes de Noël y étaient suspendues, sur toute la longueur. Et plus loin, devant la baie vitrée, se trouvait l'endroit idéal pour un immense arbre de Noël et des paquets enveloppés dans du papier aux couleurs vives.

— Tu ne dis rien ! s'exclama Nathan, se tournant vers elle.

La nuance d'incertitude, dans sa voix, lui alla droit au cœur.

— J'étais en train de m'imaginer la maison, à l'approche de Noël. Certaines habitations sont simplement magnifiques. Celle-ci a…

Elle s'interrompit, cherchant ses mots.

— Cette demeure a du caractère et de la chaleur. En entrant, j'ai pensé à toutes les familles heureuses qui ont dû y vivre, à travers les temps.

— Je ne peux pas me prononcer, en ce qui concerne les familles qui ont vécu ici après ma grand-tante, répondit-il en s'esclaffant, mais, en ce qui la concerne, elle était du genre émancipé ! Elle a élevé ses enfants dans le même esprit, d'après ce que j'ai compris. Je ne suis pas certain que Ryansville l'ait jamais comprise !

— Quand penses-tu en avoir terminé avec les travaux ?

— Jamais ! répondit-il avec un sourire contrit. Mais ce n'est pas grave. Cet endroit est devenu un passe-temps, en plus d'être un foyer. Tu veux visiter le reste ?

Au fur et à mesure que la visite avançait, Sara appréciait davantage les lieux. Il y avait un salon de musique et une petite salle de couture, très ensoleillée, à l'arrière. L'immense cuisine campagnarde, avec ses éléments de chêne couleur miel et ses fenêtres, donnait sur une forêt de pins. La terrasse arrière était grillagée, pour prévenir l'affluence de moustiques en été.

Cela devait être l'endroit rêvé pour se pelotonner avec un bon livre, les soirs embaumés de juillet.

« Je servirais le repas sur cette table en fer forgé et j'allumerais quelques bougies… »

Hélas, l'été prochain, elle serait à Dallas, et pas ici ! Et une autre femme, convenant davantage à Nathan, et issue du même milieu social que lui, allumerait ces bougies.

Balayant ses regrets, elle le suivit dans la cage d'escalier.

— Ici, il te faudra un peu d'imagination, dit-il, sur le palier. Il y a cinq chambres, et je n'ai terminé qu'une seule d'entre elles. Quant au cabinet de toilette, il est encore un peu en chantier…

211

Sara n'avait que trop fait fonctionner son imagination. Sa vision de Nathan et elle, dînant sur la terrasse ou faisant l'amour à la lueur des guirlandes accrochées au sapin, à Noël, avait été un tantinet trop réaliste. Elle avait presque le sentiment d'avoir déjà vécu ici, à une autre époque de son existence, et d'être enfin de retour au bercail…

Nathan lui fit visiter une chambre, puis une autre, dont le sol était encore à nu, et les murs toujours recouverts de tapisserie abîmée par l'humidité.

— J'ai commencé par remplacer la toiture. Maintenant, je dois m'occuper des parquets et des murs, dans ces pièces.

— Tu ne veux pas confier les travaux à un artisan ?

— Non. Je préfère m'en charger moi-même.

— Pourquoi ?

Il haussa les épaules et la guida vers la dernière chambre.

— Sûrement parce que j'ai envie de sentir que j'ai vraiment réalisé quelque chose. Bien entendu, ajouta-t-il, un petit coup de main serait parfois le bienvenu… Notamment quand tous les muscles de mon corps me font souffrir et que je carbure aux antalgiques ! Je peux t'assurer que ces parquets de chêne sont plutôt durs à poser !

Lorsqu'elle pénétra dans la chambre de Nathan, Sara laissa échapper un petit cri admiratif. Elle s'était complètement trompée sur ses goûts.

La pièce ne ressemblait en rien à la demeure des Roswell. On était loin du décor froid et blanc et de l'étalage d'objets d'art. C'était une chambre d'homme, magnifiquement aménagée.

Les murs étaient peints en jaune très pâle. L'éclat brillant du parquet de chêne et des meubles massifs, du même bois, était en harmonie avec le patchwork multicolore recouvrant le lit. Devant la baie vitrée donnant sur le lac, se tenait une luxuriante fougère. Les portes ouvertes d'un meuble laissaient entrevoir un poste de télévision, un lecteur de DVD et tout un matériel hi-fi dernier cri.

Sara s'avança un peu pour examiner de plus près un vitrail encadré, suspendu par des chaînes de cuivre, à une extrémité de la fenêtre.

Il représentait un lac entouré de pins, rappelant la vue sur le lac Ryan. Un nombre inimaginable de morceaux de verre étaient assemblés, représentant la silhouette gracieuse d'une jeune femme assise sur un banc, un enfant dans les bras.

— Je l'ai trouvé dans une petite boutique de Stillwater, expliqua Nathan s'approchant d'elle. On m'a affirmé qu'il avait plus de cent ans. Ce n'est peut-être pas vrai, mais je n'ai pas pu résister. Regarde, dit-il en touchant le bas du vitrail.

Sara se pencha pour lire l'inscription gravée dans le verre.

— « En souvenir de ma chère épouse, Hattie, que j'aimerai toujours, jusque dans l'au-delà. » C'est touchant, non ? Ils doivent être réunis, à présent. Leurs retrouvailles ont dû être fantastiques.

Ces paroles surprenantes émurent Sara.

— Il devait l'aimer tendrement ! C'est une œuvre magnifique !

Jetant un coup d'œil autour d'elle, elle vit une lampe en vitrail, surplombant un petit secrétaire, en face du lit, et deux autres sur les tables de nuit.

— Ce sont des antiquités ?

— Non. Des œuvres à moi.

— C'est toi qui as fait cela ?

Incrédule, elle s'avança vers la plus proche de la porte.

— Je peux ?

Comme il acquiesçait, elle s'approcha de l'objet et alluma l'interrupteur, sur le mur. La pièce fut baignée de couleurs chaudes et tamisées.

— Impressionnant, dit-elle. C'est fascinant, de voir tous ces morceaux de verre assemblés. Comment as-tu fait ?

— J'ai appris l'art du vitrail à l'université.

Sa voix lui paraissait plus basse, tout d'un coup, beaucoup plus intime… et plus proche. S'était-il approché d'elle ou, au contraire, avait-elle inconsciemment dérivé vers lui ?

Depuis le départ, elle savait qu'à partir du moment où elle pénétrerait dans cette maison, tout serait différent. Chaque fois qu'elle découvrait une nouvelle facette de cet homme complexe, force lui était de constater qu'il était tout à fait différent de ce qu'elle avait imaginé… Et chaque nouvelle facette la rendait un peu plus amoureuse.

— Tu ne cesses jamais de me surprendre !

— Je préférerais t'embrasser !

Sa voix de baryton l'enveloppa complètement, en appelant au plus profond de son être, là où la logique et le bon sens n'avaient pas de place. Hélas, tant qu'elle ne pourrait pas s'ouvrir complètement à lui, il lui serait impossible d'aller plus loin.

Avec un petit rire forcé, elle se tourna vers lui. Ses yeux ne riaient pas. Ils étaient sombres et la contemplaient intensément, avec chaleur. Il n'eut pas besoin de parler pour lui faire comprendre ce qu'il voulait.

Ce fut avec le sentiment d'avoir attendu cet homme et cet instant toute sa vie qu'elle se précipita dans ses bras. Et lorsque sa bouche vint effleurer la sienne, avant de s'en emparer en un baiser possessif et profond, Sara comprit ce qui se passait en elle.

Ceci n'avait rien à voir avec le désir ou un simple besoin physique. Il s'agissait de Nathan… et de Cupidon, dont la flèche la touchait pour la première fois. Il s'agissait de la certitude que la nuit, la semaine ou même une vie entière ne lui suffiraient pas.

Hélas, bientôt, Nathan ne serait plus qu'une chimère.

17.

Il s'écarta, et la regarda dans les yeux. Voyant ses mains tremblantes, Sara comprit ce que cet effort sur lui-même lui avait coûté.

— Je peux te ramener chez toi immédiatement…, balbutia-t-il, la joue agitée par un léger spasme. Si tu veux partir, c'est le moment ou jamais !

Fascinée par les ridules de tension entourant sa bouche, et par son ton déterminé, elle comprit qu'il se plierait à sa volonté et ne ferait aucun effort pour la convaincre.

Ce qui ne fit qu'accroître son désir.

— Je… Je ne prends pas de contraceptif, murmura-t-elle.

— Nous sommes parés, lui chuchota-t-il doucement à l'oreille, en hochant la tête vers le placard du cabinet de toilette.

Nathan fit courir ses lèvres sur son cou, de l'oreille au creux de l'épaule. Elle sentit des frissons danser le long de sa colonne vertébrale. Soudain, il s'empara de sa bouche avec une telle puissance qu'elle en fut complètement bouleversée. Même à travers leurs vêtements, elle pouvait s'imprégner de sa chaleur, et sentir l'effort qu'il lui fallait pour contrôler l'intensité de son désir.

Elle ne voulait pas qu'il se retienne. Pas maintenant. Elle ne disposerait sans doute que d'un temps infime pour le sentir, l'aimer, savourer le goût de sa peau contre la sienne, car elle ne se faisait aucune illusion sur la suite de cette aventure. Elle ne savait qu'une chose : le souvenir de cette soirée serait le meilleur de sa vie. Personne d'autre ne lui procurerait jamais ce genre d'émoi.

— Viens, dit-elle dans un souffle, libérant le bouton supérieur de sa chemise.

D'une main mal assurée, elle s'attaqua au second bouton. Soudain, son propre chemisier lui fut enlevé. Nathan l'avait ouvert en un éclair, et elle découvrit bientôt que ses mains étaient encore plus agiles.

— Hé ! Ce n'est pas juste ! lança-t-elle, pendant qu'il la débarrassait du reste de ses vêtements, la dévorant de baisers. Avec des mains pareilles, tu aurais pu être chirurgien !

— Il faut croire que l'art du vitrail n'était qu'un travail préparatoire ! murmura-t-il tout contre son oreille.

Une pensée la taraudait : *elle avait quelque chose à lui révéler.* Et elle devait lui parler franchement avant qu'il ne soit trop tard. Malheureusement, ce fut le moment qu'il choisit pour se déshabiller à son tour. Le voyant devant elle, irradiant d'une puissance inimaginable, elle perdit le fil de sa pensée.

Emerveillée, elle le contempla un instant, avant de lever les yeux vers lui.

— Je suis ravie que tu ne m'aies pas ramenée chez moi !

Il revint vers elle et, la prenant dans ses bras, l'embrassa à en perdre haleine. Lorsqu'il la relâcha, elle eut l'impression que la pièce tournoyait autour d'elle… Soudain, son corps rencontra le moelleux d'une couverture.

— Hmm… Il n'y a pas de rideaux ! dit-elle, gênée.

Les bras tendus, de part et d'autre de son visage, son sourire charmeur approfondissant les ridules enjouées, Nathan répondit :

— Nous sommes pratiquement à la hauteur du sommet des arbres, tu sais ! Et le prochain voisin se trouve à une dizaine de kilomètres !

— Et si…

— Tu crois vraiment qu'un écureuil ou un chat pourraient s'offusquer de notre union !

Il éteignit la lampe avant de s'allonger sur elle, et de lui mordiller l'oreille jusqu'à ce qu'elle éclate de rire.

— C'est mieux ainsi ? Il n'y a plus que toi, moi… et le clair de lune.

— Merci, dit-elle en enroulant ses bras autour de son cou.

Nathan s'esclaffa en repoussant les cheveux qui lui encombraient le visage.

— Je voulais te contempler… Tu es si magnifiquement belle !

Belle ? Elle savait qu'il n'en était rien. Toutefois, pour le moment, elle pouvait rêver que les étoiles et la lune ne brillaient que pour elle, et que Nathan, avec ses gestes passionnés et chaleureux, lui appartenait pour l'éternité.

Le lundi suivant, Sara se rendit chez Léon, avec un carton énorme, et dans l'espoir qu'il serait de bonne humeur.

Un mois avait passé depuis sa blessure par balle. Sa résistance aux visites de l'assistante sociale, de l'infirmière et de l'aide ménagère n'avait pas diminué d'un pouce.

En revanche, il avait compris l'intérêt des repas livrés par la ville, et cela principalement parce qu'il adorait les desserts. De même, il commençait à accepter les visites de Sara : elle avait découvert sa passion, dans la vie : les Twinkies.

Certes, le fait de partager avec lui, chaque jour, un quart de litre de lait et un paquet de douze Twinkies — de délicieux gâteaux fourrés à la crème — n'était pas bon pour sa ligne, mais au moins, à présent, elle savait comment l'atteindre.

Léon vint à sa rencontre, un sourire édenté aux lèvres, les yeux rivés sur la boîte qu'elle tenait à la main.

— Je vous ai apporté une surprise, aujourd'hui, Léon. Vous savez quel jour on est ?

Le front de Léon se creusa sous l'effet de la perplexité.

— C'est un jour pas comme les autres ! Dans quelques minutes, les dames qui viennent vous aider, en temps normal, vont arriver, et nous allons faire la fête.

— Twinkies ? demanda-t-il, tandis que son sourire s'évanouissait.

— Bien sûr ! Et bien d'autres choses. Entrons pour regarder ce que contient cette boîte, d'accord ?

Une fois chez lui, Sara regarda autour d'elle. L'intérieur de la maisonnette était sobre, le mobilier ayant, de toute évidence, été récupéré à droite et à gauche. Même si Léon ne faisait ni la poussière ni les carreaux, la vaisselle était propre et le sol balayé.

S'avançant vers une chaise, il s'assit devant la table.

— Twinkies ?

— Tout à l'heure.

Par la fenêtre, elle vit les trois femmes s'approcher précautionneusement de la maison.

Léon les aperçut également et se leva immédiatement. Tirant un paquet de Twinkies de la boîte, Sara s'écria :

— Ne vous inquiétez pas, Léon… Je vous en supplie !

Dès que tout le monde fut rassemblé dans la petite cuisine, Sara sortit un gâteau de la boîte.

— J'ai entendu dire que c'était votre anniversaire, aujourd'hui, alors nous sommes venues fêter cela avec vous. Qu'en dites-vous ? Il n'est pas beau, ce gâteau ?

Les yeux émerveillés, il en détailla le glaçage.

— Pour moi ?

Sara avait demandé à la boulangère de décorer le gâteau avec un piano à queue. Celle-ci avait cru bon d'ajouter quelques notes de musique, et l'ensemble était du meilleur effet.

Lorsqu'elle alluma les bougies et entonna *Happy Birthday to You*, Léon fut si ému que ses mains se mirent à trembler et que de grosses larmes ruisselèrent sur ses joues.

Les femmes échangèrent un regard entendu.

— Je me demande depuis combien de temps personne ne lui a fêté son anniversaire, murmura Dorita, l'aide ménagère.

— Si ça se trouve, c'est la première fois ! Nous ferions bien de le noter sur nos agendas, pour l'année prochaine, répliqua Linda, l'assistante sociale. Pauvre homme !

Le visage irradiant d'une joie sans équivoque, Léon avala sa deuxième part de gâteau et de glace. Et, lorsque Sara produisit trois paquets, dûment emballés, son expression se fit encore plus béate.

Il déballa le premier avec l'excitation d'un enfant, souleva le couvercle et, découvrant une demi-douzaine d'appâts en acier de toutes les couleurs, sourit avec ravissement.

— Attention, ça pique ! lui dit Sara, avec un clin d'œil. J'ai remarqué vos cannes à pêche, sur la terrasse et j'ai pensé qu'un bon pêcheur n'avait jamais assez d'appâts. Vous pensez qu'ils vous aideront à attraper de gros poissons ?

Léon acquiesça vigoureusement.

Les autres paquets renfermaient une salopette neuve, des chemises de flanelle et quelques paires de chaussettes. La toute dernière boîte contenait une bonne douzaine de paquets de Twinkies. Tout heureux, il rassembla ses vêtements neufs, et les serra contre lui.

— Encore une chose, ajouta Sara, en tirant un billet de cinq dollars de sa poche. Demain, nous reviendrons vous voir. Vous mettrez vos nouveaux vêtements et Linda et moi vous emmènerons en ville, pour que vous puissiez vous acheter vos Twinkies vous-même, ainsi que des produits frais, comme du lait, de la viande et du pain. Ça vous dit ?

— Tout seul ?

— Bientôt, vous le ferez tout seul. Si vous voulez rester dans cette maison, il faut que vous collaboriez un peu avec ces dames. Vous avez quelques petites choses à apprendre et, pour cela, il vous faut de l'aide. Qu'en pensez-vous ?

Il avait croisé les bras et relevé le menton pour l'écouter. Son regard se posa sur le gâteau, la glace, puis sur les trois femmes qui l'examinaient en souriant. Après avoir longuement hésité, il hocha la tête.

Sara, qui avait le sentiment d'avoir remporté une victoire olympique, se leva et l'étreignit brièvement. Désormais, Léon était hors de danger.

— J'ai envie de chanter encore une fois *Happy Birthday To You*... Pas vous ?

Le comité s'occupant des festivités de Noël, à Ryansville, avait enrôlé quasiment tous les habitants valides de la petite bourgade et, dès la fin du week-end de Thanksgiving, bannières et couronnes de pins pendaient à chaque réverbère de la rue principale, tandis que les vitrines brillaient de mille feux.

Les propriétaires prenant part au concours garnissaient leurs jardins de pères Noël, de traîneaux et de rennes, et leurs maisons étaient tellement surchargées d'illuminations qu'on devait les voir depuis la planète Mars.

Dans un moment de faiblesse, Nathan avait accepté de s'associer à l'un des comités d'Yvonne Weatherfield, ce qui lui prenait quasiment toutes ses soirées. Toutefois, ce n'étaient pas les battements de cils ravageurs d'Yvonne qui l'avaient décidé, mais les suppliques du petit Shueller. L'enfant avait devant lui une belle carrière de diplomate !

En ce mercredi après-midi, Josh et lui se tenaient devant l'un des centres socioculturels de la ville, sous un vent d'est glacial, tandis que des flocons de neige se déversaient sur eux sans discontinuer. Le ciel nuageux s'assombrissait déjà et la météo prévoyait une bonne dizaine de centimètres de neige, ainsi que des vents violents, qui feraient baisser les températures jusqu'à moins vingt degrés.

C'était la nuit idéale pour se pelotonner sous une pile de couvertures, avec la femme la plus attirante qu'il lui ait été donné de rencontrer… La femme qui hantait ses rêves et la plupart de ses pensées diurnes.

Ces six derniers jours, Sara et lui avaient fait du ski de fond et de la motoneige ensemble. Ils étaient également allés dîner deux fois au restaurant.

Le meilleur moment avait été le dimanche, qu'ils avaient passé chez lui, à cuisiner, à jouer au gin-rummy et à regarder de vieux films en noir et blanc.

Contrairement à la plupart des femmes avec qui il était sorti, Sara préférait les soirées tranquilles ou la nature aux dîners dansants dans de bons restaurants. Par ailleurs, elle était probablement la première, depuis des années, à l'aimer pour lui-même et non pour son compte en banque.

— Allez ! lui lança Josh, le regardant par-dessus une boîte pleine à craquer de guirlandes électriques. Nous devons aller décorer les sapins de la bibliothèque !

Le voyant chanceler sous le poids de la boîte, Nathan la lui ôta des mains.

— Tu ne crois pas que nous ferions mieux d'attendre demain ?

— Non ! C'est plus facile de dire où sont les ampoules quand il fait sombre. Et puis, ma maman m'a dit qu'il ferait encore plus mauvais demain.

— Je ne crois pas…

— Allez ! On a promis !

— Ah bon ?

— Oui ! Ça va pas être long !

Souriant, Josh attrapa le bras de Nathan et l'entraîna vers la bibliothèque.

Nathan se laissa faire en marmonnant dans sa barbe. Il n'avait jamais été très friand des extravagances accompagnant les fêtes. En ce qui le concernait, Noël prenait tout son sens le 25 décembre, à l'église, pas dans les fioritures et la commercialisation à outrance… et encore moins chez ses parents, où l'échange de cadeaux était devenu un sport de compétition.

Quant à Sara, Dieu seul savait dans quel état d'esprit elle traversait cette période, qui ne pouvait que lui rappeler cruellement le décès de son père…

Pourtant, en route, Nathan sentit son moral remonter, et quand Josh et lui atteignirent la bibliothèque, il avait même commencé à fredonner *Vive le Vent, vive le vent d'hiver*.

Car les choses, soudain, lui apparaissaient beaucoup plus clairement. Il avait l'impression de connaître Sara depuis toujours. Elle était drôle, intelligente, généreuse, et représentait ce qui lui était arrivé de mieux depuis des années. A l'idée qu'elle quitterait la ville après les fêtes, il sentait déjà un grand vide dans son cœur… Aussi, pourquoi ne pas lui donner une excellente raison de rester ?

S'ils finissaient de décorer ces arbres avant l'heure de la fermeture, à 18 heures, il aurait peut-être le temps de passer à la bijouterie Shaw.

Entonnant pour la seconde fois *Vive le vent*, il songea que ce Noël pourrait se révéler le meilleur de son existence, après tout !

— Si ça continue comme ça, même le Père Noël ne pourra pas faire sa tournée, marmonna Bernice, d'un ton maussade, au téléphone. Tu as écouté la météo ? Nous sommes à deux semaines du réveillon, et d'ici là, il y a de fortes chances pour que nous soyons complètement enfouis sous la neige !

Depuis que son mari avait disparu, les fêtes avaient toujours été une période difficile pour Bernice. Cette année, néanmoins, elle avait laissé Sara l'aider à décorer son petit appartement, au-delà du petit arbre en plastique qu'elle posait d'ordinaire sur le guéridon, près de la fenêtre donnant sur la rue.

— J'espère bien que ce ne sera pas le cas ! J'ai promis à Léon de l'amener chez nous, pour partager notre repas, et j'ai le sentiment qu'il a vraiment hâte.

— Je… Je voudrais te dire à quel point je suis fière de toi.

Estomaquée, Sara éloigna le récepteur de son oreille et le contempla fixement.

— Tu as beaucoup aidé ce pauvre garçon, poursuivit sa mère. Peu de gens en auraient fait autant. La nièce d'une de mes clientes travaille au supermarché. Il paraît que tu t'es pliée en quatre pour Léon Stark… Et que l'adjoint au shérif s'est bien démené, lui aussi.

Sara sourit pour elle-même. Fichues petites villes… Rien ne passe inaperçu !

— Léon commence à apprécier son assistante sociale, tu sais ! Et il va plutôt bien, ces temps-ci. Il avait besoin d'un peu de chaleur humaine, voilà tout !

— Je suis heureuse que tu lui sois venue en aide. Et bien que je me sois montrée quelque peu… réticente, je suis contente que tu l'aies invité, pour Noël.

« Réticente » était un moindre mot. Toutefois, après moult garanties, Bernice avait fini par donner son consentement. Qui sait ? Une fois Sara rentrée à Dallas, peut-être sa mère offrirait-elle son amitié à cet homme esseulé ! Peut-être même proposerait-elle son aide à d'autres personnes, dans leur petite communauté… Sortir de la vie recluse qu'elle s'était imposée lui ferait le plus grand bien.

— Il est étonnamment doué pour le piano, bien qu'il ne connaisse pas le solfège et refuse de jouer devant les autres. J'aimerais bien le convaincre d'essayer le tien, pendant qu'il sera là.

— On n'aura qu'à lui promettre une part supplémentaire de ma fameuse tarte aux cerises !

— Bonne idée ! s'exclama Sara.

Lorsque leur communication fut terminée, elle raccrocha, hésita un instant et finit par composer le numéro de Jane. Nathan ne passerait pas avant quelques heures, et elle avait largement le temps d'emmener Harold se promener.

Au bout de la cinquième sonnerie, au moment même où son répondeur se mettait en marche, Jane décrocha. Elle avait une voix fatiguée. A moins que... Etaient-ce des sanglots, que Sara percevait dans son ton ?

Ces dernières semaines, Jane s'était montrée distante et préoccupée, déclinant plusieurs invitations à dîner ou faire du lèche-vitrines. De même, elle n'était plus jamais libre à l'heure du déjeuner.

Etait-elle prise par son aventure avec Robert Kelstrom ? L'autre possibilité était plus inquiétante : pourvu qu'elle n'ait pas deviné que Sara cherchait à lui soutirer des informations !

— Salut ! Ça fait longtemps qu'on ne s'est pas vues ! s'exclama joyeusement Sara. Tu es libre, pour déjeuner, ce week-end ?

— Je... Je ne crois pas.

— Dommage ! Ça nous donnerait l'occasion de discuter une heure ou deux en dégustant une des succulentes spécialités de Josie... Je t'invite !

— Non. Je... Je ne peux pas.

— Tu vas bien ? Tu as besoin que je t'apporte quelque chose ?

Alarmée, Sara passa rapidement les possibilités en revue. Jane avait pu découvrir quelque chose, ou bien se trouver mêlée à l'affaire et prendre peur. Dans les deux cas, elle était en danger.

Car Sara ne voulait pas imaginer que Jane soit impliquée dans le trafic de drogue et y trouve son compte.

— Tu n'as pas l'air bien du tout. J'arrive, O.K. ?

— Non ! Surtout pas... Je vais très bien. J'ai un bon rhume, rien de plus. En fait, je m'apprêtais à faire une longue sieste. Nous essayerons de nous voir après les fêtes, d'accord ?

— Entendu ! Après les fêtes.

« D'ici là, songea-t-elle en raccrochant, je serai repartie ! »

Sa journée avait commencé dès 7 heures : il avait arrêté des chauffards devant le lycée. Vu l'état des routes et la tendance des automobilistes les plus inexpérimentés à rouler à soixante kilomètres à l'heure dans une zone limitée à quarante, Nathan s'était dit que c'était encore là qu'il utiliserait le mieux son temps.

Lorsque le lycée avait ouvert ses portes, à 8 heures, il avait épinglé quatre étudiants et le professeur de français, se contentant d'avertir, d'un appel de phares, une douzaine d'autres dangers publics.

Il était ensuite allé régler divers problèmes : une plainte pour chien bruyant, un cambriolage dans une des cabines du lac Blue Bell, et un appel provenant du caravaning.

Il se dirigeait vers le salon de thé, pour y prendre un sandwich et un café, quand sa radio se mit à crachouiller, interrompant le silence relatif de sa voiture de patrouille.

— 104, dit-il, décrochant son micro.

— Une automobile dans le fossé, sur la route 63, à la hauteur de Dry Creek. Une femme, passant par-là, nous a appelés de son portable.

— Des blessés ?

— Non. Elle ramène le conducteur en ville.

— Vous avez fait des recherches sur la voiture accidentée ? s'enquit Nathan, soulagé.

— Négatif. Notre interlocutrice ne nous a pas donné le numéro d'immatriculation. Son portable s'est mis à siffler et nous l'avons perdue.

— J'y vais.

Nathan fit demi-tour et redescendit vers le sud de la ville. Arrivé au bout de la route de Dry Creek, il tourna à gauche. La route 63, très sinueuse, et revêtue de gravier, montait et descendait au gré des collines, à travers la forêt. Pour terminer, elle partait vers l'ouest et traversait le comté des Lacs sur une cinquantaine de kilomètres, avant de croiser l'autoroute menant aux chutes de Fergus et à la nationale 94.

La seule sortie était un chemin de traverse abandonné, conduisant à un portail cadenassé, situé à l'arrière de l'usine Sanderson. Même si la juridiction de Nathan s'étendait à l'ensemble du comté, l'endroit était techniquement en dehors de son district, et il n'y venait qu'une ou deux fois par mois.

Mis à part quelques pêcheurs, chasseurs et adolescents à la recherche d'un coin tranquille pour une beuverie, la route n'était pas très fréquentée. La neige avait déjà quasiment recouvert les traces de pneus de son manteau blanc. Qui donc avait pu s'y aventurer aujourd'hui ?

Probablement un touriste égaré, se dit Nathan en découvrant le coupé noir, au creux de la colline suivante.

La voiture roulait vraisemblablement à trop vive allure, lorsqu'elle avait atteint le sommet de la colline. Son conducteur avait freiné à mort et ripé, d'un côté et de l'autre, dans un effort désespéré pour redresser sa direction, de sorte que la Sedan s'était retournée dans le fossé.

Actionnant le micro, il appela le central, sortit et s'approcha de l'épave.

— Je me trouve dans un vallon et la réception risque d'être médiocre. J'ai besoin de renseignements sur...

Repoussant la neige qui recouvrait la plaque d'immatriculation, il en déchiffra le numéro.

En attendant la réponse, il entreprit d'examiner l'intérieur du véhicule. Il était vide, à l'exception de quelques emballages de fast-food et autres tasses en carton. Il y avait également un paquet de cigarettes écrasé sur le tableau de bord.

Après avoir vérifié le numéro du véhicule, il regagna sa voiture de patrouille et rappela le central. La réponse fut brève... et lui fournit le genre d'information dont il se serait volontiers passé.

Le coupé avait été volé quatre jours auparavant, à Minne Tonka. Le central avait retrouvé l'origine de l'appel, qui provenait d'une certaine Nina Olson, une femme d'une quarantaine d'années, vivant à Hawthorne.

Son corps avait été retrouvé dans un fossé, non loin des chutes de Fergus, une balle de 45 dans le crâne et la moitié du visage emporté.

Quant à la Ford, enregistrée à son nom, elle s'était volatilisée !

18.

Après avoir mûrement réfléchi à la question, et en avoir discuté au téléphone avec Allen, Sara avait décidé de révéler à Nathan, le soir même, la raison de sa présence à Ryansville.

Au fur et à mesure qu'ils se rapprochaient, tous deux, le secret se faisait plus difficile à garder. Elle devait absolument lui expliquer la situation avant qu'il ne comprenne lui-même. Ainsi, il se tiendrait prêt, lorsque la cargaison de drogue arriverait.

Si, dans certains cas, les autorités locales n'étaient prévenues qu'après l'intervention de la DEA, Sara était déterminée à ce que ce ne soit pas le cas cette fois-ci.

Nathan devait initialement passer à 19 heures. Quand il l'appela, vers 18 heures, pour lui annoncer qu'il serait en retard, elle en déduisit qu'il avait eu un imprévu professionnel.

Il n'y avait pas d'horaires réguliers, dans ce genre de métier. Un appel en fin de service, des complications au cours d'une vérification de routine, un accident ou le besoin de renforts d'un collègue pouvaient prolonger d'autant une journée de travail.

Toutefois, lorsqu'il sonna enfin à sa porte, vers 22 heures, le visage hagard, les traits tirés et une lassitude immense dans les yeux, elle comprit immédiatement qu'il avait eu bien plus qu'un simple empêchement.

Car s'il s'était changé, il n'avait pas pris le temps de se raser, et sa silhouette avachie le faisait davantage ressembler à une star déchue qu'à un représentant de la loi.

Se précipitant vers lui, elle se blottit dans ses bras.

— Toi, tu as passé une mauvaise soirée ! murmura-t-elle contre son torse. Tu as envie d'en parler ?

Il la serra dans ses bras à son tour et, posant son menton sur sa tête, répondit :

— Non. Qui plus est, même si je pouvais t'en parler, c'est la dernière chose que tu aurais envie d'entendre... Je suis désolé d'être en retard. Nous allons sûrement avoir du mal à trouver un restaurant, à cette heure-ci.

— Oublie le restaurant ! dit-elle, en lui tendant la télécommande posée sur le comptoir de la cuisine. Zappe pour voir ce qu'il y a à la télé. Pendant ce temps, je nous prépare une omelette, d'accord ?

Pour toute réponse, il l'attira de nouveau contre lui et l'embrassa avec fougue.

— Merci !

— A moins que tu ne préfères t'allonger sur mon lit ? Je t'appellerai quand ça sera prêt.

La gratifiant d'un sourire reconnaissant, il gagna directement la chambre, Harold sur les talons. Sara sortit les ingrédients du réfrigérateur, puis alla le voir.

Il s'était endormi sur le couvre-lit, Harold pelotonné contre son flanc.

— Tu sais que tu n'as pas le droit de monter sur le lit ! gronda-t-elle doucement.

Le chien se contenta de remuer la queue, sans lever le museau, et elle n'eut pas le cœur de le déranger.

— Tu veux le réconforter, c'est cela ? Je te donne une heure, pas plus ! Ensuite, tu reprendras ta place, sur le tapis.

Secouant doucement la couverture qui se trouvait au pied du lit, elle en recouvrit Nathan et lui effleura la joue d'un baiser. En sortant, elle débrancha le téléphone, qui servait également de fax et de télécopieur. L'appareil était terriblement bruyant et les fax qui lui parvenaient étaient confidentiels.

La soirée ne s'était pas déroulée comme prévu. Et si Sara se moquait de ne pas être sortie pour dîner, elle regrettait de ne pas avoir pu parler du sujet qui lui tenait à cœur. Nathan savait sûrement que, si la DEA travaillait souvent en étroite collaboration avec les services de balistique et le bureau du shérif, il arrivait qu'elle opère seule, comme c'était le cas dans cette affaire.

Il ne lui restait plus qu'à espérer qu'il comprendrait la raison pour laquelle elle avait caché la vérité…

Vaguement consciente d'une pression sur son bras, Sara ouvrit un œil, pour se trouver face à un Harold enthousiaste. Il gambadait dans la petite salle de séjour en agitant la queue, courait vers la porte et revenait vers elle.

— Ça va… J'ai compris ! Tu ne trouves pas qu'il est un peu tôt ?

L'esprit embrumé, les muscles endoloris et la nuque raide, elle regarda autour d'elle. Elle s'était endormie sur le canapé, où elle avait passé toute la nuit.

— Ah ! C'est pour ça que tu es tellement en forme, espèce de brigand ! Tu as dormi sur mon lit !

Tendant les deux mains, elle lui grattouilla le cou, puis, se levant, alla jeter un coup d'œil dans la chambre. Nathan dormait toujours. Elle referma silencieusement la porte et, contente d'avoir dormi tout habillée, enfila un manteau et des bottes de neige.

Quelques minutes plus tard, elle affrontait la température glaciale du petit matin, pour faire un petit tour avec son chien. A en croire le thermomètre accroché en haut de la rampe des escaliers menant à son studio, il faisait moins quinze. Même avec ses vêtements chauds et ses bottines fourrées, le vent sibérien lui piquait la peau, et chaque inspiration lui gelait la gorge.

Au bout du pâté de maisons, elle retira un de ses gants pour fouiller dans la poche de sa veste.

— Hé ! Je suis riche ! annonça-t-elle à Harold, en brandissant le billet de cinq dollars qu'elle venait d'y trouver. Faisons un saut jusqu'à la boulangerie, d'accord ? De toute façon, nous sommes déjà frigorifiés… Nous n'en sommes plus à quelques centaines de mètres près !

La petite ville était encore endormie, à l'exception de la boulangerie. Les réverbères et les illuminations de Noël, aux devantures des magasins, faisaient briller la neige de mille feux. Tout était calme et feutré.

Arrivée devant la boulangerie, elle emmena Harold jusqu'au porche au charme désuet, l'attacha au tuyau d'un radiateur et, tapant des pieds pour débarrasser ses souliers de la neige, poussa la deuxième porte, et entra dans le magasin bien chauffé et lumineux.

Fermant brièvement les yeux, elle s'imprégna de la délicieuse odeur du pain frais et des viennoiseries à la cannelle. Les météorologues avaient promis des températures un peu plus douces, le lendemain, avec des pluies givrantes, suivies d'importantes chutes de neige. Elle décida d'acheter une douzaine de petits pains, pour le cas où elle devrait rester enfermée pendant plusieurs jours.

La perspective de se retrouver coincée chez elle avec Nathan ne lui déplaisait pas, loin de là.

Un homme, attablé au fond de la boutique, fit crisser son journal et laissa échapper un petit rire étouffé.

— C'est l'endroit rêvé, par un temps pareil, vous ne trouvez pas ? Je vous conseille les muffins aux myrtilles.

Surprise, elle rouvrit les yeux et se retourna. Ian Flynn, un sourire affable aux lèvres, une tasse de café fumant en main, lui fit un geste amical.

— Euh… Oui ! C'est le moins qu'on puisse dire !

— Accepteriez-vous de vous joindre à moi ? proposa-t-il en désignant le siège vide, à sa table.

Bien que son intention première ait été de rapporter les petits pains chez elle, pour les partager avec Nathan, elle ne pouvait pas laisser passer cette occasion.

— Volontiers ! Je me présente : Sara Hanrahan.

Il replia son journal, l'écarta et lui serra la main d'un geste décidé et ferme.

— Je vous ai déjà vue en ville, avec votre chien. Vous êtes une amie de Jane, non ?

Sa cordialité la rendit méfiante : il s'était montré pour le moins désagréable, lorsqu'il l'avait trouvée seule dans le bureau de son amie, au mois d'octobre.

— Oui. C'est exact.

— J'ai beaucoup entendu parler de vous ! reprit-il avec un clin d'œil.

— Ah bon ? demanda-t-elle, l'estomac soudain noué.

Elle avait été si prudente qu'il était quasiment impossible qu'on l'ait démasquée. Elle passa rapidement en revue toutes les manières de mettre fin à l'opération, tout en conservant une chance raisonnable d'épingler les malfaiteurs. Aucune d'elles ne lui sembla idéale.

— Je voulais vous dire que je suis ravi, commença Ian, se renversant sur sa chaise. J'espère que ça marchera ! Vous me paraissez être la femme de la situation…

— Moi ? demanda-t-elle, en le dévisageant, perplexe.

— Ça fait des années que je conseille à mon filleul de se trouver une épouse digne de ce nom. J'ai appris que vous aviez rendu visite aux Roswell, juste après Thanksgiving, et je vous ai vus ensemble à plusieurs reprises.

Elle était tellement surprise par ses propos qu'elle eut du mal à trouver une réponse.

— Votre… Votre *filleul* ?

Si Nathan avait le moindre lien avec la société Sanderson…

Un bruit de porte, s'ouvrant et se refermant, au fond du vestibule, se fit entendre, ainsi que les jappements amicaux de Harold.

— Quand on parle du loup…, lança Ian. Regardez un peu qui est là !

Toujours troublée, Sara regarda par-dessus son épaule. Nathan se tenait dans l'encoignure de la porte et, de toute sa carrière, jamais elle n'avait vu quelqu'un d'aussi furieux.

Ses yeux lançaient des éclairs et un spasme nerveux faisait tressaillir sa mâchoire. Saluant à peine Ian et le vendeur hébété, il fonça droit sur elle.

— Suis-moi, nous allons faire un tour ! lança-t-il d'un ton sans réplique. Et tout de suite !

— Nathan, je…

— J'ai dit : tout de suite !

Chez un autre homme, un tel niveau de colère aurait été intimidant. Et, même si elle savait qu'il ne lèverait pas la main sur elle, il valait mieux le faire sortir rapidement : quoiqu'il s'apprêtât à dire, il ne devait pas le faire devant Ian.

— Ne vous inquiétez pas, dit-elle à Flynn, avec un sourire contrit. Il n'est pas du matin, c'est tout !

Attrapant son sachet de viennoiseries, elle avala rapidement une gorgée de café, détacha Harold au passage et suivit Nathan dehors.

— Je n'ai pas voulu te réveiller…, hasarda-t-elle. Alors, comme je devais sortir Harold, je suis allée chercher le petit déjeuner… Tu en veux ? demanda-t-elle en lui tendant le sachet.

— Non, rétorqua-t-il d'un ton calme et terriblement froid. Dis-moi… Depuis combien de temps es-tu à Ryansville ?

— Depuis le 25 septembre, pourquoi ?

— Et depuis combien de temps nous fréquentons-nous ?

Une bourrasque glaciale s'engouffra dans la rue, lui projetant de la neige sur le visage, et manquant lui couper le souffle. Malgré tout, cela n'égala pas le froid intérieur qui s'était emparé d'elle.

« Il est au courant. Mon Dieu ! Il a tout découvert… »

— Ça a été progressif… Disons, depuis la mi-octobre ?

— Et dirais-tu que tu as appris à me connaître ? Que tu éprouves quelque chose à mon égard ? Ou bien est-ce que coucher avec moi faisait partie de ta mission ?

En dépit de ses paroles cinglantes, elle percevait à présent le chagrin de Nathan, par-delà sa colère.

— Qu'est-ce que tu dis ?

— Bon sang, Sara… Je *sais* pourquoi tu es revenue ! C'est toi qui as eu l'idée de frayer avec le représentant local de l'ordre, ou bien tes supérieurs te l'ont fortement conseillé ?

— Non ! Je… Tu ne comprends pas…

— C'était bien joué, je te l'accorde. On ne sait jamais ce qu'on va découvrir !

— Je n'ai pas vu cela sous cet angle. Je dirais même plus : sortir avec toi représentait un danger pour ma mission.

— Oh, bien sûr ! Je te crois ! ricana-t-il. Tu sais, il existe un terme, pour désigner les femmes qui vendent leur corps… et ce n'est pas « agent spécial » !

Elle était éperdument amoureuse de lui. Pourtant, sachant leur relation condamnée d'avance, elle avait essayé de résister. Hélas, son cœur ayant refusé d'obéir à cette logique, elle s'était sérieusement éprise de lui. Ce qui faisait d'elle une femme brisée.

S'il avait éprouvé le moindre sentiment à son égard, il lui aurait donné une chance de s'expliquer. Au lieu de quoi…

— Si c'est vraiment ce que vous pensez, vous n'êtes pas très perspicace, Roswell ! riposta-t-elle, sèchement.

Sa gorge était nouée par le chagrin, et par une rage grandissante qui l'empêchait presque de parler.

— En fait, je m'étonne que tu réussisses dans ton travail ! Comment as-tu découvert ça, au fait ?

— Je voulais appeler Ollie, pour lui dire de ne pas venir travailler ce matin. Pour cela, j'ai dû rebrancher ton téléphone.

Trois minutes plus tard, il s'est mis à sonner. Je n'ai pas répondu, mais un homme a laissé un message sur ton répondeur et je l'ai entendu par le haut-parleur.

Allen avait toujours fait preuve d'une extrême prudence. Il devait être pressé, ce matin !

— Il disait qu'il avait essayé de t'envoyer un fax et que ta machine n'était pas en marche.

— Cela ne t'était pas destiné ! répondit-elle froidement.

— Comment aurais-je pu ne pas l'entendre ? Ton correspondant te demandait de vérifier immédiatement ton courrier électronique. Il a fait allusion à d'autres agents, qui arriveront demain, et à une importante cargaison, livrée plus tôt que prévu. Des *agents*, Sara ? Une *cargaison* ? Bon sang ! Qu'est-ce que tu as fabriqué ?

Sachant désormais, que Nathan était étroitement lié à Ian Flynn, Sara était heureuse de ne pas lui avoir révélé la vérité, la veille au soir. En dépit de ce que lui dictait son cœur, il y avait à présent un risque pour qu'il avertisse son parrain.

— C'est tout ce qu'il a dit ?

— Non. Il a également mentionné l'usine Sanderson. Tu sais que la moitié des habitants de cette ville y travaillent ! Tu n'as pas songé à me mettre au courant ? Tu ne t'es pas demandé si je voulais vous aider ? Enfin, Sara ! J'ai travaillé avec la DEA et les services de balistique un nombre incalculable de fois, par le passé, que ce soit à Minneapolis ou ici !

— Je... ne pouvais pas.

Son expression se mua en totale incrédulité.

— Tu as cru que j'étais mêlé à tout cela ? Tu as couché avec moi, en pensant...

Il s'interrompit et jura grossièrement.

— Dans les petites villes, les réseaux de connaissances sont parfois complexes, reprit-elle prudemment. Les gens se doivent souvent beaucoup. Aussi nous sommes généralement... prudents.

— Je n'ai aucun lien avec cette usine, dit-il, levant les mains, d'un air dégoûté. J'ai même revendu les actions que j'y possédais, dès ma nomination à Ryansville, histoire d'éviter tout conflit d'intérêts.

— C'est tout de même à ton parrain qu'appartient l'usine, Nathan ! Chose que nous ignorions totalement ! Ian vient de me l'apprendre. Il *peut* exister des liens n'apparaissant sur aucun document légal !

— Tu ne penses tout de même pas qu'il est impliqué dans ce trafic !

— Ecoute, je ne suis sûre de rien et je ne peux pas t'en dire plus. Etant donné la situation, je pourrais même t'assigner à résidence, jusqu'à la fin de cette affaire. Par simple mesure de précaution…, ajouta-t-elle avec davantage de regret qu'elle ne l'aurait voulu. Par ailleurs, je dois t'avertir qu'à la moindre interférence de ta part, ou si je soupçonne que tu as prévenu quelqu'un, tu tomberas sous le coup des lois fédérales contre le trafic de drogue, en même temps que les malfrats que nous attraperons. Et s'il m'arrivait quelque chose, n'oublie pas que j'ai mentionné ton nom dans mes rapports, bien que j'aie cru bon de spécifier que te je croyais innocent.

L'expression de Nathan se fit de marbre.

— Parfait ! Il n'y a rien à ajouter. Je me consacre entièrement à la protection de cette ville. Ses habitants sont comme ma famille, et tu penses que je pourrais les trahir ? Mon seul crime est d'avoir été assez idiot pour croire que tu étais une femme exceptionnelle !

Sur ces mots, il tourna les talons et, bravant la tempête, regagna sa voiture de patrouille, d'un pas long et décidé. Sara sut alors que plus jamais elle n'aurait l'occasion de voir cette lueur rieuse dans ses yeux, ni d'entendre son rire moqueur.

Et jamais plus elle ne se réveillerait dans le même lit que l'homme qu'elle s'était mise à aimer de tout son cœur.

Elle le regarda s'éloigner puis, s'agenouillant, enfouit son visage dans le pelage chaud de son chien. Les larmes qui lui brouillaient la vue n'étaient dues qu'à ce vent, si froid.

Et à rien d'autre…

*
* *

Nathan enclencha une vitesse, appuya sur l'accélérateur et se mit à jurer : ses roues étaient prises dans la neige et la voiture ne pouvait démarrer. Il donna un coup de poing sur le volant puis, prenant une longue inspiration, réessaya, s'efforçant cette fois de se contrôler.

Jamais il n'avait éprouvé une telle colère. Jamais ! Elle avait couché avec lui, bon sang ! Tout cela pour l'accuser quasiment d'être impliqué dans un trafic de drogue… Elle était même allée jusqu'à le menacer de l'arrêter ! Lui qui faisait si méticuleusement son travail et allait bien au-delà de ce qu'on exigeait de lui…

Pire, il était tombé amoureux d'une femme qui n'avait vu en lui qu'un suspect potentiel…

Il avait toujours considéré que la notion de chagrin d'amour était vaguement ridicule. Les relations allaient et venaient, et, en ce qui le concernait, elles n'avaient jamais entraîné la moindre souffrance. A présent, il comprenait ce que cela signifiait : il avait l'impression qu'on lui avait brisé le cœur en deux.

Déstabilisé, et toujours furieux, il rentra chez lui pour prendre une douche et revêtir son uniforme, avant de retourner à son bureau. Les rapports… Il pouvait toujours se réfugier derrière la paperasserie dont il devait s'acquitter après chaque appel.

Or, il en avait une bonne pile, qui remontait à la veille : il était resté très tard sur le lieu du crime, en attendant l'arrivée des services de balistique de Minneapolis, venus récupérer les indices dans la voiture, mise en fourrière derrière le commissariat.

Les pièces du puzzle commencèrent à se mettre en place tandis qu'il regardait la neige virevolter par la fenêtre.

Vince Lund et sa femme avaient travaillé à l'usine. Peut-être avaient-ils découvert des choses gênantes. A moins qu'ils n'aient été impliqués dans l'affaire. Selon les services de balistique et les rapports des enquêteurs, il s'agissait d'un meurtre suivi d'un suicide. Toutefois, qui lui disait qu'il n'y avait pas autre chose ?

Quant à cette blessure par balle infligée à Léon Stark… Il était en droit de se demander, désormais, si le pauvre bougre n'avait pas vu un détail qu'on voulait garder ignoré de tous.

Enfin, il y avait la mort du vieil Earl. A en croire son acte de décès, la mort était naturelle. Cependant, il n'y avait pas eu d'autopsie, et sa crémation prématurée rendait impossible toute exhumation.

Or, si l'on pouvait expliquer les trois premiers décès, Nina Olson, elle, avait manifestement été assassinée. Sara et ses collègues avaient raison : il se passait des choses étranges à Ryansville, et Nathan n'avait rien remarqué.

Il se leva et se mit à arpenter le petit bureau.

Même si c'était difficile à admettre, Sara Hanrahan ne faisait que son travail. Elle obéissait aux ordres. S'il s'était amouraché d'elle et en avait trop attendu, en retour, ce n'était pas sa faute ! Encore que… Elle avait été assez légère pour nouer une relation dans le seul but d'obtenir des renseignements.

Cela dit, pouvait-il en être certain ?

19.

La pluie givrante cogna sur les carreaux de l'appartement de Sara tout au long de la nuit, telle une interminable salve de chevrotine. Le vent, lui, poussait sa complainte ininterrompue.

Au matin, les ampoules des réverbères clignotaient faiblement, et la neige s'était amassée plus haut que prévu. En sortant Harold, Sara faillit dévaler les marches recouvertes de glace : la rambarde n'offrait plus la moindre prise. Elle ne resta dehors que quelques minutes et rentra chez elle, frigorifiée.

A midi, le courant était revenu et la circulation, dans les rues, était presque insignifiante.

La tempête de neige avait balayé le Nebraska et le Dakota du Sud, montant en intensité au fil des heures et rendant impraticables toutes les autoroutes. Toutefois, à en croire la radio, la nationale 94 était encore ouverte jusqu'à Fargo. C'était la route par laquelle la cargaison de drogue devait être acheminée. Cette livraison était-elle toujours d'actualité ?

Sara l'espérait de tout cœur. Depuis sa confrontation de la veille avec Nathan, elle était irritable et à bout de patience. Elle devait absolument quitter cette ville maudite. Tout ce qu'elle y voyait lui rappelait douloureusement Nathan.

Elle avait commencé à faire ses valises : ainsi, elle pourrait partir juste après le réveillon. Cette année, Noël s'annonçait encore plus triste que d'habitude… Et elle avait perdu tout espoir de vivre des jours meilleurs.

Le téléphone retentit, la faisant sursauter. Il ne pouvait s'agir…

Non. Il n'y avait aucune raison.

Nathan et elle avaient échangé des propos irréparables. Qui plus est, si Sara était sûre de ses sentiments, il était clair que Nathan, lui, ne l'avait jamais vraiment aimée… Mieux valait le savoir dès à présent, plutôt que de s'investir davantage dans une relation sans issue.

— Allen à l'appareil. Nous sommes bloqués. Impossible de venir jusqu'à Ryansville.

— Quoi ?

Sans poser l'appareil, elle s'avança jusqu'à la fenêtre. Un épais rideau blanc dissimulait tout le reste.

— Je croyais que les routes descendant vers le sud étaient toujours praticables ! reprit-elle.

— Hé non ! Il y avait déjà une épaisse couche de verglas, et il vient de se remettre à neiger. Je ne peux pas faire deux pas dehors sans tomber sur les fesses. La nationale 94 est fermée, de Minneapolis jusqu'à Fargo, de sorte que nous ne pouvons vous envoyer personne.

— Si les agents de la DEA de Fargo ne peuvent pas passer, la cargaison de drogue ne passera pas non plus ! fit-elle remarquer.

— A moins que le chauffeur, prévenu du changement de temps, ait roulé à tombeau ouvert pour devancer la tempête. Dans ce cas, comme les autoroutes sont fermées, à l'est de Fargo, il a pu essayer de suivre les chasse-neige sur les nationales. Ce qui n'a pas dû lui servir à grand-chose : d'après nos renseignements, la neige tombe à une telle cadence qu'à peine dégagées, les routes sont de nouveau impraticables.

— C'est juste… Vous devriez vérifier, auprès de la police des routes, s'il y a eu des accidents. Sait-on jamais ? Nos suspects ont peut-être eu des ennuis. Auquel cas, ils se sont sûrement terrés dans un petit motel bien chauffé, sur la route !

— Je ne vois pas qui pourrait se la couler douce, avec des kilos de méthamphétamine en transit !

— Tout ce que je veux, moi, c'est que cette maudite cargaison arrive jusqu'ici, pour pouvoir arrêter les coupables ! rétorqua-t-elle en arpentant la pièce. Il ne s'est rien passé d'inhabituel à l'usine, ces derniers jours. Quand la tempête cessera, j'irai jeter un coup d'œil.

— Nous savons que les trafiquants ont déjà envoyé des cargaisons de moindre importance à Ryansville, afin de tester l'efficacité de la filière. Tôt ou tard, nous les aurons !

— C'est juste…

Cependant, la prochaine fois, la DEA ne serait peut-être pas prévenue et, vu la vitesse à laquelle ce genre d'opération se déroulait, il pouvait s'écouler un long moment avant qu'une telle opportunité se présente de nouveau.

Une bourrasque ébranla une des parois de son appartement, faisant trembler la vaisselle dans les placards, et soufflant un air glacial qui pénétra par l'encadrement des vieilles fenêtres. De nouveau, l'ampoule du plafonnier vacilla.

— Au fait, je viens d'apprendre que Ian Flynn est le parrain du shérif adjoint Roswell.

— Mince ! Roswell sait-il pourquoi vous êtes là-bas ?

— Maintenant, oui… Bien qu'il ne l'ait pas appris de la façon dont j'avais prévu de le lui annoncer !

— Nous avons examiné ses antécédents, il y a quelques mois. Pour autant que nous sachions, Roswell est blanc comme neige et n'a aucun lien avec le propriétaire de l'usine ou avec sa direction.

— Sauf pour ce qui n'apparaît pas dans les dossiers officiels !

— S'il dit le moindre mot, toute l'opération est fichue !

— Je crois qu'il se taira.

Allen laissa échapper un autre juron.

— Il y a presque six cent cinquante kilomètres de frontière, à l'ouest du Minnesota. Si nos suspects décident de changer d'itinéraire, ils peuvent entrer par où ils veulent…

— Allons ! Nous n'avons pas dit notre dernier mot…

— Je crois bien que si, Hanrahan ! Tout votre travail vient de partir en fumée.

— Je ne suis pas de cet avis. Soyez gentil : contactez un juge, à Hawthorne, et demandez-lui de me fournir un mandat de perquisition, valable à partir d'aujourd'hui, en milieu d'après-midi, jusqu'à dimanche à 17 heures. Faxez-le dès que possible : je crains que les lignes ne soient bientôt coupées. Si la cargaison arrive avant vous, je réquisitionnerai le shérif du comté.

— Ne prenez aucun risque !

— Ne vous en faites pas pour ça. Obtenez-moi ce mandat et venez dès que vous le pourrez. Autre chose… Quand tout cela sera terminé, je voudrais que vous contactiez votre sœur. Elle est bien dermatologue ?

— Elle ne pratique plus. Elle enseigne dans un CHU.

— Parfait. J'ai besoin de quelques renseignements pour une amie, ici, à Ryansville.

Après avoir raccroché, Sara se mit à tourner en rond, entre ses quatre murs, attrapant tour à tour un magazine ou un livre avant de les reposer. Elle emballa quelques affaires, taraudée par un nouveau souci : et si la cargaison était déjà arrivée ?

Depuis près de trois mois, elle travaillait avec la méticulosité d'une fourmi, surveillant l'usine sans relâche, interrogeant innocemment les habitants de la petite bourgade. Et même si elle n'avait pas réussi à se faire embaucher par l'usine Sanderson, elle avait recueilli suffisamment d'informations pour accréditer la thèse selon laquelle il s'y passait des choses bizarres. Hélas, cela ne suffisait pas, et elle ne voulait pas échouer si près du but.

Vu les conditions climatiques, il était plus que probable que l'équipe d'après-midi ne travaillerait pas et que celle du matin sortirait plus tôt. Il était même possible que l'usine ferme ses portes le samedi. Sara alluma le petit poste de radio posé sur le comptoir : KBRS devait diffuser la liste des fermetures d'entreprises locales.

Si elle avait la moindre chance de pénétrer dans les locaux de l'usine, elle ne la laisserait pas échapper.

Jane frissonna et boutonna son épais pull-over de laine jusqu'au menton. Le vieux bâtiment de pierre était toujours glacial en hiver, mais aujourd'hui, les autres employés étant sortis de bonne heure et le vent cinglant les carreaux, le seul bruit de la tempête suffisait à lui glacer les os.

Malgré tout, la secrétaire particulière de Robert étant toujours en congé maladie, Jane avait proposé à son patron de lui taper sa dernière offre de vente, afin de lui rendre service. Et bien que Robert Kelstrom l'ait enjointe de rentrer chez elle, elle était restée pour vérifier ses comptes et s'assurer que le document ne comportait aucune erreur.

Lorsqu'elle lui tendrait le dossier, lundi matin, il comprendrait l'ampleur de son dévouement… Et qui sait ? Peut-être la verrait-il enfin sous un autre jour ?

Avant cela, toutefois, il lui faudrait braver les éléments pour rentrer chez elle. Sa voiture avait calé au bout de cent mètres, ce matin-là, et, si elle avait pu se faire emmener par une de ses collègues, à présent, elle ne pouvait plus compter sur autrui.

Perdue dans ses pensées, les yeux fatigués à force de fixer l'écran de son ordinateur, elle tourna la tête pour regarder par la fenêtre. Elle ne réagit pas instantanément à la présence d'une ombre qui se déplaçait dans la neige. Se retournant de nouveau, cependant, elle se leva et, les yeux plissés, regarda au-dehors.

La silhouette sombre se dessina de nouveau, avant de disparaître dans un tourbillon de neige.

C'était très étrange, car le parking était vide. Il y avait des heures que les employés étaient partis et l'usine fermée. Seuls les membres de la direction avaient les clés, et par un temps pareil, ils seraient venus en voiture !

Traversant son bureau, elle gagna le corridor mal éclairé et alla ouvrir la réserve, quelques portes plus loin. Au bout de la pièce, une lucarne donnait sur l'entrée du personnel.

Un individu, enveloppé dans une lourde parka, se tenait là. Il faisait presque sombre, en cette fin d'après-midi, et avec cette neige, il lui était impossible de dire s'il s'agissait d'un des directeurs ou bien d'un intrus essayant de s'introduire dans les locaux. Par cette porte, on pouvait atteindre le couloir, et se mettre à la recherche d'argent liquide ou même d'ordinateurs.

Et elle était toute seule !

Elle eut l'impression que la pièce se refermait sur elle. Pivotant, elle se rua jusqu'à son bureau, dont elle ferma la porte à clé.

Le cœur battant la chamade, elle éteignit son ordinateur pour ne pas attirer l'attention.

Les doigts posés sur le téléphone, elle hésitait à appeler le numéro d'urgence. Il ne s'agissait peut-être pas d'un intrus, après tout ! Robert ne risquait-il pas de la prendre pour une idiote, si elle dérangeait les autorités pour rien ? Et s'il s'agissait tout simplement de Phil, revenu pour vérifier quelque détail ? Il serait probablement furieux, lui aussi !

D'une main mal assurée, elle chercha le numéro de Robert Kelstrom et le composa. La sonnerie retentit trois, quatre, cinq fois.

Un bruit sourd lui parvint alors du hall d'entrée… Etait-ce simplement celui du vent ?

Le répondeur se mit en route. Jane prit une longue inspiration et laissa un message succinct. Elle composa ensuite le numéro personnel de Ian… Sans plus de succès.

Immobile, elle tendit l'oreille, les yeux fermés, les battements de son pouls cognant dans sa gorge. Il n'était pas question de descendre voir ce qui se passait. Il n'y avait que les personnages de films d'horreur pour faire des choses pareilles… Et généralement, ils ne survivaient pas jusqu'à la scène suivante.

Morte de peur, elle appuya sur la première touche du numéro d'urgence.

Pour autant que Sara puisse en juger — car la visibilité était médiocre —, il n'y avait pas de lumière, ni dans les bureaux ni dans le bâtiment de production de l'usine. Aucune trace de pneus récente n'était visible, et le parking était entièrement vide. Ce qui n'était pas très étonnant : Sanderson faisait partie de la liste des entreprises fermées pour cause d'intempéries.

Son intention première avait été de faire le tour des bâtiments, à la recherche de toute trace d'activité ou d'une voiture suspecte.

Elle essaya plusieurs portes, sans grand espoir. Pourtant, l'une d'entre elles s'ouvrit. Sara hésita avant d'entrer précautionneusement, Harold sur les talons. Cette porte avait-elle été laissée ouverte à dessein ? Elle attendit quelques minutes, à l'affût du moindre son provenant du couloir sombre menant aux bureaux ou de celui qui conduisait à l'unité de production. Bien que le mandat de perquisition qu'elle avait dans sa poche lui permît de justifier sa présence sur les lieux, elle n'était venue qu'en reconnaissance.

Si la cargaison était déjà là, elle attendrait les renforts avant d'entrer dans l'usine. Dans le cas contraire, une descente au mauvais moment compromettrait toute chance de réussite. La cargaison serait tout simplement détournée, et il faudrait des mois pour trouver une nouvelle piste. Du coup, ses efforts seraient réduits à néant.

Rassurée par le silence ambiant, elle pénétra dans l'usine. Les pattes d'Harold cliquetaient sur le ciment, derrière elle.

L'immense bâtisse était plongée dans l'obscurité la plus totale, à l'exception de panneaux lumineux indiquant les sorties de secours, et d'un halo s'échappant d'une cloison, à sa droite. Probablement une autre ampoule de sécurité. Des machines énormes s'élevaient au-dessus d'elle, telles des créatures préhistoriques, projetant une ombre menaçante sur son chemin, tandis qu'elle rasait le mur, se dissimulant derrière les engins et les palettes surchargées.

Elle voulait atteindre la surface de stockage, où elle avait vu arriver des livraisons, à une heure tardive de la soirée. Ensuite, elle gagnerait l'entrepôt. Si le chauffeur avait devancé la tempête, il avait sans doute garé son camion à l'intérieur. Auquel cas, elle avait gagné : on ne pouvait pas aller bien loin, par un temps pareil, et les étrangers, dans une ville comme Ryansville, ne passaient pas inaperçus. Une fois qu'elle serait certaine que les suspects étaient dans les parages, elle préviendrait le shérif du comté pour demander du renfort.

Harold se mit soudain à grogner. Sara entendit le cliquetis étouffé d'une chaussure de sécurité, derrière elle, puis un autre son, lié à de mauvais souvenirs. Celui de la sécurité d'une arme à feu, lorsqu'on la libère.

Le chien se mit alors à aboyer furieusement. L'entraînant avec elle, elle plongea derrière une rangée de palettes chargées de gros cartons. Un coup de feu résonna dans la salle, au moment même où elle roulait sous un convoyeur chargé de bouteilles. Harold jappa, et du verre vola en éclats. Le sifflement de la balle résonna dans la salle lorsqu'elle ricocha.

Sans cesser de ramper, Sara tira son Beretta du holster accroché à ses reins, tout en forçant Harold à rester près d'elle. Un deuxième coup de feu explosa dans l'obscurité, au moment où elle ouvrait la porte menant au corridor.

Une sensation de brûlure lui paralysa momentanément le bras droit. Quelque chose tomba à ses pieds en tournoyant. *Le Beretta*. Tant pis ! Elle n'avait pas le temps de le ramasser.

Elle franchit le seuil en toute hâte, attendit que Harold soit sorti et, claquant la porte derrière elle, la bloqua avec les présentoirs.

De l'autre côté, son poursuivant poussait des cris furieux. Sara détala dans le couloir menant aux bureaux.

Toutes les portes étaient verrouillées, sauf, devant elle, celle des Ressources humaines, restée entrouverte.

Elle se glissa dans le bureau, le referma à clé et s'agenouilla pour examiner Harold. Dieu merci, il n'avait rien, a priori. Sara regarda alors sa propre main. Du sang s'échappait à un rythme régulier d'une blessure, mais elle était trop secouée pour en mesurer la gravité. Tirant son portable de sa poche, elle appuya sur la touche de raccourci et porta l'appareil à son oreille.

Même s'il lui restait une arme de secours à la taille, elle avait besoin de renfort, et rapidement. L'homme de l'entrepôt pouvait arriver à n'importe quel moment.

Un gémissement étouffé lui fit lever les yeux. Elle se retourna lentement.

Jane émergea de la porte menant à la petite réserve, au fond de la pièce. Elle était blanche comme une morte et semblait terrorisée.

— Navrée de t'avoir fait peur, dit calmement Sara. Tout va bien, ne t'en fais pas…

Jane pâlit encore davantage.

— J… Je vous en supplie…

Elle fit une embardée en avant. Robert Kelstrom se tenait derrière elle, un revolver au poing, le visage déformé par la fureur.

— Posez ce téléphone immédiatement ! ordonna-t-il. Là ! Sur ce meuble. Si votre chien fait un geste, je l'abats.

Sara s'exécuta avec des gestes lents, priant pour que le central du comté de Jefferson ait eu le temps de décrocher.

— Du calme ! Je ne veux pas de blessés !

— J'aurais dû deviner que vous étiez de mèche, toutes les deux. La première fois que j'ai vu votre copine ici, j'ai eu des soupçons ! Je vous avais pourtant demandé la plus grande discrétion, Jane… A présent, il est trop tard ! poursuivit-il en poussant violemment la secrétaire, qui se rattrapa de justesse à son bureau.

Elevant la voix, de manière à être entendue à l'autre bout de la ligne, Sara répondit :

— Ne crains rien, Jane. Nous nous en tirerons saines et sauves. On ne va tout de même pas nous tirer dessus au sein même de l'usine Sanderson… Dans ton propre bureau !

— Je… Je n'ai pas… Je ne comprends pas de quoi vous parlez, balbutia Jane, de grosses larmes roulant sur ses joues. Qu'est-ce que je pouvais divulguer ? A qui ?

Robert pointa son revolver dans la direction de sa secrétaire.

— Que faisiez-vous ici à cette heure-ci ?

— Je… Je vérifiais vos rapports !

Robert se mit à jurer.

— Je vous ai dit de rentrer chez vous en même temps que les autres. Vous vouliez participer à notre opération ? A moins que vous n'ayez décidé de nous dénoncer !

Se tournant vers Sara, il ordonna :

— Vous, là ! Passez derrière ce bureau, avec elle !

Sara délibéra intérieurement. Jamais on n'entendrait sa voix dans le téléphone portable, à cette distance.

— Je vous en supplie, ne tirez pas…

A en juger par la lueur cruelle brillant dans ses yeux, elle ne doutait pas un instant qu'il appuierait sur la gâchette sans la moindre hésitation. Il n'en était pas à deux cadavres près.

— Tout de suite ! rugit-il. Allez derrière ce bureau !

Le bruit sinistre de pas lourds, traversant le hall de mosaïque, se fit entendre. Dans une seconde, Jane et elle auraient une chance de se tirer de cette mauvaise passe. Peut-être la dernière… Sara regarda sa compagne d'infortune d'un air insistant, pour qu'elle lise sur ses lèvres : Baisse-toi !

L'expression horrifiée de la secrétaire s'accrût encore.

— Comment ? s'écria-t-elle. Je ne comprends…

Relâchant Harold, Sara tournoya sur elle-même et se saisit de l'arme dissimulée dans sa ceinture, au moment même où Phil ouvrait

248

violemment la porte. Rapide comme l'éclair, elle se rua derrière lui, se saisit de son poignet droit et le lui coinça dans le dos, tout en lui assenant un grand coup derrière le genou.

Du coin de l'œil, elle vit Harold se jeter sur Robert, tous crocs dehors. L'homme s'affala contre le mur. Au même instant, un coup de feu assourdissant déchira l'air.

Phil, lui, s'affaissa et tomba en avant. Sara pivota de nouveau et, tenant son revolver des deux mains, visa directement la poitrine de Kelstrom.

Harold gisait à ses pieds, respirant difficilement, une mare de sang s'échappant de son poitrail.

— Je peux vous abattre avant que vous ayez le temps d'actionner cette gâchette, Kelstrom. En fait, j'en meurs d'envie… Si vous bougez d'un millimètre, vous êtes un homme mort. Et votre petit copain aussi, ajouta-t-elle en jetant un rapide coup d'œil à son complice, agenouillé par terre. Posez votre arme sur le bureau. Ensuite, allongez-vous sur le sol, tous les deux. Et vite !

— Je… Je suis monté parce que j'ai entendu du bruit, intervint Phil, interloqué.

— Nous verrons cela plus tard ! A plat ventre, j'ai dit !

— Ecoutez, je n'ai rien fait ! C'est Rob…

— La ferme ! lança Robert.

Les yeux plissés, il foudroya Sara du regard.

— Nous sommes deux contre un… Vous n'avez aucune chance. Je ne suis pas complètement idiot, sale fouineuse !

— Pour vous, monsieur, ce sera « agent spécial Hanrahan » !

Les yeux de l'homme allèrent de droite à gauche. Il s'humidifia les lèvres et déglutit péniblement. Des gouttes de sueur brillaient sur son front… mais il tenait toujours fermement son arme, qu'il pointait droit vers le cœur de Sara.

— Douze de mes collègues sont en train de fouiller l'usine en ce moment même, Kelstrom. Un hélicoptère vient d'atterrir avec du renfort. Quoi que vous fassiez, la partie est finie. Alors n'aggravez pas votre cas, et collaborez.

Il ne répondit pas, mais elle vit sa panique augmenter.

— Je ne manque jamais ma cible, Kelstrom ! Si vous appuyez sur cette gâchette, vous êtes mort !

Percevant un léger son dans le couloir, Sara se déplaça vers la droite, de manière à avoir le dos contre le mur sans perdre son avantage.

Robert Kelstrom eut un faible mouvement de la main et finit par abaisser son arme.

— Tu n'as pas perdu ton temps, à ce que je vois ! lança calmement Nathan, en pénétrant dans le bureau, l'arme au poing, lui aussi.

— Cette femme s'est introduite ici par effraction, lança Kelstrom. Elle nous retient avec…

— Elle ne fait que son devoir, coupa Nathan. Allongez-vous sur le sol, ou je vous aide à ma façon !

Défiguré par la rage, Kelstrom s'exécuta gauchement.

— Vous aurez des nouvelles de mon avocat !

— Je n'en doute pas une seconde, rétorqua Nathan en tirant deux paires de menottes de sa ceinture.

Aussitôt, Sara se précipita vers Harold et passa une main dans son pelage. Il respirait régulièrement. La balle avait pénétré dans un muscle et était ressortie. Le saignement avait diminué.

Après avoir aidé Robert Kelstrom et Phil à se relever, Nathan examina Sara, l'air inquiet.

— Le central a reçu un premier appel, en provenance de ce bureau. Le correspondant a raccroché. Ensuite, l'opératrice a reçu le tien. Bien qu'elle n'ait pas entendu grand-chose, elle a cru distinguer le mot *Sanderson*. Apparemment, elle ne s'est pas trompée. Comment va ton chien ?

— Je pense qu'il s'en tirera. Je veux l'emmener chez un vétérinaire dès que possible.

Le front de Nathan se creusa encore davantage : il venait de remarquer la main de Sara. Celle-ci l'avait emballée tant bien que mal dans des lingettes, pour arrêter l'hémorragie, et le sang commençait à traverser.

— Et toi ?

Prenant doucement sa main dans la sienne, il la retourna.

— C'est grave ?

— Non. Une simple égratignure. Ce n'est rien.

— Bon sang ! marmonna Jane, se relevant péniblement de derrière son bureau. Que s'est-il passé ?

— Tu vas devoir nous suivre au commissariat. Nous avons un certain nombre de questions à te poser… Tu as ta voiture de patrouille ? ajouta-t-elle, à l'égard de Nathan.

— Oui. En dehors de l'enceinte… Avec les voitures de tes collègues et l'hélicoptère, précisa-t-il, une lueur amusée dans les yeux.

Jane avait suivi l'échange bouche bée.

— Nathan, emmène Jane et Kelstrom. Je voudrais dire deux mots à Phil. Nous vous rejoindrons plus tard.

Robert Kelstrom lança un regard menaçant à son complice, en sortant.

Sara attendit que les autres aient atteint le bout du couloir et se lança.

— Bien ! Vous avez le choix, Phil. Ecoutez attentivement ce que je vais vous dire, car de votre décision dépend votre avenir…

Phil ne mit pas beaucoup de temps à se décider. Lorsqu'il eut compris les conséquences de son implication dans l'affaire, il se transforma en véritable mine d'informations. Il donna des noms, révéla la date et l'heure d'arrivée de la cargaison, qui avait été retardée, et accusa Robert Kelstrom du meurtre des Lund. Ayant surpris une conversation compromettante, ces derniers avaient menacé de prévenir le shérif.

Le temps que les convoyeurs arrivent par l'ouest, le dimanche matin, la brigade des stupéfiants du comté de Jefferson, les services balistiques locaux et un chien renifleur étaient en place. Harold, lui, se remettait doucement à la clinique vétérinaire.

— Dix kilos de méthamphétamine, et sept personnes incarcérées au total. Un sacré coup de filet ! lança Nathan, en regardant les dernières voitures s'éloigner. Et une belle réussite pour toi !

— Si nous en avons terminé à Ryansville, répondit Sara, l'enquête est loin d'être achevée. La DEA s'est intéressée à l'affaire parce nous avons deviné que cette filière nous mènerait à une autre, plus importante, dans le nord du Middle West. Nous avons un excellent point de départ : le chauffeur et son acolyte n'ont été que trop heureux de collaborer avec nous pour sauver leur peau. De même que Phil et deux autres membres du personnel de l'usine.

— Dommage que nous n'ayons pu sauver les Lund et Nina Olson ! marmonna Nathan en secouant la tête.

— Robert Kelstrom passera le reste de ses jours en prison : en plus de ce trafic de drogue, il comparaîtra pour plusieurs meurtres. Ton parrain, lui, semble totalement innocent...

— Tu l'as interrogé ?

— Mes collègues s'en sont chargés. Ils ont également examiné ses antécédents. Il aurait sans doute fini par découvrir la nature des activités de Kelstrom, mais il a eu de la chance : il ne savait encore rien. Sans quoi, il aurait sûrement fini comme les Lund.

— Ian n'aimait pas beaucoup Kelstrom, tout en considérant qu'il faisait un excellent gérant, répliqua tristement Nathan. Il s'est trompé, voilà tout !

Nathan semblait tellement las que Sara eut envie de le serrer dans ses bras. Réfrénant son envie, elle feuilleta les papiers sur son conférencier et se tint à distance.

— Un dernier détail... Allen vient de m'annoncer qu'on a retrouvé le propriétaire du coupé abandonné sur la nationale 63. Une voiture de patrouille a repéré un véhicule correspondant à la description de la Ford de Nina Olson et a vérifié le numéro d'immatriculation. Le suspect est membre d'un gang de Chicago. Il est donc fort probable qu'il soit venu traiter avec Kelstrom. Il s'est retrouvé dans le fossé et n'a pas hésité une seconde à assassiner une femme pour disposer d'un moyen de locomotion…

— Encore une innocente qui s'est trouvée au mauvais endroit, au mauvais moment !

— La seule affaire que nous n'avons pu élucider est celle de la mort du vieil Earl… Il se peut qu'il soit mort de sa belle mort, après tout. Néanmoins, je n'ai pas dit mon dernier mot.

Des grésillements s'échappèrent du micro accroché à la chemise de Nathan. Un voleur à la tire avait été arrêté à la quincaillerie Mitchell.

— Je crois que tu dois y aller ! murmura Sara.

Elle avait tant à dire… Hélas, les mots ne venaient pas. Nathan s'était montré distant et professionnel, ces dernières heures, un peu comme si elle était à ses yeux une parfaite étrangère. *Comme s'ils ne s'étaient jamais touchés.* Dès lors, il n'y avait rien à ajouter.

— Tu vas rentrer à Dallas, maintenant, je suppose ? s'enquit-il, en remuant ses clés dans sa poche.

Sa voix était distante, dépourvue d'émotion. Il aurait tout aussi bien pu s'adresser à un de ses collègues ou à un passant dans la rue. Sans la vague lueur de tristesse dans son regard, personne n'aurait pu deviner que Sara et lui se connaissaient intimement.

— Je pars le jour de Noël. Je reviendrai pour le procès.

— Sois prudente ! lança-t-il, avant de regagner sa voiture, qu'il fit démarrer sans se retourner.

Ainsi, c'était terminé.

Tout était fini : ce qui l'avait amenée à Ryansville et ce qui aurait pu l'inciter à rester. Elle avait six longues journées devant elle pour essayer d'oublier le vide qui s'était creusé dans son cœur.

20.

Une fois sa patrouille terminée, dans la rue principale gaiement illuminée et noire de monde, Nathan se dirigea vers le sud de la ville. On était à quatre jours de Noël et les chants traditionnels retentissaient de toutes parts. L'attente se lisait sur le visage des enfants. Leurs parents, en revanche, semblaient pressés et distraits.

Les arrestations chez Sanderson, suivies de l'arrivée des équipes de la DEA et des services de balistique, avaient fait la une des journaux : la bourgade n'était pas habituée à un tel remue-ménage. A présent, les suspects étaient en garde à vue, tandis que les agents fédéraux et locaux étaient repartis. Sara était rentrée à Minneapolis, faire le point avec ses collègues de la DEA, et Nathan se demandait comment il avait pu se tromper ainsi à son sujet.

Il avait été convaincu qu'un lien fort les unissait, qu'ils avaient un avenir commun. Et pendant ce temps-là, elle le considérait comme un suspect potentiel… sans éprouver pour lui le moindre sentiment.

Il prit la route de Dry Creek et passa lentement devant l'entreprise Stark, comme il le faisait presque quotidiennement, afin de s'assurer que Léon allait bien.

Debout sur la terrasse de sa masure, Léon s'arrêta, une pelletée de neige en main. Il se protégea les yeux du soleil puis, lâchant la pelle, agita vigoureusement les bras, dans un effort évident pour arrêter Nathan.

Ce dernier ralentit et fit marche arrière jusqu'à l'allée. Le temps qu'il sorte de sa voiture, allume la radio attachée à sa ceinture et prévienne le central de son arrêt, Léon s'avançait vers lui, dans la neige, un paquet serré contre sa poitrine.

Ils se rencontrèrent au portail.

— Vous voulez que je fasse venir quelqu'un pour déblayer votre allée ?

Léon acquiesça solennellement, avant de lui tendre un paquet informe, grossièrement enveloppé dans du papier kraft et attaché par une ficelle.

— Pour Sara. Et pour vous.

— C'est un cadeau ? Merci, Léon !

Emu et heureux de constater que son interlocuteur était propre et chaudement vêtu, Nathan le gratifia d'un large sourire.

— Plus dangereux, maintenant. Avant, si !

Qu'est-ce qui n'était plus dangereux ? Léon devait penser que s'il leur remettait ces cadeaux trop tôt, ni lui ni Sara ne pourrait résister. De telles tentations étaient trop fortes pour son âme enfantine.

— Il y aura des cadeaux pour vous aussi, sous l'arbre de Noël, chez Bernice. Comment vous portez-vous ? demanda-t-il d'un ton affable. Vous n'avez besoin de rien ?

— Je vais bien.

— Parfait. J'attendrai Noël pour ouvrir ce paquet, d'accord ?

L'idée d'attendre pour ouvrir un présent sembla plonger Léon dans un abîme de perplexité. Néanmoins, il finit par hocher la tête et, se détournant, regagna sa masure.

Il lui faudrait une bonne paire de gants, songea Nathan en s'éloignant. Ou une combinaison de motoneige pour lui tenir chaud quand il bricolait chez lui. En fait, il lui manquait bien des choses, et Nathan n'aurait manqué pour rien au monde l'occasion de voir son ravissement, le soir du réveillon… Même si pour cela, il devait affronter Sara une dernière fois.

Le lendemain soir, comme cela lui arrivait souvent, ces derniers temps, Nathan faisait les cent pas dans son bureau. Il se laissa tomber sur sa chaise, qu'il fit pivoter pour allumer la radio.

Avant de partir, Ollie lui avait infligé une de ses leçons de morale sur les bienfaits du sommeil et des repas équilibrés. Elle en avait tant fait qu'il avait été soulagé au moment de son départ. A présent, cependant, le silence du commissariat lui paraissait bien pesant.

Son regard se posa alors sur le paquet de Léon.

Il l'avait rapporté, la veille, et l'avait déposé sur la tablette avant de rentrer chez lui. La ficelle s'était relâchée d'un côté et son contenu commençait à s'en échapper. Des feuilles de papier jaunies… Des coupures de journaux…

Pas étonnant que Léon ait eu l'air perplexe, lorsque Nathan lui avait annoncé qu'il attendrait Noël pour l'ouvrir : il ne s'agissait pas du tout d'un cadeau !

Nathan posa le tout sur son bureau, coupa la ficelle et se mit à lire. Le dernier document, mal tapé sur une machine à écrire dont la lettre *b* ne fonctionnait plus, et bourré de fautes d'orthographe, lui fit l'effet d'une bombe.

Bon sang !

Quand Léon avait évoqué un danger, il parlait d'une vraie menace. Une menace qui avait certainement fait trembler son père, ces vingt-cinq dernières années.

Earl avait consigné un nombre incalculable d'informations sur les activités suspectes de l'usine… Et il avait pris la peine de noter ce qu'il avait vu, la nuit de la mort de Frank Grover. De toute évidence, il avait voulu que justice soit faite, sans oser essayer de son vivant.

Et jusqu'à l'arrestation récente de Robert Kelstrom, Léon avait eu peur, lui aussi.

Nathan passa par l'entreprise de pompes funèbres, puis se rendit chez Clay Benson, qu'il trouva seul chez lui. Le shérif retraité lui ouvrit la porte. Son sourire de bienvenue s'évanouit dès qu'il remarqua l'expression de son ami.

— Entre ! dit-il en toussant. Dora est chez sa sœur, pour préparer les biscuits de Noël. Tu veux un café ?

— Non, merci.

— Ça ne te dérange pas ? demanda Clay, en désignant son fauteuil préféré, dans le salon, auprès duquel trônaient deux bouteilles d'oxygène et divers tuyaux. D'après le docteur, j'ai une petite pneumonie… Ce qui n'est pas bon pour mon cœur. Ces foutues cigarettes ont fini par m'avoir, on dirait !

Calant gauchement son immense carcasse dans le fauteuil, il attrapa les tuyaux, les porta à son nez et mit les ballons d'oxygène en marche.

— Ça me soulage un peu, les mauvais jours.

— J'ai idée que ta journée s'annonce encore plus mauvaise, lança Nathan en tirant de sa poche la photocopie qu'il avait faite de la lettre tapée par Stark.

Clay s'en empara et commença à lire. Aussitôt, des gouttelettes de sueur se mirent à perler sur son front. Ses mains tremblaient tellement qu'interrompant sa lecture, il laissa tomber la feuille sur le guéridon.

— Foutaises !

— Vraiment ?

— Vraiment ! Où as-tu dégoté ça ?

— C'est le fils du vieil Earl qui me l'a donné.

Clay s'esclaffa bruyamment, son rire se muant bientôt en une affreuse quinte de toux.

— Ah ! Voilà une source d'information intéressante ! Un alcoolique, complètement gaga, et son abruti de fils ! Qui va croire un témoignage pareil ? Tu me déçois, fiston, ajouta-t-il en secouant la tête. Vraiment !

— J'ai voulu consulter le dossier médical, répliqua calmement Nathan. Comme je n'en ai pas trouvé, je me suis rendu aux pompes funèbres pour consulter les archives, et je suis tombé sur une description de l'état de Daniel, à son arrivée.

— Et alors ?

— Le corps de Daniel Hanrahan leur a été amené le jour de son arrestation. La cause du décès a été enregistrée comme étant un suicide, malgré les ecchymoses, visibles sur ses poignets et son torse. *Il a été battu*, Clay. Probablement lorsqu'il était encore menotté. *Ensuite*, et seulement ensuite, on l'a pendu. A mon avis, on a donné à l'entrepreneur des pompes funèbres de bonnes raisons de se taire. Et tu sais pourquoi.

Les poings de Clay se refermèrent sur le document.

— Je... Je n'étais pas là lorsqu'il est mort.

Le vieil homme leva les yeux vers une photographie, couleur sépia, accrochée au-dessus de la cheminée. Elle représentait un bébé avec des fossettes et des cheveux bouclés. Fermant les paupières, il posa la tête sur le haut du fauteuil. Sa peau avait pris une teinte grisâtre.

— Je te jure que je ne l'ai pas touché, dit-il, au bout d'un moment interminable. On m'a simplement envoyé faire un tour pendant une heure.

Nathan, qui avait espéré de tout cœur qu'il se trompait, sentit l'amertume lui serrer la gorge.

— Ainsi, tu as laissé faire !

— Bon sang, Nathan ! Notre bébé est né avec un problème cardiaque. Nous avons ratissé le moindre dollar que nous possédions pour le sauver... Je n'ai pas eu le choix ! Il nous fallait l'aide des meilleurs docteurs, ceux de l'hôpital pédiatrique de Minneapolis... Grace à cet argent, nous avons pu passer deux années supplémentaires avec notre petite fille. Qu'aurais-tu fait, à ma place ?

— Tu veux un avocat ?

— Parce que tu t'imagines qu'il me reste assez longtemps à vivre pour voir le procès ? rétorqua Clay en toussant. D'après le docteur, j'aurai de la chance si je tiens jusqu'à Pâques !

— Explique-moi ce qui s'est passé.

Le vieil homme se renversa dans son fauteuil, aspirant de longues goulées d'oxygène.

— Tu me promets que personne n'embêtera ma Dora ?

— Si les révélations du vieux Stark s'avèrent exactes, les suspects passeront le reste de leurs jours derrière les barreaux.

— Elles sont exactes ! soupira Clay, qui respirait de plus en plus difficilement. J'ai un magnétophone. Dans la chambre du fond. Autant tout t'avouer… Je voudrais me racheter, avant de mourir.

— Je n'en reviens pas d'avoir été aussi naïve, commença Jane, d'un air sombre, les yeux rivés sur sa tasse de thé.

Jetant un coup d'œil aux clients attablés chez Bill, elle baissa la voix.

— Je pensais… Je croyais que Robert était en train de s'éprendre de moi.

— Ce n'est pas ta faute, répondit doucement Sara. Robert était un égoïste et une ordure. Il t'a fait croire qu'il avait un faible pour toi, afin que tu le couvres si jamais on te demandait ce qui se passait. Il n'a pas volé ce qui lui arrive !

— Le pire est que j'ai réussi à me convaincre que je l'aimais ! Un homme capable de meurtre…, reprit Jane en frissonnant. J'aurais dû m'en rendre compte ! Comment ai-je pu être aveugle à ce point ? Enfin… Ça m'a enfin servi de leçon.

— C'est-à-dire ?

— J'ai commencé par épouser un homme qui ne m'aimait pas. Ce faisant, j'ai perdu un bon nombre d'années. Ensuite, j'ai essayé de trouver l'amour chez un autre homme, encore pire. Je me sentais terriblement seule… et il avait le mérite d'être là ! Je viens de comprendre que je n'ai pas besoin d'un compagnon pour m'épanouir, acheva-t-elle, en posant sa tasse. Je suis aussi bien toute seule.

— Jusqu'à ce que tu tombes sur le bon, fit remarquer Sara. Je suis certaine que cela finira par arriver.

— Peut-être. Mais si ce n'est pas le cas, ce n'est pas grave. J'ai trente-quatre ans, Sara. Il est grand temps que je cesse d'attendre le prince charmant. J'ai décidé de reprendre mes études.

— Jane ! C'est formidable !

— Mardi dernier, Ian m'a assurée que je conserverais mon poste de secrétaire de direction. Quand je lui ai parlé de retourner à la fac, il m'a proposé de me payer des études, soit à l'université de Fergus, soit par correspondance, de sorte que je pourrai continuer à travailler à temps partiel. Pour finir, je prendrai une année sabbatique. Ian me trouve efficace et ne veut pas se passer de mes services, ajouta-t-elle en rougissant.

— Cela prouve qu'il est intelligent. J'ai hâte de savoir comment tu t'en sors !

— J'ai du mal à croire que tu es… *agent spécial.* Je n'en reviens pas…

Son intonation était à la fois admirative et blessée.

— Je veux dire… Je me sens un peu idiote de ne pas avoir deviné…

— Ça faisait partie de mon travail, de te cacher tout cela. Et puis, tu sais, j'ai été vraiment heureuse de te retrouver. Tu crois qu'on pourrait rester amies ?

— Ça me plairait bien ! En fait, j'adorerais ça ! s'exclama Jane, en consultant sa montre. Aïe… Il faut que je retourne au travail !

— C'est ma tournée, annonça Sara en sortant son portefeuille. Tu vas réussir, Jane ! J'en suis certaine. Je suis vraiment contente pour toi !

Sur le trottoir, Jane s'arrêta devant le pare-chocs de sa voiture.

— Et toi ? Ça va aller ?

Sara brandit sa main pansée.

— Ce n'est rien, tu sais ! Aucun nerf, aucun tendon, aucun os touché. J'ai eu une chance folle !

— Où vas-tu aller, maintenant ?

— Là où on m'enverra, répondit Sara d'un ton léger, en enfilant ses mitaines. Demain, je passe le réveillon avec ma mère et Léon. Peut-être même avec mon frère, s'il se décide. Sait-on jamais ? Ensuite, je repartirai pour Dallas.

— Et Nathan ?

— Quoi, Nathan ? Je n'ai rien à en dire…

Rien du tout…

Sara avait passé deux jours à Minneapolis, avant de rentrer à Ryansville le matin même. Comme prévu, aucun message de lui ne l'attendait sur son répondeur.

C'était aussi bien comme ça… Alors, pourquoi se prenait-elle à guetter sa voiture de patrouille ou à espérer qu'elle le verrait déambuler sur le trottoir ? Il s'efforçait probablement de l'éviter et devait compter les jours qui la séparaient de son départ.

Jane pouffa et agita une main devant les yeux de son amie.

— Ouh, ouh ! Tu es là ? Je vous ai vus, tous les deux, lors de l'arrestation de Robert… Et je veux bien parier ma prochaine paye que vous n'êtes pas indifférents l'un à l'autre. Quand deux personnes font de tels efforts pour s'ignorer, il y a anguille sous roche !

— Nous étions en plein milieu d'une arrestation, Jane. Ce n'était pas un rendez-vous galant, loin de là !

Fouillant dans ses poches, Jane en tira des clés, avec lesquelles elle ouvrit sa portière.

— Tu commets une grosse erreur en partant maintenant, tu sais ?

— Ça n'aurait jamais marché !

— Si tu le dis !

Jane lui jeta un regard dubitatif et se glissa derrière le volant.

— Joyeux Noël ! lança-t-elle pour conclure.

Un soleil resplendissant faisait étinceler la neige accumulée sur les buissons et les branches des sapins. Des guirlandes brillaient à chaque vitrine et quelques notes de *Paix sur la Terre* s'échappaient des haut-parleurs posés devant le drugstore.

Sara étreignit brièvement son chien avant de le détacher du réverbère auquel il était attaché, et tous deux prirent la direction de la maison de Bernice.

Un joyeux Noël en perspective, cela ne faisait aucun doute !

— Maman ? J'ai apporté de la pizza ! cria Sara, en tapant ses bottes contre le sol pour enlever la neige, avant d'entrer. Tu es là ?

La guirlande lumineuse du sapin de Noël clignotait joyeusement dans le salon, la pièce embaumait le pin et la cannelle, mais Bernice ne répondit pas.

Sara retira son manteau et ses souliers, et traversa la pièce. Sa mère était attablée à la table de la cuisine, un fatras de documents jaunis étalés devant elle.

— Maman ?

Bernice secoua lentement la tête, sans lever les yeux cependant.

— Maman ? Ça va ? demanda Sara, passant un bras autour des frêles épaules de la vieille dame. Qu'est-ce que c'est que ça ? reprit-elle, en voyant les papiers.

— Toutes ces années, balbutia Bernice… Toutes ces années !

Sara prit une chaise et s'assit à côté d'elle.

— Qu'y a-t-il ? Tu as gardé toutes ces coupures de journaux depuis la mort de papa ?

— Non. C'est ce pauvre vieil Earl… Léon les a remis à Nathan, mardi soir.

Les mains tremblantes, Bernice effleura respectueusement les documents.

— Nathan me les a apportés. Il est resté plusieurs heures avec moi.

Sara sentit son cœur lui manquer, bien malgré elle. De toute évidence, Nathan était venu à un moment où il était sûr de ne pas la trouver chez sa mère.

— Et pourquoi donc ?

— Pour passer tout ça en revue avec moi, de manière à ce que je sache ce qui s'est véritablement produit. Et voilà… A présent, je sais. Les coupures de journaux correspondent en tout point à la version officielle. Ce qui fait la différence, c'est la lettre de Earl.

Sara feuilleta les documents et tomba sur une lettre tapée à la machine. Tout d'abord, elle la parcourut rapidement, puis la relut lentement, s'imprégnant du moindre mot.

— Mon Dieu ! Ce n'est pas possible ! Robert Kelstrom aurait tué Frank et piégé papa ? Enfin… Pour quelle raison ?

— Nathan va l'interroger, ainsi que d'autres personnes qui pourraient savoir ce qui s'est passé à l'époque. Nous pensons tous les deux que Frank envisageait de licencier Robert ou bien qu'il freinait sa carrière.

— Et personne n'a jamais rien soupçonné ? murmura Sara.

— Si. Earl. Hélas, il a pris peur et n'a rien dit. Il n'a écrit cette lettre que peu de temps avant de mourir. Il souffrait d'angine de poitrine et voulait que la vérité éclate enfin au grand jour.

— Comment a-t-il su, pour papa… et pour Robert ?

— Il était parti chasser avec Daniel. A un moment donné, ils se sont séparés. Daniel a trouvé Frank, grièvement blessé, et a voulu l'aider… Seulement il était tr… trop tard.

Bernice porta un mouchoir à ses lèvres et soupira longuement.

— C'est pour cela que ses vêtements étaient recouverts de sang, reprit-elle. Robert Kelstrom a dû voir là l'occasion rêvée de faire accuser ton père à sa place.

— Que s'est-il passé ensuite… En prison ?

— Earl était en route pour le commissariat. Il voulait voir ton père. En arrivant, il a vu Robert y entrer tandis que Clay en sortait. Il pense que Robert a payé Clay pour aller faire un tour, avant d'exécuter Daniel, de manière à ce que personne n'entende jamais sa version de l'histoire, expliqua Bernice, les yeux pleins de larmes. A cette époque-là, on ne surveillait pas beaucoup les cellules, dans les petites villes comme la nôtre. Cette ordure a commis un double assassinat.

Et il avait recommencé, ces derniers mois. Sara sentit la colère lui nouer la gorge, avant d'être foudroyée par le chagrin : elle imagina le choc que son père, si doux, avait dû ressentir en trouvant Frank baignant dans son sang. Puis son angoisse, enfermé dans cette cellule, incapable d'échapper à son meurtrier.

Se souvenant de ce que Clay lui avait déclaré au mois d'octobre, elle ferma les yeux.

— Papa ne buvait pas, n'est-ce pas ?

— Bien sûr que non ! Il détestait le goût de l'alcool. Il ne supportait même pas le vin de messe. Pourquoi me demandes-tu cela ?

— Clay Benson a essayé de me convaincre qu'il était ivre, le soir du meurtre. Encore un mensonge. Pourtant, je ne comprends pas… Le médecin légiste a dû faire état de ses soupçons, dans son rapport !

— D'après Nathan, reprit Bernice, certains comtés ruraux n'avaient pas de médecin légiste. Dans ce cas, le shérif avait mandat pour enquêter, en cas de doute. S'il ne posait pas de question, le procureur n'allait pas chercher plus loin.

— Ainsi, Robert a maquillé le crime en suicide, a acheté le silence du shérif, ainsi que celui de l'entrepreneur des pompes funèbres… Et ça a marché ?

— Toutes ces années…, répéta Bernice, une larme roulant sur sa joue.

— Pourquoi Earl n'a-t-il pas parlé plus tôt ?

— Nathan pense qu'il était terrorisé. Il avait vu Robert piéger Daniel, pour le tuer quelques heures plus tard. Il avait un fils handicapé à élever. Enfin, il a dû penser que la parole d'un ferrailleur n'aurait aucune valeur face à celle d'un jeune cadre de l'usine… Sans compter que Earl buvait énormément, à cette période. Si Robert avait réussi à se faire libérer, Earl aurait été le suivant sur la liste… Et il le savait !

— J'ai hâte de discuter de cette affaire avec Clay.

— Nathan l'a mis au pied du mur hier, dit Bernice en secouant la tête. Il a eu une attaque quelques heures plus tard.

— Il est mort ?

— Il est à l'hôpital de Fargo. D'après ce que j'ai entendu dire, il est bien mal en point. Je sais que c'est une chose terrible à dire, et pourtant… Je n'éprouve aucune pitié pour lui.

— Alors, pendant tout ce temps, les paroles abominables qu'ont eues les gens envers papa étaient fondées… sur un tissu de mensonges !

— J'en ai voulu à ton père d'avoir tué ce pauvre homme, de…

Elle déglutit péniblement.

— … de s'être suicidé et de nous avoir laissés seuls. Pire, j'étais convaincue de l'y avoir incité.

— Ne dis pas de bêtises ! Tu n'aurais jamais fait ça !

— J'étais une piètre épouse, tu sais ! Toujours en train de me plaindre du manque d'argent. De ne pas pouvoir vous acheter assez de cadeaux. Je me suis dit qu'il avait dû demander une augmentation à Frank, ajouta-t-elle avec un petit rire amer, et perdre la tête lorsque l'autre a refusé. J'ai toujours pensé que ce cher vieux Frank Grover était mort par ma faute !

— Oh, maman ! gémit Sara en l'étreignant de toutes ses forces.

— C'est peut-être pour cette raison que je suis restée ici, même quand j'étais rejetée de tous. Je ne méritais pas mieux, poursuivit-elle d'une voix faible.

— Allons… C'est fini, à présent ! Toute la ville va apprendre la vérité. Tu n'as plus besoin de te cacher, maman. Je vais veiller personnellement à ce que cette nouvelle fasse la une des journaux. Et puis, je vais prévenir Kyle.

— Je veux que Daniel soit réhabilité. Après tout, il le mérite amplement : sa propre épouse n'a-t-elle pas passé vingt-cinq ans à lui reprocher un meurtre qu'il n'avait pas commis ?

La veille de Noël, à midi, Josh sonna à la porte de Bernice, une boîte de cookies joliment décorés à la main.

Toute la matinée, l'atmosphère avait été morose dans le petit appartement, mais le seul fait de voir ses cheveux roux en bataille et son sourire édenté suffit à réchauffer le cœur de Sara.

— Salut, mon grand ! Tu veux entrer une minute ? Ma mère a préparé du pain norvégien et du *lefse* dont tu me diras des nouvelles. Je crois qu'elle vient également de mettre en route une fournée de cookies.

Josh ferma les yeux pour s'imprégner des arômes de cannelle, gingembre et muscade.

— Je peux pas rester. Je dois rentrer pour surveiller Timmy, répondit-il à regret, en lui tendant sa boîte de biscuits. C'est ma mère qui vous envoie ça. Pour vous dire qu'elle vous est terriblement reconnaissante, même si vous l'avez fait pleurer.

— Je… Je suis désolée, Josh ! bredouilla Sara, interloquée. Je ne voulais pas la blesser en lui donnant le nom de ce médecin ! Seulement l'aider !

— Non ! Elle a pleuré *de joie* ! Elle a appelé ce docteur, elle est restée longtemps au téléphone, et *après* elle s'est mise à pleurer !

— Que s'est-il passé ?

L'enfant leva vers elle des yeux éblouis.

— Ce docteur a promis de voir maman très bientôt. Il paraît qu'il existe de nouveaux traitements au laser et qu'ils pourraient effacer toutes ces taches !

— C'est fantastique, Josh !

Allen lui avait donné les coordonnées de sa sœur, spécialiste des problèmes dermatologiques depuis des années.

— Remercie-la bien pour les cookies, d'accord ? Attends un instant… Je vais te donner des bons hommes en pain d'épices à remporter.

L'enfant dansait d'un pied sur l'autre sur le paillasson lorsque Sara revint de la cuisine, avec un sachet en plastique plein à craquer de gourmandises.

— Alors, tu es content que ce soit enfin Noël ?

— Oh oui, alors ! Maman m'a dit qu'il ferait suffisamment bon pour aller à l'église à pied. J'adore quand la lune fait briller la neige ! Et puis j'aime regarder les étoiles. Il doit y en avoir des milliards !

A Dallas, les étoiles ne scintillaient pas autant, et elles étaient beaucoup moins nombreuses que dans le nord du pays.

— Je suis heureuse de passer Noël ici.

Le sourire de l'enfant s'évanouit.

— Il paraît que vous repartez demain ?

— Il le faut ! Mon travail et mon appartement m'attendent, à Dallas…

— Vous pouvez pas déménager ? suggéra-t-il, son regard s'attardant avec mélancolie sur Harold, profondément endormi sur le canapé. Je suis sûr que vous pourriez faire beaucoup de choses à Ryansville !

Elle avait eu tout loisir de réfléchir, cette semaine, au charme désuet de sa ville natale, au plaisir d'arpenter des rues familières, de croiser des visages connus. Elle avait songé à sa mère, aussi.

Et à la beauté inégalable de la région des lacs, aux saisons si contrastées.

Hélas ! Si fort que cet endroit lui plût, elle ne pouvait pas rester. C'était ici que Nathan vivait. Elle le croiserait immanquablement en ville et, au fond de son cœur, elle continuerait de l'aimer. Mieux valait rompre complètement et retourner à l'anonymat des grandes villes, pour se consacrer entièrement à sa carrière.

— Vous viendrez me voir, hein ? reprit Josh.

— Où ?

— A la crèche. Sur la place. Je… J'ai quelque chose pour vous. Je vous le donnerai là-bas.

— Tu vas être un superbe berger ! C'est à quelle heure, déjà ?

— Les animaux y seront à partir de 15 heures et nous, les acteurs, juste avant la messe de Noël. De toute façon, vous descendez en ville, non ?

— Je ne manquerais cela pour rien au monde, affirma-t-elle en se penchant pour le serrer dans ses bras. Tu es un bon garçon, Joshua. Tu vas me manquer !

— Venez à 18 heures, d'accord ? On a chacun une réplique… C'est promis ?

— C'est promis ! répondit-elle, une main levée.

A 16 h 30, il faisait déjà nuit. A 18 heures, tandis que Bernice et Sara se mêlaient à la foule rassemblée devant la crèche, sur la place, de gros flocons se mirent à tomber.

Sara avait espéré que le ciel serait dégagé, afin de contempler les étoiles. Après tout, c'était sa dernière nuit ici. Néanmoins, la neige était magnifique : ses sequins argentés se déposaient sur les bonnets de laine et les manteaux, et les plus jeunes levaient la tête vers le ciel, ouvrant la bouche, essayant d'attraper les flocons du bout de la langue.

Kyle avait prétexté le travail pour ne pas venir. Malgré tout, Sara avait perçu son émotion, une fois qu'elle lui eut révélé la vérité sur la mort de leur père. Avec un peu de chance et un peu de temps, peut-être réussiraient-ils à resserrer les liens pour former de nouveau une véritable famille...

Une vache avec de gros yeux marron et de longs cils était patiemment allongée sur une épaisse litière de paille. Trois moutons gras étaient installés devant la mangeoire, tandis que les bergers et les rois, vêtus de longues robes, étaient déjà en place.

Les acteurs — des élèves du lycée — tripotaient leurs costumes avec gêne, cherchant dans la foule les visages connus, qu'ils saluaient subrepticement.

— Où est Josh ? chuchota Bernice. Je ne le vois pas.

Sara regarda de nouveau, plus attentivement.

— Moi non plus. Il est...

Sara sentit sa mère tressaillir.

— Kyle... Voilà Kyle ! s'exclama-t-elle.

Même parvenu à l'âge adulte, Kyle Hanrahan avait conservé une expression arrogante. Avec sa chevelure ondulée et ses traits durs, on aurait pu le prendre pour une star de cinéma montante. Toutefois, son sourire insolent n'était pas affecté, et c'était un exploit que de lui soutirer trois mots d'affilée.

Aujourd'hui, pourtant, il y avait quelque chose de différent en lui, une lueur presque vulnérable dans ses yeux. Il s'immobilisa auprès de Bernice et salua les deux femmes d'un signe de tête emprunté.

— Je n'ai pas pu venir plus tôt...

— Joyeux Noël, Kyle, murmura Sara.

Même s'il n'avait jamais été très démonstratif, elle s'avança pour l'embrasser.

— Nous sommes très touchées de ta présence.

Bernice l'étreignit à son tour, et tous deux restèrent un long moment dans les bras l'un de l'autre, se regardant dans les yeux.

— Quand je pense à toutes ces années…, bredouilla Kyle. A tout ce que les gens ont pu dire…

— Nous avons perdu du temps, reconnut Bernice, en reculant d'un pas. Nous devrions profiter de ce que nous sommes réunis pour prendre un nouveau départ. Qu'en penses-tu ?

— Il y avait un article dans le journal, ce matin, intervint Sara. A la une. Robert Kelstrom est inculpé du meurtre des Lund. Ajoutez à cela le trafic de drogue, qui tombe sous le coup des lois fédérales : il finira ses jours en prison.

— Ça commence ! s'écria un enfant. Regardez ! Le petit Jésus est un vrai bébé !

Derrière l'appentis, une adorable fillette, incarnant Marie, s'avança, tenant dans ses bras un bébé enveloppé dans une combinaison de ski. Venait ensuite Joseph, un long bâton de berger en main, la mine sombre et les joues écarlates.

Sara le contempla un instant, éberluée, puis son cœur se gonfla de joie.

— Regardez ! C'est Josh ! Il a décroché le rôle qu'il voulait !

La foule se fit silencieuse pendant que les acteurs se mettaient en position.

Josh, le poing crispé sur son bâton, s'éclaircit la gorge et ferma les yeux pour se concentrer.

Lorsqu'il les rouvrit, sa voix claire s'éleva dans la nuit.

— « En ce temps-là, par décret de César, le monde entier dut être recensé… »

Même les tout petits enfants l'écoutaient attentivement, percevant l'émotion dans sa voix. Aussi fière que s'il s'était agi de son propre fils, Sara lui sourit d'un air radieux, avant de jeter un coup d'œil dans la foule, parmi laquelle elle connaissait tant de monde.

Vivre dans cette ville, c'était un peu comme faire partie d'une famille. Depuis des générations, ces gens partageaient la même histoire et les amitiés se perpétuaient.

Elle aperçut Jane, à quelques mètres d'elle. Et plus loin, Timmy, blotti dans les bras de son père. Zoé et Bob irradiaient l'amour et la fierté devant la performance de leur fils aîné.

Soudain, elle remarqua Nathan.

Dominant tous ceux qui l'entouraient, il se tenait en lisière du public, enveloppé dans un long manteau noir saupoudré de flocons. Ses cheveux voletaient avec la brise. Et même si son visage fin lui semblait hagard et fatigué, c'est avec un léger sourire aux lèvres qu'il contemplait Josh.

Comme s'il avait senti qu'elle le regardait, il se tourna vers elle et la dévisagea. Même de loin, elle perçut le mélange de colère, de regret et de détermination qui l'animaient.

Cela n'avait, bien sûr, plus la moindre importance ! Leur amour était fini, et elle se moquait bien de savoir qu'il avait une si piètre opinion d'elle. Une fois rentrée à Dallas, elle n'aurait aucun mal à l'oublier.

— … « elle donna naissance à son fils aîné et le coucha dans une mangeoire, car il n'y avait pas de place à l'auberge. »

Les épaules de Josh se soulevèrent de soulagement.

Un tonnerre d'applaudissements monta du public, suivi d'un autre, lorsqu'un des bergers s'avança au bord de la scène.

— « Or, dans le même pays, des bergers, vivant dans les pâturages… »

Sara fit le signe de la victoire à Josh. L'enfant, radieux, lui sourit en retour.

L'enfant Jésus s'agitait dans la mangeoire, jusqu'à ce que sa mère glisse discrètement un biberon à Marie : le spectacle était tellement touchant que Sara sentit sa poitrine se gonfler de joie.

Serrant le bras de sa mère, elle se pencha vers elle. Bernice avait les larmes aux yeux.

— Tu n'es pas contente d'être venue ? Hé ! Regarde ! Léon est là, lui aussi !

Légèrement à l'écart, un sourire béat sur le visage, il regardait les acteurs se disperser. Il s'était habillé pour l'occasion : son jean était immaculé, et son assistante sociale avait dû l'emmener en ville, car il portait un manteau neuf et s'était fait couper les cheveux. Sara lui fit un grand signe de la main. Il la salua timidement en retour.

— Allons le rejoindre, tu veux bien ? Ainsi, il pourra nous accompagner à l'église, au lieu de rester seul. Ensuite, il rentrera avec nous.

Sara entraînait déjà sa mère lorsqu'une main la retint. Josh se tenait devant elle, deux cadeaux enveloppés dans les mains.

— Salut, mon grand ! Tu as été absolument magnifique. Le meilleur Joseph que j'aie vu de ma vie ! Quand as-tu décroché le rôle ?

Dans un brusque accès de timidité, l'enfant se mit à taper dans la neige du bout du pied.

— La semaine dernière… Normalement, ça devait être Ricky Weatherfield, mais M. Weatherfield a dit que ce n'était pas juste, que sa femme choisissait toujours leurs fils. Alors il s'est débrouillé pour que je joue le rôle de Joseph.

— Tu t'entends mieux, avec eux, à présent ?

— Oui. Le principal de l'école et leur père leur ont dit deux mots. Mais moi, je crois que c'est surtout parce que je me suis fâché, ajouta-t-il avec un sourire entendu. Ils ont compris que j'en avais vraiment assez !

Alertée par une sorte de sixième sens, elle leva la tête. Nathan s'approchait d'eux, le visage de marbre.

— Comment allez-vous, madame Hanrahan ? lança-t-il, sans accorder un regard à Sara.

— Bien ! Et je voudrais profiter de l'occasion pour vous remercier… Vous m'avez fait le plus beau des cadeaux !

— J'ai quelque chose à vous annoncer, rétorqua-t-il tristement. Clay Benson est décédé ce matin. J'ai cru bon de vous l'apprendre moi-même. Je sais que vous vouliez qu'il paye pour ce qui est arrivé à votre mari… Si cela peut vous consoler, il m'a avoué qu'il n'avait jamais connu la paix, depuis ce jour-là.

— Je… Il s'est puni tout seul, déclara Bernice en croisant les bras. C'est parfois pire, de ruminer ses erreurs et de regretter de ne pouvoir changer le passé…

— Et Kelstrom ? lança Kyle, la mâchoire tendue.

— L'enquête se poursuit. Nous avons passé le dossier au procureur. Je suppose qu'il devra répondre de ces deux homicides également.

Josh regarda tour à tour Sara et Nathan, d'un air insistant.

— Ma mère va bientôt m'appeler, alors…

Brandissant les deux petits paquets, il les leur tendit.

— Voici pour vous !

— Je vais chercher Léon, marmonna Bernice. Vous voudrez bien m'excuser !

Tournant les talons, elle se heurta à Ollie Nielsen. En temps normal, cette dernière l'aurait évitée. Ce jour-là, cependant, elle s'avança, l'air contrit.

— Bernice, j'ai lu les journaux. Je vous ai mal jugée, pendant vingt-cinq ans, et j'en suis sincèrement désolée. Pensez-vous que vous pourrez me pardonner ?

— Moi aussi, j'ai beaucoup à me faire pardonner. J'étais l'épouse de Daniel et je l'ai cru coupable. Tout ce temps perdu à osciller entre la colère et la souffrance…

— Les choses vont changer, je vous le promets ! s'exclama Ollie, en prenant le bras de Bernice. J'ai entendu que vous parliez de Léon. Allons le chercher ensemble !

— Viens avec nous, Kyle ! suggéra Bernice. Je crois que Josh veut rester seul un moment avec ta sœur et Nathan.

Sara les regarda se frayer un chemin dans la foule et fut soulagée de voir qu'un bon nombre de gens saluaient sa mère et son frère. Certains leur dirent même quelques mots. Les choses étaient déjà en train de changer, et cela grâce à Nathan et Léon.

Josh attendit quelques instants, avant de tendre le plus gros paquet au shérif adjoint.

— Joyeux Noël !

Nathan dénoua soigneusement le ruban rouge et passa un ongle sous le ruban adhésif retenant le papier cadeau.

— Tu as emballé cela de façon superbe ! fit-il remarquer. Et je ne m'attendais vraiment pas à cela, Josh…

Soulevant le couvercle de la boîte à chaussures, il en examina le contenu pendant un long moment.

— Josh ! Vraiment, tu n'aurais pas dû ! Je sais à quel point ce jouet t'est cher !

Montrant la boîte à Sara et Josh, il en tira la locomotive diesel de la *Southern Pacific*.

— Tu devrais la garder pour la donner à tes fils, plus tard !

— Non ! répondit Josh en secouant énergiquement la tête. Vous m'avez dit que vous auriez aimé que votre papa fasse des choses avec vous… Et que ce n'était pas le prix des cadeaux qui les rendait précieux. Comme vous avez été très gentil avec moi, je veux vous donner ma locomotive. Mon grand-père l'adorait, quand il était petit, mon papa aussi, et moi aussi. Je voulais vous donner quelque chose de précieux. Comme ça… peut-être que vous aimerez mieux Noël !

— Je… Je ne sais que dire. C'est le plus beau cadeau qu'on m'ait jamais fait !

— J'en ai parlé à mon papa et à ma maman. Ils sont d'accord. Si vous entamez une collection, je viendrai vous aider !

— Tu es un garçon vraiment formidable, Josh…, murmura Sara. Je ne peux pas imaginer de plus beau cadeau !

— A votre tour, maintenant ! enchaîna l'enfant, lui tendant un paquet plus mince.

Intriguée, Sara déballa soigneusement son cadeau. Il contenait du feuillage un peu raplati.

— Je… C'est vraiment joli, Josh. Je pourrai le poser autour de jolies bougies ou l'accrocher au mur !

— Non ! Vous ne vous souvenez pas de mon oncle Peter, qui habite en Virginie ?

— Ton oncle ? Laisse-moi réfléchir… Ah oui ! Le « chasseur de gui » ?

Nathan les regarda tour à tour, l'air perplexe.

— Le quoi ?

— Le gui pousse tout en haut des arbres, là où il vit, expliqua Josh. Alors mon oncle le chasse avec un fusil. Je lui ai écrit, au mois d'octobre, pour lui demander du gui spécial. Du gui vraiment, vraiment magique !

— C'est très gentil de ta part, mon grand ! dit Sara en l'embrassant.

— Je me suis dit que… Nathan et vous… Enfin…

Il donna un coup de pied dans la neige.

— Je ne veux pas que vous partiez. Vous avez été tellement gentille avec moi… Vous ne pouvez pas rester ?

— Josh ! appela Zoé, à l'autre extrémité de la place, presque déserte. Je te cherchais partout !

— Il faut que j'y aille. Joyeux Noël ! conclut-il en les regardant de nouveau, l'un après l'autre.

Sara le regarda traverser la place enneigée pour aller rejoindre les siens.

— Ma mère doit déjà être à l'église, avec Léon. Je ferais bien d'y aller, moi aussi…

Une dernière fois, elle regarda Nathan, pour mémoriser ses traits, son menton décidé, ses beaux yeux noisette empreints de tristesse.

— Peut-être pas ! dit-il lentement.

— Pardon ?

— Peut-être n'est-ce pas le moment d'y aller. Du moins pas encore…

Inopinément, il balaya les flocons dans les cheveux de Sara. Se rapprochant encore, il posa une main assurée et fraîche sur sa joue, en un geste d'une douceur infinie.

Des centaines d'images lui vinrent à l'esprit : Nathan l'embrassant au clair de lune… Son corps musclé… Sa générosité et son sens de l'honneur… Hélas, en s'abandonnant, elle ne ferait que rendre son départ plus difficile encore.

— Nous nous sommes déjà dit adieu, il me semble, fit-elle remarquer en reculant. Les choses me paraissent tout à fait claires…

— Tu trouves ?

Il posa le présent de Josh sur un banc, à quelques mètres de là, et s'avança vers elle. Elle se retrouva acculée à l'écorce rude d'un arbre, son cadeau serré contre sa poitrine.

— J'ai beaucoup réfléchi à ce que tu m'as dit, reprit-il. Et à ce que je t'ai dit moi-même.

— Ah ?

— J'en ai conclu qu'il restait des points d'ombre.

— Tels que… ?

— Je dois reconnaître que j'ai été plutôt surpris, lorsque j'ai découvert que tu étais ici en mission de surveillance.

Faisant encore un pas en avant, il appuya un bras sur l'arbre, avant de lui soulever le menton du bout de l'index.

Sara sentit sa peau s'enflammer.

— Ah bon ?

— Je dois également admettre que j'ai été… *étonné* d'apprendre que tu me soupçonnais d'être impliqué dans le trafic minable de Robert.

— Je n'ai jamais…

Se penchant vers elle, Nathan lui effleura la tempe du bout des lèvres, lui faisant perdre le fil de ses pensées.

— Le plus dur à avaler a été ta menace de m'arrêter, dès que j'aurais prévenu *tous* mes complices.

— Je ne faisais que mon travail, murmura-t-elle. Je ne pouvais risquer…

Il baissa la tête et s'empara de sa bouche jusqu'à ce qu'elle en ait le vertige. Ses jambes l'abandonnèrent, et elle dut se retenir à l'arbre pour ne pas s'écrouler dans la neige.

Lorsqu'il s'interrompit, il la dévisagea, comme pour chercher les réponses dont il avait besoin.

— Si j'ai réagi aussi vivement, reprit-il, c'est parce que tu m'as causé une peine immense. J'étais amoureux de toi, vois-tu ? Apprendre que ce n'était pas réciproque était déjà douloureux… Mais penser qu'à tes yeux, je ne valais pas mieux que les malfrats que nous arrêtons tous les jours…

— Ce n'est pas vrai, protesta-t-elle. Je…

— Je sais.

Se saisissant de son paquet de gui, il alla le déposer sur le banc, à côté du sien, avant d'étreindre Sara et de l'embrasser jusqu'à ce que le monde enneigé, autour d'eux, disparaisse, et que seuls subsistent sa bouche, sa chaleur et les battements de leurs cœurs.

— Je veux que tu restes ici, lui chuchota-t-il à l'oreille. Je veux retourner à la pêche avec toi, et perdre tous mes paris. Je veux me réveiller, le matin, Harold au pied du lit, toi à mes côtés et quatre ou cinq petits Roswell endormis au bout du couloir. Je veux partager ma vie avec toi, jusqu'à ma mort.

— Quatre ou cinq ? demanda-t-elle en s'esclaffant.

Ses doutes s'évanouissaient, laissant place à la réalité de cette requête infiniment émouvante.

— Attends un peu que je donne à Josh des nouvelles de son gui magique ! reprit-elle. Il n'en croira pas ses oreilles !

Une lueur amusée traversa le regard de Nathan.

— Je sais que tu as une carrière, à Dallas… Mais si tu veux continuer à travailler, la DEA a aussi des bureaux à Fargo. Et puis, il y a d'autres possibilités. Je t'aime, Sara… Veux-tu m'épouser ?

demanda-t-il enfin, la regardant dans les yeux, la voix rendue grave par l'émotion.

Les cloches se mirent à sonner dans la nuit hivernale. Au-dessus d'eux, les nuages s'étaient dispersés, révélant des milliers d'étoiles, dont une brillait plus que les autres.

Sara éprouva alors un intense sentiment de paix.

— Rien ne pourrait me rendre plus heureuse, répondit-elle simplement, avant de l'étreindre à son tour, avec tout l'amour du monde.

Le Clan des MacGregor

Orgueil et Loyauté, Richesse et Passion

⌢

**Tournez vite la page,
et découvrez en avant-première,
un extrait du premier épisode
de la nouvelle saga de Nora Roberts :**

La fierté des MacGregor

⌢

*Dans son style efficace et sensible, Nora Roberts
nous fait cadeau d'une nouvelle saga : celle des
MacGregor, et nous fait pénétrer dans le clan très
fermé de cette famille richissime.*

A paraître le 1er octobre

Extrait de
La fierté des MacGregor
de Nora Roberts

La lune était encore haute dans le ciel et poudrait la mer d'argent. Accoudée au bastingage, Serena se gorgeait d'air pur tout en regardant danser l'écume lumineuse.

Il était 2 heures du matin passées et personne ne s'attardait plus sur les ponts extérieurs. C'était le moment de la nuit qu'elle préférait, lorsque les passagers étaient déjà couchés et que l'équipage dormait encore. Seule avec les éléments, elle retrouvait le plaisir d'être en mer. Le visage offert au vent, elle goûtait la sauvage beauté de la nuit et se recentrait sur elle-même après avoir été immergée dans la foule toute la soirée.

Juste avant le lever du jour, ils atteindraient Nassau pour une première escale. Et le casino resterait fermé tant qu'ils seraient à quai. Ce qui lui laisserait une journée entière de liberté. Et le temps de savourer sans arrière-pensée ce moment de détente avant le coucher.

Très vite, les pensées de Serena dérivèrent vers l'homme qui était venu jouer à sa table quelques heures auparavant. Avec son physique et son allure, il devait attirer bien des femmes. Pourtant, on devinait en lui un solitaire. Elle était prête à parier, d'ailleurs, qu'il s'était embarqué seul pour cette croisière.

La fascination qu'il exerçait sur elle allait de pair avec un indiscutable sentiment de danger. Mais quoi d'étonnant à cela puisqu'elle avait toujours eu le goût du risque ? Les risques pouvaient être calculés, cela dit. Il y avait moyen d'établir des statistiques, d'aligner des probabilités. Mais quelque chose lui disait que cet homme balayerait d'un geste de la main toute considération platement mathématique.

— Savez-vous que la nuit est votre élément, Serena ?

Les doigts de Serena se crispèrent sur le bastingage. Même si elle n'avait jamais entendu le son de sa voix, elle *savait* que c'était lui. Et qu'il se tenait à quelque distance derrière elle. D'autant plus inquiétant que son ombre devait à peine se détacher sur le tissu obscur de la nuit.

Elle dut faire un effort considérable sur elle-même pour ne pas pousser un cri. Le cœur battant, elle se força à se retourner lentement puis à faire face. Laissant à sa voix le temps de se raffermir, elle attendit qu'il soit venu s'accouder à côté d'elle pour s'adresser à lui avec une désinvolture calculée.

— Alors ? Vous avez continué à avoir la main heureuse, ce soir ?

— A l'évidence, oui, dit-il en la regardant fixement. Puisque je vous retrouve.

Elle tenta — sans succès — de deviner d'où il était originaire. Tout accent particulier avait été gommé de sa voix profonde.

— Vous êtes un excellent joueur, dit-elle, sans relever sa dernière remarque. Nous n'avons que très rarement affaire à des professionnels, au casino.

Elle crut voir une étincelle d'humour danser dans ses yeux verts tandis qu'il sortait un de ses fins cigares de la poche de son veston. L'odeur riche, onctueuse, de la fumée chatouilla les narines de Serena avant de se dissiper dans l'immensité de la nuit.

Décontenancée par son silence, elle demanda poliment :

— Vous êtes content de votre croisière, jusqu'à présent ?

— Plus que je ne l'avais prévu, oui… Et vous ?

Elle sourit.

— Je travaille sur ce bateau.

Il se retourna pour s'adosser au bastingage et laissa reposer sa main juste à côté de la sienne.

— Ce n'est pas une réponse, Serena.

Qu'il connaisse son prénom n'avait rien de surprenant. Elle

le portait bien en évidence sur le revers de sa veste de smoking. Mais de là à ce qu'il s'autorise à en faire usage…

— Oui, j'aime mon travail, *monsieur*… ?

— Blade… Justin Blade, répondit-il en traçant d'un doigt léger le contour de sa mâchoire. Surtout, n'oubliez pas mon nom, voulez-vous ?

N'eût été son orgueil, Serena se serait rejetée en arrière, tant elle réagit violemment à son contact.

— Rassurez-vous. J'ai une excellente mémoire.

Pour la seconde fois, ce soir-là, il la gratifia d'une ébauche de sourire.

— C'est une qualité essentielle pour un croupier. Vous excellez dans votre métier, d'ailleurs. Il y a longtemps que vous êtes dans la profession ?

— Un an.

— Compte tenu de votre maîtrise du jeu et de la façon dont vous manipulez les cartes, j'aurais pensé que vous aviez plus d'expérience que cela.

Justin saisit la main qui reposait sur le bastingage et en examina avec soin le dos comme la paume. Il s'étonna de la trouver si ferme en dépit de sa délicatesse.

— Que faisiez-vous dans la vie avant d'être croupier ?

Même si la raison voulait qu'elle retire sa main, Serena la lui laissa. Par plaisir autant que par défi.

— J'étudiais, répondit-elle.

— Quoi ?

— Tout ce qui m'intéresse… Et vous ? Que faites-vous ?

— Tout ce qui m'intéresse.

Le son rauque, sensuel, du rire de Serena courut sur la peau de Justin comme si elle l'avait touché physiquement.

— J'ai l'impression que votre réponse est à prendre au pied de la lettre, monsieur Blade.

— Bien sûr qu'elle est à prendre au pied de la lettre… Mais oubliez le « monsieur », voulez-vous ?

Le regard de Justin glissa sur le pont désert, s'attarda sur les eaux sereines.

— On ne peut que se dispenser de formalités dans un contexte comme celui-ci.

Le bon sens commandait à Serena de battre en retraite ; sa nature passionnée, elle, la poussait à affronter le danger sans reculer.

— Le personnel de ce navire est soumis à un certain nombre de règles concernant ses rapports avec les passagers, monsieur Blade, rétorqua-t-elle froidement. Vous voulez bien me rendre ma main, s'il vous plaît ?

Il sourit alors et la lumière de la lune dansa dans ses yeux verts. Plus que jamais, il lui faisait penser à un grand chat sauvage. Au lieu de lui rendre sa main prisonnière, il la porta à son visage et posa les lèvres au creux de sa paume. Serena sentit ce baiser léger vibrer en elle, comme si la série des ondes de choc devait ne plus jamais cesser.

— Votre main me fascine, Serena. Je crois que je ne suis pas encore tout à fait prêt à vous la restituer. Et dans la vie, j'ai toujours eu la méchante habitude de prendre ce que je convoite, murmura-t-il en lui caressant les doigts un à un.

Dans le grand silence de la nuit tropicale, Serena n'entendit plus, soudain, que le son précipité de sa propre respiration. Les traits de Justin Blade étaient à peine visibles ; il n'était rien de plus qu'une ombre dans la nuit, une voix qui chuchotait à ses oreilles, une paire d'yeux aux qualités dangereusement hypnotiques.

Et quels yeux…

Sentant son corps indocile répondre de son propre mouvement à leur injonction muette, elle tenta de briser le sortilège par un sursaut de colère :

— Désolée pour vous, monsieur Blade. Mais il est tard, je descends me coucher.

Non seulement Justin garda sa main prisonnière, mais il poussa l'audace jusqu'à retirer les épingles dans sa nuque. Lorsque ses cheveux libérés tombèrent sur ses épaules, il sourit avec un air de discret triomphe, et jeta les épingles à la mer.

Poussée par la brise, la chevelure de Serena se déploya au-dessus des eaux noires. Sous la pâle lumière de la lune, sa peau avait la pureté du marbre. Fasciné, Justin se remplit les yeux de sa beauté fragile, presque irréelle. Une chose était certaine : il ne la laisserait pas repartir. Il y mettrait le temps et la patience qu'il faudrait. Mais il trouverait le moyen de la séduire avant la fin de cette croisière. Et le plus tôt serait le mieux.

— Il est tard, oui, mais la nuit est votre élément, Serena. Ça a été ma première certitude vous concernant.

— Ma première certitude *vous* concernant, c'est que vous étiez parfaitement infréquentable. Et j'ai toujours été très intuitive…

Ne manquez pas, le 1er octobre,
La fierté des MacGregor
de Nora Roberts
Premier roman de votre saga
MacGregor

Chère lectrice,

Vous nous êtes fidèle depuis longtemps?
Vous venez de faire notre connaissance?

C'est pour votre plaisir que nous avons
imaginé un rendez-vous chaque mois
avec vos auteurs préférés, vos
AUTEURS VEDETTE dans les
collections Azur et Horizon.

Les AUTEURS VEDETTE vous
donneront rendez-vous pour de
nouveaux livres vedette.

Pour les reconnaître, cherchez
l'étoile... Elle vous guidera!

Éditions Harlequin

ROUGE PASSION

De fiévreuses histoires d'amour sensuelles!

De provocantes histoires d'amour passionnées et romantiques qu'on lit d'une seule traite. Aventureuses, parfois humoristiques, et sensuelles, elles mettent en vedette des hommes et des femmes d'aujourd'hui.

ROUGE PASSION...
trois nouveaux titres
chaque mois.

GEN-RP-R

Composé et édité par les
éditions Harlequin
Achevé d'imprimer en septembre 2004

BUSSIÈRE
GROUPE CPI

à Saint-Amand-Montrond (Cher)
Dépôt légal : octobre 2004
N° d'imprimeur : 44096 — N° d'éditeur : 10809

Imprimé en France